ОЛЬГА ВОЛОДАРСКАЯ

www.eksmo.ru

Детективы Ольги Володарской сочетают остроту современной прозы и напряженность психологического триллера. В них вы найдете все, что хотели, но боялись узнать.

НЕТ ЗАПРЕТНЫХ ТЕМ!

В детективах
Ольги Володарской
нет запретных тем!

Читайте детективы Ольги Володарской!

В них нет запретных тем!

Кара Дон-Жуана
Последнее желание гейши
Хрустальная гробница Богини
Карма фамильных бриллиантов
Сердце Черной Мадонны
Король умер, да здравствует король
Принцип перевоплощения
Свидание с небесным покровителем
Клятва вечной любви
Ножницы судьбы
Неслучайная ночь
Подумай об этом завтра
Призрак большого города
Его величество случай
Девять кругов рая
Страсть под чужим именем
Отвергнутый дар
Тайный дневник Лолиты
Лунный демон
Он бы отдал жизнь
Седьмая казнь
Две половинки темной души
Каждый день как последний

ОЛЬГА ВОЛОДАРСКАЯ

КАЖДЫЙ ДЕНЬ КАК ПОСЛЕДНИЙ

ЭКСМО
Москва
2014

УДК 82-3
ББК 84(2Рос-Рус)6-4
В 68

Оформление серии *П. Петрова*

Володарская О.

В 68 Каждый день как последний : роман / Ольга Володарская. – М. : Эксмо, 2014. – 320 с. – (Нет запретных тем. Детективные романы О. Володарской).

ISBN 978-5-699-70339-5

Они все были такими разными... Люди, которых сделал своими пленниками маньяк, скрывавший лицо. Путешественник, мать-одиночка, скульптор, мажор, мошенник, экономист и содержанка — что могло объединять их, кроме уготованной участи? Одного из пленников похититель убил на глазах у других, а у второго вырезал на теле таинственный символ. Остальных он тоже приговорил к смерти, но...

Им удалось бежать! Только спасет ли их это? Маньяк остался на свободе, и планы его не изменились. Спустя несколько дней он добрался до бывшего пленника и перерезал ему горло. Теперь их осталось пятеро...

УДК 82-3
ББК 84(2Рос-Рус)6-4

ISBN 978-5-699-70339-5

Пролог

«В комнате с белым потолком с правом на надежду...»

Строки этой популярной песни «Наутилуса» безостановочно вертелись в голове. Хотя потолок комнаты, в которой он находился, был черным, а надежды выбраться из нее не имелось вовсе.

Он сидел на стуле, ножки которого были прибиты к деревянному полу огромными гвоздями. К ним, ножкам, в форме перевернутых букв «Т», привязаны его нижние конечности. Грубая веревка обвивала лодыжки, впиваясь в кожу. Запястья закинутых за спинку стула рук сцепляли наручники. В таком положении пленник провел очень много времени. Сколько конкретно, он не знал. В комнате с черным потолком не было ни часов, ни окон.

До этого он находился в другой, поменьше, но посветлее. В ней имелось оконце под самой крышей, в которое пробивался свет. Пленник не мог выглянуть на улицу, потому что его держала метровая цепь. Ее длина позволяла ему принимать более-менее удобное положение во время сна и добираться до горшка. Один широкий шаг или два коротких — вот и все, что он мог себе позволить. От окна его отделяло четыре метра.

В этой комнате он провел почти две недели, а если точнее, двенадцать дней. Тот, по чьей злой воле он оказался пленником, трижды заходил к нему. Вносил поднос с едой и водой и менял горшок. Ни лица, ни фигуры узнику рассмотреть не удалось. Человек всегда навещал его ночью, когда в комнате царила кромешная тьма. Визит его длился не более трех минут. Пленник пытался заговорить со своим тюремщиком, спрашивал, кто он, зачем его держит, чего хочет, но тот не удостаивал его ответом.

Пленник ничегошеньки не понимал. Зачем его похитили и держат на цепи, как собаку? Ладно бы он был богатым человеком и за него можно было бы потребовать выкуп. Но он самый обычный гражданин. Денег за его голову никто не заплатит. В качестве сексуального объекта его тоже никто не собирался использовать. Как и мучить, что делают маньяки в фильмах ужасов.

Но это не успокаивало.

Потому что неизвестность даже хуже смерти.

Когда он оказался в комнате с черным потолком, ему стало по-настоящему страшно. Говорят, не бывает так плохо, чтоб не могло стать еще хуже. Он только теперь понял, насколько точны эти слова. Находясь в помещении со слепым оконцем, матрасом вместо кровати, горшком взамен унитаза, он думал, что нет места ужаснее. Ан нет. Оно было. И он попал сюда...

Сидя на стуле, недвижимый, воняющий потом и испражнениями, он ждал...

Ждал своего конца, напевая про себя строчку известной песни «Наутилуса».

«В комнате с белым потолком с правом на надежду...»

Часть первая

Глава 1

Он родился в провинциальном городке, население которого составляло двадцать тысяч жителей. Половину из них Паша знал. Не лично, конечно, а в лицо. У него была потрясающая зрительная память. Ему стоило один раз взглянуть на человека, чтобы его внешность отпечаталась в мозгу навеки.

Паша рос пугливым ребенком. Он не ходил в детский сад, с ним сидела прабабушка. Поэтому со сверстниками мальчик общался редко. Только по субботам. Прабабушка (он ее называл баба) пекла в тот день пироги, Паша плохо ел, вот старушка и приглашала соседских мальчишек, чтоб ее внук, глядя на то, как они поглощают ее печево, тоже поел. А еще перестал дичиться других детей. Но Паша, сжевав пару пирогов, уходил к себе в комнату, а когда баба отправляла к нему ребят, забивался в угол с книжкой, делая вид, что читает. На самом же деле он просто не хотел общаться с пацанами, которые приходят к нему лишь потому, что хотят пожрать. Паша знал: они его не любят.

В школу идти он не хотел. В пять лет научившись читать, писать и считать, в семь он решил, что делать ему там нечего. Но пришлось пойти первый раз в первый класс! И поражать учительницу своей техникой чтения и знанием таблицы умножения. Паша мог перескочить через класс и сразу после первого пойти в третий. Вроде бы здорово! Скорее школу окончишь. Но как сосуществовать с ребятами, которые тебя старше? Он и с ровесниками-то ладил не очень. Пришлось ему целенаправленно занизить себе оценки. Писал диктанты и контрольные на тройки. В итоге — он остался в своем классе.

Баба умерла, когда Паша перешел в третий. Он отправился в школу, а когда вернулся домой, она лежала бездыханная на полу кухни. На плите догорала кастрюля с супом. Пашиным любимым, картофельным. Он не ел нормальные супы, типа борща, щей, солянки. Мясные бульоны тоже были Паше отвратительны. И бабушка варила для него картофельную похлебку с репчатым лучком, морковью и зеленью. Никто, кроме Паши, это варево есть не мог. Даже баба, росшая в войну. Она говорила, что наелась похлебок в детстве на всю оставшуюся жизнь. Но внуку варила ее в маленькой алюминиевой кастрюльке. Та уже начала пригорать, когда Паша пришел домой и обнаружил бабу мертвой...

После были похороны. Он стоял у гроба, смотрел на заострившееся лицо прабабушки и мысленно взывал к ней... Оживи, оживи! Потому что кроме нее... Хоть и родители есть, а все равно никого... Чужой он им. И только баба его любила, опекала. Отец Паши по командировкам мотался, мать в его отсутствие моталась с подружками по ресторанам (гулящей была, как говорила баба), вот сына на родительницу свекрови и сбагрила. Чтоб не мешал личной жизни.

И вот баба умерла.

Паша вернулся в родительский дом.

Он много плакал первое время. Особенно ночами, когда оставался один. Мать считала его уже достаточно взрослым и оставляла до утра без присмотра. А Паша боялся темноты. Баба знала об этом и включала настольную лампу, а сама ложилась на соседнюю кровать, чтобы мальчик видел, что она рядом. Мать же свет экономила, ругалась, если Паша его по ночам жег, и бросала его постоянно. Отец, когда бывал дома, много пил. Когда один, когда с друзьями, когда с женой. Нет, его родители не были алкоголиками, просто любили повеселиться. Оба никогда не прогуливали работу, не спускали все деньги на водку, прилично выглядели. Но Паша их немного стыдился. Особенно мамы, ярко размалеванной, излишне откровенно одетой, шумной, жеманной. Она отправлялась на родительские собрания в таком виде, в каком посещала кабаки. Потом Паша узнал, что она спуталась с физруком. До отца эта информация тоже дошла, и он подал на развод.

Вскоре мать съехалась со своим любовником, и у Паши появился новый «папа». Вообще-то она хотела сына опять сбагрить, да не нашлось желающих взять о нем заботу на себя. Отец в разъездах постоянных, свекровь-вдовица на инвалидности, а других бабушек и дедушек у Паши не было — мать давно осиротела. И ей ничего не оставалось, как оставить ребенка при себе.

Поскольку мальчиком он был неспортивным, общего языка с отчимом найти не удалось. Да Паша и не пытался. Он так привык к своему одиночеству, что стал получать от него удовольствие. Особенно он любил бродить по городку и ближайшему лесу. Став чуть постарше, отправляться дальше — в районный центр. Автобусом или электричкой зимой, на велосипеде летом. Паша мечтал о том, что, когда вырастет, купит машину и объедет на ней всю страну.

Однажды, возвращаясь из районного центра на велосипеде, он угодил под колеса грузовика. Очнулся в больнице. Обе ноги загипсованы, на голове повязка. Врачи говорили, что он легко отделался. Мог бы погибнуть. А что в больнице пришлось два месяца проваляться, а потом еще полгода ходить с костылями — ерунда. Главное, живой.

Паша долго после той аварии приходил в себя не только физически. Еще и морально. У него появился дикий страх перед любимыми видами транспорта. Он шарахался от автобусов, машин, мотоциклов. На велосипед больше не садился. Электричек избегал. И вообще боялся со двора выйти. Только до школы доходил и сразу обратно. С классом он никуда не ездил, ни на экскурсии, ни на туристические слеты. Когда мама отправляла Пашу на молочную кухню (она родила дочь), которая находилась на другом конце города, он чуть не рыдал от ужаса. Каждый поход за молоком был подобен подвигу. Паша преодолевал себя на протяжении всего пути, а придя домой, валился с ног от усталости, потому что не пользовался общественным транспортом, а передвигался пешком.

Будь мать внимательнее к сыну, она поняла бы, что с ним творится неладное. Она же все списывала на переходный возраст и считала, что Паша просто капризничает. Пришлось ему со своими страхами справляться самому. Он помнил, как отец заставлял его вставать на коньки после того, как он упал с них и сильно расшибся. Говорил, страху надо учиться смотреть в лицо. Иначе его не победить...

Паша тогда справился. Ну, почти... Рассекать лед, как раньше, на скорости да змейками, он не смог себя заставить. Но хотя бы просто катался, не замирая от страха при виде льда.

Со своей новой фобией он боролся дольше. Несколько лет. Начинал с малого — садился в автобус и проезжал одну остановку. Или катил на велике до соседнего дома. В конечном итоге смог побороть панический страх. Но Паша не мог до конца расслабиться, передвигаясь в транспорте. Он смотрел на остальных пассажиров, весьма беспечных, и думал о том, что ему, пожалуй, таким не стать. Легкий холодок всегда будет пробирать его изнутри, а ладони потеть при каждом резком повороте...

После девятого класса Паша пошел учиться в техникум на автослесаря, чтобы поскорее получить права. Если он сядет за руль, страх уйдет быстрее.

Он стал прекрасным водителем. Сдал экзамены с первого раза. И никто так и не узнал, чего ему это стоило. Страх вгрызался в Пашу как гигантский клещ, и требовались неимоверные усилия, чтобы ему не поддаться. Он читал, что большая часть скалолазов или парашютистов боится высоты. А забираются на нее, чтобы преодолеть себя. Вот и он так же...

Его забрали в армию сразу после училища. В автороту. Он полтора года возил генерала и не попал ни в одну аварию. Демобилизовавшись, Паша поступил в институт на заочное отделение и устроился на работу. Конечно же, водителем. А в свободное время он увлекался мотогонками.

После института Паша пошел работать на единственный в городке завод наладчиком. Вскоре стал мастером цеха. Женился на милой девушке, заводской бухгалтерше. У них родилась дочка. Жили неплохо, ездили всей семьей на море. На машине, как Паша и мечтал. И вроде бы все было хорошо, но... Чего-то ему постоянно не хватало! Свободы, интереса, азарта? Новых впечатлений? Проб и ошибок?

И в тридцать два года Паша в корне изменил свою жизнь. Он уволился с завода и отправился в бессрочное путешествие по Юго-Восточной Азии. Надо сказать, что семью без средств он не оставил. За победы в мотогонках он получал деньги, переводил их в доллары и откладывал на специальный счет. Копил на яхту. Втайне от жены — она не поняла бы. Но когда он решил уехать, обналичил счет и передал средства супруге. Сказал, трать. Если сможешь меня дождаться, хорошо. Нет — я не обижусь. Она плакала, умоляла одуматься. Ходила к бабке, думая, что на мужа кто-то наслал порчу. Та, естественно, это подтвердила. Взяла деньги за снятие. Но Паша не изменил своего решения и все-таки уехал.

Он знал, что это некрасивый поступок. И крайне безответственный. А еще мальчишеский. Не понятый никем, ни женой, ни дочкой, ни матерью, ни сестрой, ни теми людьми, кто его близко знал, ни теми, кто знал шапочно или только слышал о чудике, отказавшемся от семьи, хорошей работы, стабильности и погнавшемся за химерами. И ладно бы творческая личность. Художник, к примеру, как Гоген. Так нет, обычный технарь. Мастер заводской.

Паша и сам нет-нет да ругал себя. Наверное, нужно было продолжать тянуть свою лямку, как все. И, возможно, будь у него душевная близость хоть с кем-то, он так бы и сделал. Но когда умерла баба, никому не удалось «залезть ему под кожу». Даже дочери. А так хотелось, чтоб близкий человек был как часть тебя. Как кровь, по венам бегущая...

Жену он не любил. Она Паше нравилась, и он понимал, что лучшей супруги ему не найти. Вот и отправился с ней в загс. Она почти тут же забеременела и родила. Паша радовался своему отцовству. Особенно тому, что у него дочка. Будет ласковой, игривой, думал он. Но та росла капризной, сердитой и крайне эгоистичной. Не делилась с другими детьми игрушками, устраивала истерики родителям, если ей не покупали требуемое, гнала прочь тех, кто приходил в гости без конфет. Паша хотел бы любить свою девочку лишь за то, что она его кровь и плоть, но... У него не получалось.

Паше иной раз казалось, что он утратил способность любить! То ли после смерти бабы, то ли авария тому виной... Черепно-мозговая травма — вещь коварная, мало ли что повредилось после нее в голове. Это ведь только в народе говорят, что любят сердцем, а на самом деле мозг — главное...

Наверное.

Он пробыл в Азии два месяца. Загорел до черноты, похудел, перестал есть мясо и хлеб, перейдя на рыбу и рис. Ему стали нравиться азиатки, ласковые лемуры с мяукающими голосами. Он многое увидел, чем-то проникся, но решил, что с него хватит, и...

Нет, не вернулся домой, а полетел в Африку. Ему посчастливилось купить копеечный билет до Анголы. Только туда. Паша жил сначала там, потом в Намибии и Конго. Он стал еще чернее и худее. Перестал есть рыбу — она стоила дорого. Питался фруктами, кашами, похлебками. Уже не картофельными, ибо картошку в странах его пребывания не выращивали. Спал с африканками. Иссиня-черными, кудрявыми, сочноротыми, грациозными при любой комплекции, источающими такой сильный запах, что от него кружилась голова.

Потом Паша перебрался на Балканы. Посетил Албанию, Сербию, Македонию. Там он немного поправился, потому что начал есть и рыбу, и мясо, и вкуснейшую сдобу. А еще выпивать, чего раньше не делал. Траварица, сливовица, пелинковац — все это было крепко, но очень вкусно. И Паша принимал пару стопочек за обедом. А вечером выпивал фужер белого сухого вина. И такое умиротворение наступало, что не хотелось даже секса. Хотя с одной женщиной он все же переспал. Она сдавала ему жилье в горном македонском поселке. Вдова, старше его, но очень привлекательная, смуглая, длинноволосая, с огромными карими глазами, она сама соблазнила Пашу. Они всю ночь занимались любовью, а утром он отправился в обратный путь.

Настала пора вернуться домой!

Родной городок совсем не изменился. Паше казалось, что он из него и не уезжал. Те же рекламные щиты на улицах, те же урны, выщербленные тротуары, лавочки. Те же своры собак — Паша даже узнал пару из них. Тот же сломанный светофор на главной площади. И тот же долгострой — здание поликлиники. Мэр, которого выбрали аккурат перед Пашиным отъездом, обещал за год возвести строение. Но за то время, что Паша отсутствовал, не прибавилось ни кирпичика.

Он не поехал домой, снял номер люкс в единственной гостинице. Решил отойти от перелета, а уж потом наносить визиты. Сначала матери, затем жене с дочкой. Он никому не звонил. Ни разочка. Да у него и телефона-то не было. Но Паша писал им всем. Не часто, и все же. Отправлял открытки с красивыми видами, на обороте чиркал несколько строк. Сообщал, что жив, здоров, делился впечатлениями. Жена ему ни разу не ответила. А вот мама прислала одно письмо. Собственно, из-за него он и вернулся. Она сообщила, что перенесла тяжелую операцию, после которой никак не отойдет. За нее даже письмо дочка писала. От себя просила приехать. Поддержать. То, что Паша получил его, было чудом. Он постоянно перемещался, а почта работала не очень исправно.

И вот он в родном городе. В отеле. В самом лучшем номере. В Африке он отлично заработал. Участвовал в джиппингах, которые устраивались в пустыне. Его на свою машину шейх из Эмиратов посадил, с которым Паша случайно познакомился. И так у него дело пошло, что он выигрывал гонку за гонкой. Шейх предлагал ему остаться. Звал к себе на постоянную работу водителем, но Пашу уже манили другие страны и города, и он покинул Эмираты. Благо деньги на дальнейшие путешествия имелись.

Приняв душ, он набрал материн номер. Голос у нее был бодрый. На вопрос о здоровье она ответила в своей привычной грубой манере: «Не пержу, не кашляю». Хорохорится, решил Паша, потом сообщил матери о том, что скоро придет в гости. Та равнодушно сказала: «Приходи». Как будто не сын ей после долгой разлуки собирается визит нанести, а соседка или коллега по работе. Нет, пожалуй, коллегу мать встретила бы с большим радушием.

Паша знал, что у него ненормальные отношения с родителями. Холодные. С отцом он не виделся вовсе. С матерью крайне редко, даже когда они жили на соседних улицах.

По пути он купил фруктов, соков, короче, витаминов. Раньше-то он всегда с бутылочкой приходил, мать любила выпить, но теперь ей наверняка нельзя употреблять.

— Ба, натащил-то! — воскликнула мать, встретив его на пороге и приняв из его рук сумки. — Чего там? — Она порылась в пакете. — Фигня какая-то! Лучше б коньячку принес да колбаски сырокопченой. Непутевый ты, Пашка! Мать сто лет не видел и приперся с соком!

— А тебе разве можно выпивать?

— Чего бы и нет? — фыркнула она.

— Ты же операцию перенесла.

— Какую еще?..

Но Паша уже и сам понял, что его дезинформировали. Мать выглядела абсолютно здоровой. Оставалось выяснить, зачем сестра ему соврала.

— Таня дома? — спросил он. Таней звали сестру.

— Да. Где ей еще быть? Заперлась у себя в комнате, фильмы смотрит дурацкие свои. Про вампиров. Совсем с катушек слетела. — Мать зычно крикнула: — Танька, брат пришел!

С сестрой у Паши отношения были такими же, как и с матерью. Когда Таня росла, он был слишком занят собой. Боролся со своей фобией. Таня тянулась к нему первое время, а потом перестала. У нее только с отцом хорошие отношения сложились, но тот ушел из семьи, когда дочке исполнилось десять.

— Привет, — поздоровался Паша с сестрой, открыв дверь в ее комнату. На материн зов она выйти не удосужилась.

— Стучаться надо! — возопила Таня.

— Извини.

— Ты чего вернулся? Мы думали, больше тебя не увидим.

— А ты не рада меня видеть?

— Да мне по фигу, — пожала плечами сестра.

— Ты писала мне письмо?

— Я? — Таня закатила глаза. — С чего бы?

— Просила приехать, чтобы поддержать маму.

— Она в твоей поддержке сроду не нуждалась.

— Странно... — задумчиво протянул Паша. — Кто же мне прислал то письмо?

Он так и не понял этого. Ушел от своих довольно скоро. Думал зайти к жене и дочке, да настроения не было. Знал, что его встретят так же, как мать с сестрой, без особой радости и теплоты. Но он другого и не ждал. Почему те, кого он, можно сказать, бросил, должны радоваться его приезду? Хотя если бы он сообщил, что вернулся насовсем... Возможно, супруга бы и смилостивилась над ним. Сначала, конечно же, была бы с ним холодна, а затем оттаяла бы. Но воссоединяться с ней он не собирался, как и оставаться в России. Когда уходил-уезжал, допускал это. Думал, что, побыв вдали от родных, изведав чужбину, потянется назад. Ан нет, не потянуло. Более того, убраться из города захотелось сразу же, как только он в нем оказался. А с женой и вовсе не встречаться.

Он шел к гостинице, думая о том, что мог бы совсем не возвращаться в родной город. В Россию — да. Паша решил посмотреть Европу, а для этого нужно получить шенгенскую визу. Он не работал и справку о зарплате, необходимую для ее получения, легальным способом добыть не мог, но есть же и нелегальные. За деньги и не такие справки сделать можно.

Размышляя об этом, он двигался в направлении своего отеля. Было уже поздно, темно, но фонари в их распрекрасном городе горели даже не через один... На главной улице было светло, но стоило свернуть с нее, темно хоть глаз коли. Паша сошел с тротуара и направился во дворы. Он знал город великолепно. Зрительная память плюс тренировка воли — он объездил на велике все дворы, пока не осмелился выкатиться на тротуары главной улицы и дороги, по которым носились машины.

Паша шел по пустынному двору. Погода стояла паршивая, на улице ни души. Только один прохожий попался ему на глаза. Он шел, засунув руки в карманы удлиненной куртки. На голове капюшон. Паша еще ему позавидовал. Сам-то он был одет легко, в джинсы и ветровку. Отвык на чужбине от холодов, вот и не удосужился утеплиться. А меж тем ветер просто сносил, да еще и накрапывало.

Прохожий нагнал Пашу. Он вырулил из подворотни, затем шел чуть позади и вот поравнялся с ним. Павел притормозил и посторонился, чтобы пропустить незнакомца вперед — тропка была узкой. Вдруг тот резко выдернул руку из кармана. В ней что-то блеснуло. Паша подумал, это нож. Решил, что на него напал бандит и сейчас будет грабить. Но незнакомец хоть и воткнул ему в руку что-то, но явно не лезвие. Похоже, иглу...

Павел ощутил боль, понял, что она от укола, а потом почувствовал, как мутится сознание. Десяти секунд не прошло, как оно выключилось. Паша упал бы, да его заботливо подхватил незнакомец в куртке и отволок в подворотню, где был припаркован старый «каблук» с заляпанными грязью номерами. Бесчувственного пленника закинули в кузов, и машина тронулась с места...

* * *

Паша очнулся и, разлепив веки, поднял тяжелую голову. В помещении, где он находился, было светло. Мощная зарешеченная лампа, прикрепленная к стене, ярко горела, отбрасывая блики на черный потолок. Паша сощурился — глазам было больно. Однако закрывать их совсем не стал. Хотелось рассмотреть все: и комнату, и людей...

О да, он находился здесь не один!

Трое мужчин и три женщины сидели на стульях с высоченными спинками, вбитых ножками (в форме перевернутых букв «Т») в деревянный пол. Руки каждого были сцеплены за спинками стульев наручниками. Ноги примотаны к ножкам. Рты у всех заклеены пластырем.

Стулья располагались кругом.

«Мы как рыцари Камелота, — подумалось Паше. — Короля Артура только не хватает...»

Один из пленников поднял опущенную на грудь голову и посмотрел на него затуманенными глазами. Некоторое время взгляд был совершенно пустым и вдруг наполнился болью. Из глаз потекли крупные слезы. Они стекали по впалым щекам и терялись в неухоженной светлой бороде. Волосы мужчины спутались, засалились. Одежда стала невероятно грязной. На брюках, в районе промежности, запеклись пятна, о происхождении которых нетрудно было догадаться — пленник явно ходил под себя несколько раз.

Остальные выглядели получше. За исключением белокурой девушки. Она хоть и была в чистой одежде и с более-менее аккуратной прической, но вид имела совершенно больной. Глаза как у кролика красные, кожа в пятнах. Аллергия, решил Паша.

Девушка эта сидела напротив него. Рядом с ней другая, русая, невысокая. Она спала, дергаясь, как в конвульсиях. Ей снилось что-то страшное. По другую руку от блондинки находился молодой мужчина в дорогой одежде. Теперь она стала грязной и мятой, но Паша разбирался в вещах и понял, что за них когда-то были заплачены немалые деньги. Темные волосы пижона растрепались. Некогда аккуратные бакенбарды слились с недельной щетиной. Мужчина был красив даже в своем нынешнем виде, только очень измучен.

То же самое можно сказать о третьей девушке, ярко-рыжие волосы которой спускались до талии. У нее были зеленые кошачьи глаза, маленький носик, точеные скулы. Настоящая Анжелика, маркиза ангелов. Наверняка под пластырем скрывает очаровательно пухлый ротик. А под мешковатым, заляпанным кровью свитером — пышная грудь. «Анжелика» выглядела самой бодрой. Она держалась прямо, вертела головой, как и Паша, рассматривая комнату и людей. Возможно, она попала в это странное и, безусловно, страшное помещение с черным потолком одновременно с ним или чуть пораньше.

Вдруг брюнет с большими залысинами, что сидел справа от Павла, зарычал и начал биться. По всей видимости, он пытался вырваться. И не первый раз. Павел понял это, рассмотрев его запястья. Они были истерзаны наручниками. Никто на его действия не обратил внимания. Только «Анжелика» покосилась на лысого и тут же перевела взгляд на Павла. В нем читался вопрос.

— Что? — спросил он. И только тут понял, что он единственный, у кого не заклеен рот. — Ты давно тут? — спросил он у «Анжелики».

Она покачала головой.

— А ты? — он обратился к замученному блондину.

Ответ был положительный.

— Сколько?

Тот нахмурился, как бы говоря: каким образом я тебе отвечу, чудак-человек?

— Моргай, — подсказал Паша. — Сколько дней, столько раз моргни.

Блондин смежил веки раз, другой, третий...

Паша досчитал до пятнадцати, потом его визави пожал плечами. Наверное, это означало, что точное число дней он указать затрудняется.

Сосед снова принялся рычать и биться... И тут... Погас свет!

Тьма накрыла их.

И вдруг... Музыка!

Паша не особо разбирался в классике, но ему подумалось, что это Бах. Звук сначала был просто громким, потом стал нарастать, нарастать, нарастать... Пока не стал оглушительным. Музыка терзала барабанные перепонки. Казалось, она вгрызается во внутренности, и каждый аккорд был как смертельный укус.

Паша закричал. Но его голос утонул в звоне литавр.

...Музыка стихла так же неожиданно, как и зазвучала. И теперь тишина стала давить на уши. Но к ней Паша привык быстрее.

Включился свет. Но не тот, яркий, что горел раньше. Тусклая лампочка, болтающаяся над дверью, обшитой железом. Ни лампочку, ни дверь Паша раньше не заметил. Наверное, потому, что они находились за его спиной, а он не успел обернуться. Теперь же он это сделал, потому что услышал шумное дыхание.

Между дверью и его стулом стоял человек. Выглядел он странно и страшно...

Впрочем, кто еще мог войти в эту комнату с черным потолком?

Одет человек был в костюм химзащиты цвета хаки. Капюшон натянут на голову. А на лице противогаз. Поэтому дыхание казалось столь шумным.

«А вот и король Артур, — неуместно пошутил про себя Паша. — С мечом...»

Под мечом он подразумевал нож, что вытащил страшный человек из одного из многочисленных карманов комбинезона. Медленно, останавливаясь после каждого шага, он обошел по кругу комнату. Передвигался за спинами своих пленников, задерживаясь у каждого стула на одну-две минуты, дыша им в затылки.

«Да нет, он не Артур, он Дарт Вейдер![1]» — снова сострил Паша.

Это была его привычка: шутить, когда очень страшно. Так пошло со времен борьбы с фобией. Юмором он отвлекал себя. А потом и других, чтобы не поняли, в каком состоянии он пребывает. Среди гонщиков он слыл первым остисловом. А сколькими шутками засыпал шейха, когда они на джипе посреди пустыни перевернулись и сутки ждали помощи! После чего тот его к себе на работу и позвал.

Но тогда, конечно, Павел испытывал не такой ужас, как сейчас. Поэтому быстро иссяк. И вместо очередной остроты его мозг выдал вой, похожий на волчий. А все потому, что человек с ножом, сделав полный круг, вновь вернулся на исходную позицию.

«Значит, я буду первым, кого прирежет этот маньяк, — прервав вой, сказал себе Паша. — И рот мне не заклеили, чтобы все слышали, как я ору, умирая...»

— Ну что застыл, Дарт Вейдер? — хрипло прокаркал он. — Мочи давай. Только лучше световым мечом, а не этой зубочисткой...

Блондинка, сидящая напротив, посмотрела на него с ужасом. Паша подмигнул ей.

[1] Главный герой киноэпопеи «Звездные войны».

«А ведь мог умереть красиво! Разбиться на машине или сорваться со скалы! — На Балканах он едва не погиб, взбираясь к заброшенному монастырю. — Да лучше б в пустыне от жажды умер, чем тут... вот так... на потеху какому-то маньяку!»

Но человек с ножом сдвинулся с места и возобновил свой обход. Теперь он останавливался около каждого пленника не просто так, а чтобы сорвать кусок пластыря с его губ. Когда очередь дошла до мужчины с залысинами, он исторг изо рта поток брани. Ругался так остервенело, что слюна, брызжущая изо рта, долетала до Павла.

А маньяк тем временем пошел на третий круг. Добрался до блондина с многократно обгаженными брюками. Взял его за волосы рукой в резиновой перчатке. Взял не грубо, а ласково. Так треплют по волосам родители своих малышей. Только этот жест не успокоил блондина, а заставил задрожать.

— Пожалуйста, — прошептал он, крепко зажмурившись. — Пожалуйста, не надо...

Пальцы резко сжались. Взяв волосы в горсть, маньяк запрокинул голову блондина и полоснул по его шее лезвием. Кровь брызнула из раны. Попала не только на руку убийцы и на грудь жертвы, но и на пол, и на лицо сидящей рядом девушки с аллергией. Она вскрикнула, потом зарыдала и, кажется, потеряла сознание.

Еще один взмах ножа. Теперь лезвие вонзилось в грудную клетку жертвы. Раз, другой, третий!

Кровь так и летела во все стороны, а крики свидетелей убийства наполнили комнату. Паша не сразу понял, что в хоре общих голосов звучит и его собственный.

Когда тело блондина перестало дергаться, маньяк снова погладил его по волосам и двинулся к двери. Нож так и остался торчать в груди жертвы. И теперь стало видно, что его рукоятка выполнена в форме тела льва, приготовившегося к прыжку. Ее венчала оскаленная пасть.

Убийца передвигался не так медленно, как ранее, но и не быстро. Он снова сунул руку в карман и на сей раз вынул из него опасную бритву. Поигрывая ею, он направился к двери. Когда он зашел за спину Паши, тот почувствовал, как волосы на его затылке встают дыбом. Напряжение было настолько велико, что его вырвало. Едва не захлебнувшись собственной блевотиной, Павел подумал о том, что впервые ему на ум не идет ни одна острота. Потому что так страшно ему еще никогда в жизни не было...

Он видел смерть. И не раз. Его хороший знакомый разбился на его глазах. Во Вьетнаме утонул в бурной речке ребенок. А в Конго какой-то ненормальный изрешетил пулями хозяина лавки, в которой Паша покупал овощи себе на ужин.

Он видел смерть...

Но то, что произошло на его глазах минуту назад... Это было совершенно другое.

Кадр из фильма ужасов, в который Паша попал...

И скоро наступит эпизод, когда жертвой будет ОН!

Паша весь окаменел, ожидая прикосновения маньяка. Раз вынута бритва, значит, ею будет перерезано еще чье-то горло. Но убийца, постояв некоторое время за его спиной, двинулся к брюнету с залысинами. В приглушенном свете лампы тускло блеснуло острое лезвие. Это маньяк взмахнул им, чтобы...

Нет, не убить еще одного пленника, а вырезать на его шее какой-то рисунок. Паша видел, как он жестом художника, уверенными «мазками» наносит его на человеческую кожу. Брюнет кричал от боли, но не дергался, потому что боялся, что лезвие войдет глубже, и тогда...

Маньяк быстро закончил и без промедления вышел за дверь. Она закрылась тихо, хотя Паша почему-то думал, что послышится скрип.

Секунду в помещении стояла гробовая тишина. Но потом в нем раздались звуки похоронного марша.

Глава 2

Когда траурный марш отыграл, погас свет, но лишь мгновение в комнате было темно. Сразу же зажглась огромная лампочка, наверное, для того, чтобы пленники лучше рассмотрели труп.

— Почему нам опять не заклеили рты? — спросила хрупкая русоволосая девушка тонким голоском.

— Значит, сейчас будут кормить или поить, — отозвался «бесноватый». Лида так прозвала мужчину с черными редкими волосами, которого минуту назад порезал убийца.

— Кормят и поят обычно без света, — подал голос красивый парень в рубашке от «Армани». У последнего Лидиного «козлика» была точно такая же, но сидела она на нем хуже.

— А тут еще и кормят? Да я в санаторий попал, оказывается, — хмыкнул остряк, обозвавший их похитителя Дартом Вейдером. Он кривил рот в усмешке, а у самого глаза были как у коровы, которую ведут на бойню. Лида знала, какие они у них бывают. Работала на мясокомбинате. Врут, что животные ничего не чувствуют. Чувствуют, и еще как. И столько в их глазах ужаса и тоски, когда их ведут на смерть...

— Чтобы не загнулись раньше времени, — ответил красавчик.

— И давно ты тут? — спросил остряк.

— Неделю, может, чуть меньше или больше на день-два. Точно не знаю. Часы с меня сняли. Один раз мне давали кашу. Ел с руки, как собака. Жрать-то хочется...

— Меня не кормили ни разу, — решила принять участие в беседе Лида.

— Ты здесь недавно. Как и он, — красавчик кивнул на остряка. — Дольше всех покойник. За ним появился он. — Подбородок дернулся в сторону «бесноватого». — То есть когда я очутился здесь, эти двое уже сидели на стульях. Но меня раньше в другом помещении держали. Там я один был.

— Меня тоже, — подхватил «бесноватый». — Неделю, не меньше. Но там хоть горшок был, и я не ссал себе в штаны, как бомжара... — И снова мат.

— И там не опаивали снотворным, — слабо проговорила блондинка с устрашающими красными пятнами на лице и груди. — А тут всякий раз нам его добавляют в воду. Мы засыпаем, а когда просыпаемся, в комнате появляется еще один пленник.

— Откуда ты знаешь про снотворное? — поинтересовалась Лида.

— У меня на него аллергия.

— Что с нами будет? — прошептала русоволосая, подняв свои огромные, полные слез глаза и обводя ими лица пленников. — Нас всех перережут, как Жору?

— Ты знала покойника? — встрепенулся остряк.

— Мы жили в соседних домах когда-то. Детьми вместе играли. Можно сказать, дружили. Потом потерялись... И вот... через столько лет тут... — Она не смогла договорить, расплакалась. Но сразу же вернулась к вопросу, который задала в самом начале. — Почему нам не заклеили рты?

— Маньяк хочет послушать, о чем мы разговариваем? — выдал очередное предположение красавчик в «Армани».

— Ты думаешь, тут есть микрофоны?

— Возможно.

— Скорее, камеры, — подала голос блондинка.

— Нет, камер нет, — покачал головой «бесноватый». — Я уже изучил помещение.

— Может, скрытые? — предположил остряк.

— А смысл их устанавливать?

— Чтоб мы думали, что их нет.

— Не знаю, возможно...

— Если нет камер, — продолжал стоять на своем остряк, — то какой смысл устраивать спектакли? С музыкой и постановочными сценами в стиле «саспенс»...

— Каком стиле? — не понял «бесноватый».

— Саспенс — неопределенность, тревога, напряженное ожидание, если с английского перевести, — пояснил красавчик. — Любимый стиль Хичкока. В его фильмах всегда нагнетался ужас чуть ли не до самого финала.

— При чем тут Хичкок и его картины? — возмутилась Лида. — Наш режиссер ставит сцены в стиле «саспенс» не для зрителя, а для себя. Он наслаждается увиденным вживую, а не на экране.

— И все же, думаю, камеры есть, — гнул свою линию остряк. — Причем все записывается и пересматривается...

— Боже, слышали бы вы себя! — с надрывом произнесла «птичка». Русоволосая барышня с тонким голоском напоминала Лиде воробушка. И масть та же — серенькая. И голосок «чирик-чирик». Даже сейчас, когда он срывается. — Перед вами труп, а вы про Хичкока! Еще обсудите «Камеди клаб». Вон у вас и резидент есть!

Все поняли, о ком она. А вот ее агрессию — нет. К тому же претензия была необоснованной — пленники пытались разобраться в происходящем. А что немного отвлеклись, так это нормальное течение разговора...

Пусть и при трупе!

— Кто-нибудь видит, что у меня на шее? — спросил «бесноватый» после того, как обозвал русоволосую истеричкой. Естественно присовокупив к существительному матерное прилагательное.

— Я пытался рассмотреть, — откликнулся «резидент Камеди». — Но не получилось.

— Больно, — поморщился «бесноватый».

И тут снова заиграла музыка. На сей раз лирическая. Лида узнала ее. «Лунную сонату» Бетховена. Она обожала ее. Даже научилась играть на фортепиано. Пела прекрасно, а вот музыкальными инструментами не владела.

Музыка стала усиливаться. Но до ломоты в ушах не дошло. Соната звучала просто громко. И пленники перестали разговаривать. Тем более потух свет, и они не видели друг друга...

Лида откинула голову на высокую спинку стула и погрузилась в воспоминания.

...Все маленькие девочки мечтают быть принцессами. Лида не была исключением. Она представляла себя с короной, в пышном платье со шлейфом, вышагивающей по огромному залу, залитому светом множества свечей. Или сидящей на троне в мантии, обязательно с меховой оторочкой, благосклонно принимающей дары послов разных держав. А чаще — танцующей с принцем неземной красоты, то с лицом комиссара Катани из «Спрута», то Юры Шатунова. То похожим на

Арамиса из «Трех мушкетеров», то на принца из «Трех орешков для Золушки». То на Ваньку Чкалова, ее соседа по парте, то на Серегу Поцака, десятиклассника, который был почти как Шатунов, только лучше.

Перед тем как уснуть, Лида рисовала в воображении эти картины. И очень радовалась, если видела их, когда Морфей заключал ее в свои объятия. Вот только просыпаться ей не хотелось! Ведь в реальной жизни никакой принцессой она не была. Лида родилась в семье шлюховатой скотницы и пьющего пастуха. Они ютились в половине деревянного дома, выделенной им колхозом. Отец всю свою зарплату спускал на выпивку, так что питались и одевались они втроем (чуть позже вчетвером, когда у Лиды сестра появилась) на мамину. Ее, конечно, не хватало. Спасало хозяйство. Овощи с огорода, яйца из-под несушки, молочко коровье, сальце свиное, требуха (мясо сдавали). Не голодали, в общем. Разве что иногда, когда у отца зарплата кончалась. В этих случаях он брал из дома все, что можно продать, и тащил на автотрассу, чтобы толкнуть проезжающим по ней за копейки.

Когда мама родила сестру, все заботы об огороде и скотине легли на хрупкие плечи шестилетней Лиды. За день она так уставала, что еле добредала до кровати. Но уснуть сразу не получалось. Потому что никакого покоя не было. Орет пьяный отец, мать на него ругается, плачет сестра. И запах в доме такой... Что б-р-р-р-р... Перегар, пот, моча и... дух скотного двора. Он не оставлял их жилище. Его приносили с собой все: мать, отец и Лида, много времени проводящая в хлеву. Зарывшись в одеяло, чтоб не слышать и не обонять, девочка закрывала глаза и представляла себя принцессой. В платье со шлейфом, в короне, мантии...

Вышагивавшей по дворцу, сидящей на троне, танцующей с принцем...

О том, что младшая дочь не от него, отец догадался сразу, как только ее увидел. Девочка не походила ни на него, ни на мать. Зато сильно смахивала на механизатора Кузина. А уж как подрастать начала, так сходство только усилилось. И папашка устроил супруге допрос с пристрастием. То есть пьяный бил ее до тех пор, пока она не призналась. После этого батя допил остатки водки и ушел. Куда, никому не сказал. Да это и не волновало ни жену, ни дочек. Убрался, и ладно. Волноваться они стали, когда глава семьи не появился ни на второй, ни на третий день. Пошли по деревне его искать. Не нашли. К участковому хотели уже обратиться, заявление написать, да мать обнаружила, что пропали отцовский паспорт и деньги, отложенные на покупку зимней обуви для девочек. Значит, сбежал он от них. Куда, неведомо.

Без папашки, по мнению Лиды, им зажилось гораздо лучше. Денег и помощи от него все равно никакой. Одни проблемы. Но мама расстраивалась. Плакала, утирая свои подбитые супругом глаза. Считала себя брошенкой. Однако это не помешало ей через две недели привести в дом другого мужчину — механизатора Кузина.

Вскоре Лида пошла в школу. Отучилась четверть, когда ее решили отправить к тетке в город. Мешала она матери и ее новому сожителю. У них была общая дочка. Еще ребенок на подходе. А тетка одинокая. Больная, хоть и не старая. Ей помощь нужна. А Лида девочка работящая, ответственная...

Сама работящая и ответственная девочка была не прочь переехать. Ей очень хотелось пожить в городе. Он представлялся ей сказочным, почти таким, как в ее снах. Дворцы там совершенно точно есть. Не то что в их деревне, где самым красивым строением являлся клуб, бывшей некогда дачей обнищавшего помещика.

И Лида поехала в город!

Тетка встретила ее на вокзале. Тощая, желтая, страшная. На вид лет шестьдесят, хотя на самом деле — сорок четыре.

До дома тетки они ехали на автобусе. Лида смотрела в окно и ахала. Ей все нравилось! Хотя городок был небольшой, но по сравнению с их деревней — огромный. А дома в нем большие. Три девятиэтажки даже имелись. Не говоря уже о пятиэтажках. А на главной площади — настоящий дворец. Пусть и не старинный, построенный в сталинские времена (тетка просветила), зато со статуями, колоннами и белоснежной лестницей, по которой Лида, даже будучи принцессой, не побрезговала бы подняться.

Квартира тетки оказалась тоже неплохой. Улучшенной планировки, на пятом этаже. С балкона вид на площадь. Смотри на дворец и представляй себя в платье со шлейфом, который, как водопад, ниспадает вниз, струясь по ступенькам.

В городке было две школы, не считая специальной, с английским уклоном, куда обычных детей не брали, только блатных. Ее отдали в ту, что ближе к дому. И находилась она через дорогу. Лида диву давалась. Как это так? В школу не надо ехать на чем-то. Вышел из дома, можно даже без одежды, сделал пару десятков шагов, и вот ты уже в холле.

Одноклассники, после того, как Лида рассказала им о себе, ее высмеяли. Оказалось, она говорит «окая». И одета ужасно. А еще ее руки все в цыпках и лицо обветрено. «Колхозница» — так прозвали Лиду одноклассники. И дразнили ее так до конца года. Но после летних каникул... О! Как все изменилось!

Лида выиграла песенный конкурс и в качестве приза получила путевку в детский и юношеский лагерь «Артек». Впервые съездила на море. Научилась плавать. Познакомилась с детьми из разных городов и даже стран. Загорела до черноты. Выменяла у девочки из Польши футболку с надписью «Голливуд» и кучу ярких заколок (взамен та получила матрешку и книжку про Буратино — все равно Лида не любила читать), остригла волосы под каре (вожатая отлично владела ножницами) и высветлила челку. Краска для этого не понадобилась. Просто отваром ромашки мочила волосы, подставляла их солнцу, и они выгорали.

Вернулась Лида в городок такой модницей, что ни у кого язык не повернулся ее «колхозницей» назвать. В нее тут же повлюблялись все мальчики класса. И даже несколько пацанов, что учились в третьем. Девочки возжелали с Лидой дружить, и все у нее наладилось.

Но это только в школе. А вот дома!.. С теткой Лида плохо ладила с самого начала, чем дальше, тем хуже. Женщиной тетка оказалась невыносимо капризной. И крайне мнительной. Лиде даже казалось, что все болячки она себе придумала, поверила в них, и организм стал пошаливать под воздействием обратного эффекта плацебо. Племянница вынуждена была слушать постоянное нытье, придирки и выполнять всю работу по дому. Она ощущала себя Золушкой, только без крестной феи. Но все равно обратно в деревню категорически не хотела. Даже в гости ездила через силу. Впрочем, ее не так часто и звали. Разве что на лето, чтобы в огороде помогала. Но Лида, вкусившая радость «культурного» отдыха в «Артеке», решила, что каникулы будет проводить не на грядках, а у моря или хотя бы у речки. Так как тетка на загородные лагеря раскошеливаться не собиралась, то Лида записалась в разные кружки и секции. А еще в ансамбль народных танцев. Лучших участников часто поощряли путевками. А танцоров на целый месяц всем составом вывозили на турбазу «Озерная». В итоге Лида выезжала в лагеря регулярно. Вот только времени ни на что не хватало. Особенно на учебу. Так что, кроме троек, в табеле у Лиды были пятерки только по музыке и физкультуре.

В четырнадцать она стала девушкой. Поздновато. У других уже в двенадцать месячные пришли, а у одной девочки из их класса аж в десять. Лида же запоздала. Зато расцвела быстро и так пышно, что ею восторгались не только парни, но и мужчины. А девушки и женщины — завидовали. Тетка в том числе. Она всегда была неказистой. А по словам матери, страшной, как смертный грех. Поэтому никто ее замуж и не взял. И от неудовлетворенности (мать употребляла другое слово, позабористее) у ее сестры развилась неврастения и куча других заболеваний. А еще стойкая зависть к более привлекательным представительницам своего пола. Лида не очень-то матери верила, пока сама с этим не столкнулась. Когда они с теткой за покупками ходили, на Лиду мужчины заглядывались. А кто и заигрывал, и познакомиться пытался. Так тетка чуть не с кулаками на них бросалась. А потом для племянницы находила такую кучу дел, чтоб у той на личную жизни ни секундочки не оставалось.

Совсем заела Лиду старая дева. И тут произошло чудо! Объявилась... крестная фея! А вернее, фей. Ее отец. Все думали, что умер он давно. Погиб в пьяной драке или травануася чем-то. А оказалось, он жив-здоров. Бомжевал долгое время, таскался черт знает где. Пока не прибился к одной вдове. Она дачу на лето снимала. А он в ее сарае уснул, пьяный да сильно побитый. Женщина пожалела его, выходила, накормила и оставила у себя жить. Не в доме, конечно. В сарае. За постой заставляла платить. Не деньгами, их у него не было, услугами. Просила огород полить, забор выправить, дров нарубить. Именно просила, не требовала! Но одно условие поставила: живет он у нее до тех пор, пока трезвость сохраняет. Как напьется, вон пойдет. Потому что у нее сын-подросток. Ему дурные примеры ни к чему.

Пару раз отец не сдержался. Принял на грудь. Но дозы были небольшие, и хозяюшка не заметила этого. Или сделала вид. Зато в одну ночь, когда сын с товарищами в поход ушел, так его отлюбила, что у мужика будто второе дыхание открылось. Захотелось совсем других радостей. Плотских. Да не абы с кем, а со своей хозяюшкой. По нраву она пришлась ему. Всегда о такой мечтал. Чтоб дородная, с огромной грудью, полными, ласковыми руками и маленькой ножкой тридцать пятого размера. Жена другой была. Стройной, жилистой, с крупными конечностями. Модель настоящая. И, бесспорно, красавица. Но не его. Да еще и дура. И шлюха. И хабалка. А хозяюшка — женщина спокойная, образованная, интеллигентная. Завуч в школе. А сколько в ней любви нерастраченной.

Муж-то ее бросил давным-давно. Она постарше отца была...

Осенью, когда каникулы кончились, они все втроем в город уехали. Стали вместе жить. Отца пристроили в школу слесарем. А кроме этого, он еще и подрабатывал. Как бухать перестал, так силы в нем скопилось немерено. Фуры и вагоны разгружал. А потом хозяюшку свою до утра любил. За это она ему прощала редкие пьянки. Совсем не мог он от них отказаться. Душа требовала иногда отрыва. Но папашка не грубил. Пару дней пил, потом все, шел в завязку.

Несколько лет прожили они с хозяюшкой, пока не надоумила она его отыскать дочку. Других-то детей уже не будет. Сама она рожать более не собиралась. Вот и отправила гражданского супруга в родную деревню. Думала, Лида там, с матерью. Отец, когда приехал, выяснил, что нет ее, к тетке в город сослана. Зато у жены новый хахаль. Не Кузин, другой уже. И детей, кроме Лиды, трое. Все девочки.

Отыскал папаша дочку свою. Такой красоткой выросла, глаз не оторвать. И взрослая! Не скажешь, что пятнадцать. Все двадцать дашь. Забрал он ее с собой.

Лида счастью своему не верила. Мало того, что от злобной тетки забрали, так еще перевезли в огро-о-омный город! Пусть не Москва, не Питер, даже не Самара или Уфа, а все равно пятьсот тысяч жителей. Лиде, жившей в деревне и маленьком городишке, он казался мегаполисом.

Но не это поразило ее больше всего. А сын папиной гражданской жены Глеб. Он учился в институте. Занимался спортом. А еще отлично играл на гитаре. Лида, хорошо поющая, сразу нашла с ним точки соприкосновения. Музыка, вот что их объединило. Только она. Потому что Лида была полной дурой по сравнению с Глебом. Впервые она пожалела о том, что плохо училась и не читала книг. А так хотелось блеснуть перед парнем эрудицией. Продемонстрировать свой ум, а не только ножки. От Лиды не укрылось, что они на него произвели впечатление. Да кому бы не понравились длинные стройные ноги с гладкими коленками и изящными щиколотками?

А вот Лиде Глеб не только внешне нравился. Он казался ей необыкновенным. Исключительным. Самым лучшим. Настоящим принцем!

У него были девочки. Много девочек. Некоторых из них он приводил домой. Мать не возражала. Когда сын закрывался с ними в своей комнате, она им не мешала. А вот Лида постоянно колотила в дверь, чтобы задать Глебу какой-нибудь дурацкий вопрос или попросить о чем-то. Напомнить о себе, а главное — сломать кайф. Ведь ясно, чем он там взаперти занимается... Целуется! А то и что похуже делает! Один раз, когда Глеб не среагировал на ее действия, Лида подсунула под дверь зажженную петарду. Потом ей, конечно, досталось! Но это не имело значения. Главное, она помешала Глебу миловаться с девушкой, которую Лида считала своей главной конкуренткой.

Тогда-то все и поняли, что она по уши влюблена. И насторожились. Особенно мать Глеба. «Присматривай за ней! — наказала она своему гражданскому мужу. — Еще не хватало, чтобы твоя вертихвостка охмурила моего мальчика!» Она была уже не рада, что настояла на воссоединении отца с дочкой. Лида ей не нравилась. Она считала ее пустышкой. Хорошенькой дурочкой, которая если и сможет чего-то в жизни добиться, то только через постель. Она всегда боялась, что ее сын на такую куклу нарвется.

Как-то взрослые уехали на свадьбу к ближайшим родственникам. Глеб не поехал, он писал диплом, а Лида шила себе платье на выпускной бал. «Хозяюшка» оставлять детей одних не хотела, поэтому попросила переночевать у них свою пожилую тетку. Да та после двух стопочек бальзама, обнаруженного в холодильнике, тут же уснула. А Лида, сметав платье, отправилась к Глебу в комнату, чтобы спросить совета, стоит ли делать декольте побольше.

— Знаешь, на кого ты похожа? — спросил он, окинув взглядом точеную фигурку Лиды, окутанную клубами голубого шелка. Она шила себе настоящее платье принцессы. С корсетом, пышной юбкой и шлейфом.

— На кого?

— На Анжелику.

— Лебедеву? — ужаснулась Лида. Анжелика Лебедева была их соседкой, и выглядела она ужасно.

— Нет, конечно. На героиню фильма по роману Голонов. Не смотрела?

Как же не смотреть! Смотрела, конечно! «Анжелика и король», «Анжелика — маркиза ангелов», «Анжелика и султан». Лида обожала эти фильмы. И порой представляла себя на месте героини. Но она не думала, что похожа на нее внешне.

— Ты серьезно? — спросила Лида.

— Да. Тебе бы только волосы перекрасить и завить. Вылитая будешь. Странно, что я раньше этого не замечал.

И так посмотрел на Лиду, что она поняла — пробил ее час! Сейчас или никогда.

Она присела в реверансе, как Анжелика перед королем. Взгляд Глеба уткнулся в ее грудь.

— Разрешите представиться, ваше величество, — проворковала Лида. — Анжелика де Сансе де Монтелу.

Глеб улыбнулся. Она рассмешила его! В кои веки. Обычно он лишь хмурился в ответ на ее реплики. И только когда пела, его лицо разглаживалось.

Лида медленно разогнулась, затем подошла к кровати, на которой сидел Глеб, и опустилась рядом. Ее бедро коснулось его. И так жарко стало, что над верхней губой пот выступил. Лида слизнула его. Глеб проследил за ее языком и... Отвернулся. Потому что захотел «Анжелику де Сансе». И испугался своего желания.

— Помоги мне, пожалуйста, расстегнуть платье, — попросила Лида, повернувшись к нему спиной. Там была «молния», которую она уже втачала. — Сама я не дотянусь...

Она почувствовала тепло его руки сквозь ткань платья. Глеб расстегивал «молнию» осторожно, но не потому, что боялся повредить, просто он избегал прикосновений к телу Лиды.

— Все, — сдавленно проговорил он, убрав руки.

— Спасибо...

— Ладно, буду заниматься, — выпалил он, схватив книгу.

Но Лида отобрала ее у него, отложила в сторону. Затем молча стянула с себя платье. Переступив через ворох шелка, она предстала перед Глебом обнаженной.

— Ты что делаешь? — хрипло спросил он.

— А разве не ясно?

— Нельзя... этого...

Она накрыла его губы пальчиками, заставляя замолчать. Затем уселась к нему на колени, обвила руками шею, опустив его лицо себе на грудь. Знала, он не устоит. Глеб был неравнодушен к бюстам. Все его девушки имели пышную грудь. Но и Лиде было чем похвастаться. Пусть всего лишь двоечка, зато налитая, сочная, с задорными розовыми сосками. В данный момент они возбужденно торчали, напрашиваясь на поцелуй.

Глеб обхватил один из них губами и начал посасывать. О!.. Лида не думала, что это настолько приятно. Она зажмурилась, запрокинула голову и застонала. А Глеб завладел второй ее грудью. Взяв в ладонь, стал нежно поглаживать.

Лида очень возбудилась и стала нетерпеливо ерзать на его коленях. Хотелось, чтобы он тоже разоблачился и прижался к ней своим обнаженным телом. А еще она изнывала от желания увидеть его пенис и взять его в руки. Лиде одна из одноклассниц давала почитать книгу под названием «Сексуальная гармония». Там описывалось, как партнеры друг друга возбуждают. А еще картинки имелись. Лида все изучила. И тексты и рисунки. И ей не терпелось увидеть, достоверно ли изображено было в книге мужское достоинство, а также попрактиковаться в том, о чем в разделе «сведи мужчину с ума» описывалось.

И Глеб не заставил ее долго ждать. Скинул с себя одежду и подмял девушку под себя. Вот только Лида не успела ни рассмотреть что-либо, ни продемонстрировать свои теоретические знания в области ласк. Глеб был то ли не так опытен, как ей думалось, то ли просто торопился поскорее закончить процесс, боясь, что проснется их «дуэнья», но отлюбил ее быстро и как-то неумело. Лида ничего толком почувствовать не успела. Разве что поняла: секс не так прекрасен, как ей представлялось.

А вот Глебу все понравилось. Поэтому уже на следующий день он залез к Лиде под юбку, когда они всей семьей ужинали. Положил руку ей на колено и заскользил ею вверх по бедру, пока не добрался до кромки трусиков. Лида едва вилку не выронила. А после, когда они отправились мыть руки после еды, шепнул: «Пошли на чердак!» Лида знала, что некоторые ребята там сексом занимаются. Слышала от подруги, которая именно на чердаке девственности лишилась. Якобы там даже местечко для интима оборудовано. Диванчик, столик со свечой и тазик для того, чтобы подмыться.

И Лида пошла с Глебом на чердак. И нашла то самое место. И отдалась «принцу» еще раз. Опять ничего не ощутила, но это нисколько не омрачило ее настроения. Она была влюблена в Глеба и хотела его радовать. Он доволен? Значит, и ей хорошо!

Они стали видеться на чердаке регулярно. Лида даже умудрилась один раз получить удовольствие. Это случилось после выпускного бала, на котором она была признана королевой. Глеб встретил ее, и они отправились домой рука об руку. Стояла ночь, народу на улице не было, и они, не стесняясь, целовались, обнимались и позволяли себе более интимные шалости. Например, Глеб забирался своими пальцами в ее декольте и ласкал грудь, а она расстегивала его ширинку и ныряла в нее ладошкой.

После была потрясающая ночь! Самая лучшая из всех. Но она имела свои последствия...

Когда через две недели у Лиды не начались месячные, она не переживала. Бывали у нее и недельные задержки. Но через месяц ее стало тошнить по утрам, а грудь увеличилась на размер. Беременна? Да как же так? Ведь Глеб обещал, что все будет в порядке? Что он все контролирует и ни капли семенной жидкости в нее не попало!

Лида сделала тест. Он показал положительный результат. О своей беременности она сообщила Глебу. Тот пришел от новости в ужас.

— Нет, быть такого не может! — охнул он, обхватив голову.

Лида пожала плечами. Она полагалась на него. Он старше и опытнее. И вообще... Он мужчина! Да не абы какой, а самый лучший.

— А ты уверена?

— Да. Сделала три теста.

— Кошмар какой... — Пальцы вцепились в густую челку. Лида обожала сдувать ее со лба Глеба. — Что я скажу маме?

Она еле сдержалась, чтобы не заорать на него.

Что он скажет маме?

А что она... папе?

И всем остальным? Ведь ей только семнадцать. А ему уже двадцать два...

— Придется сказать, — продолжил Глеб. — Ты ведь несовершеннолетняя, и аборт тебе без письменного согласия родителя не сделают...

— Аборт?

— А что, у тебя есть знакомые, которые могут достать укольчики? — оживился он. — Я слышал, есть такие. Одна инъекция, и все в порядке.

— Я хочу рожать.

— Да ладно! — он нервно рассмеялся. — Ты только школу закончила, какие дети?

— Но ты уже диплом защитил. Специалист. Работу найдешь легко.

— И что?

— Поженимся.

Он чуть клок волос себе не выдрал.

— Поженимся? — возопил Глеб. — Ты с ума сошла? Мы еще дети! К тому же живем с родителями. Какая семья?

— Да, будет трудно, но... мы же любим друг друга.

Глеб вскочил, вцепился в плечи Лиды, встряхнул ее:

— Ты что напридумывала себе, дура? Какая любовь? Мы просто дружили.

Она ушам своим не поверила. Что он сказал? Не любовь? А... дружба?

— Мы просто дружили? — дрожащим голосом переспросила Лида.

— Ну не мог я употребить слово «трахались». Но если тебе так понятнее...

Лида залепила ему пощечину. Голова Глеба дернулась так сильно, что едва не врезалась в стену.

— Не обижаюсь, за дело, — проговорил он, схватившись за покрасневшую щеку.

— Какой же ты... мерзкий!

— Обычный мужик со своими потребностями.

— Мужик! — фыркнула Лида. — Мальчишка, не способный отвечать за свои поступки. Дите, боящееся мамы!

— Да пошла ты, — огрызнулся он и развернулся, чтобы уйти.

— Нет, постой! — Лида схватила его за руку. — Что будем делать? Как сказать родителям? Когда?

— Завтра. Мне нужно подумать, как это лучше сделать.

— Ладно.

— Но ты ведь не будешь рожать, да?

Лида не ответила. Теперь настал ее черед развернуться и уйти. И сделала она это так стремительно, что Глеб не успел ее задержать.

Лида выбежала из квартиры и бродила до ночи по улицам. Ее мобильник разрывался, но она не отвечала. Лидин мир рушился, ей было не до разговоров по телефону. Вообще ни до чего. Она просто не слышала звонков. И не замечала противно моросящего дождя. Пожалуй, начнись землетрясение или поднимись ураган, она бы не дрогнула. Провалилась бы в разлом в земле, унеслась бы со смерчем, так и не вынырнув из пучины своих горьких дум.

Очнулась она, когда ноги взяли вдруг и отказали. Оказалось, замерзли так, что двигать ими уже не было сил. Лида огляделась, увидела, что она недалеко от дома. Видимо, ходила кругами.

Лида опустилась на лавочку. На ней сидела компания, две женщины и мужчина. Он в центре, они по бокам. Мужчина держал зонт, барышни бутылку водки, стаканчики и закуску — огурцы и яблоки с сада-огорода.

— Девонька, что с тобой? — обратилась к Лиде одна из женщин. — Горе какое? — Она отобрала у спутника зонт и укрыла ее от дождя. — Несчастная любовь?

— Хуже.

Сердобольная тетенька взяла стакан, плеснула в него водки и сунула его в ледяную руку Лиды.

— Пей! — приказала она.

— Я не пью, — мотнула головой Лида. Она на самом деле ни разу не пробовала спиртного. Даже на выпускном балу не выпила ни фужера шампанского.

— Да это лекарство. Давай опрокинь стаканчик.

Лида не стала сопротивляться.

— А теперь закусим! — Женщина сунула ей под нос яблоко. — Так что случилось?

— Мир рушится... Все летит в тартарары! — Лида откусила от плода и стала жевать, не чувствуя вкуса.

— Нам бы их проблемы, — усмехнулась сердобольная, глянув на своих товарищей. Почему-то взрослым казалось, что их трудности огромны, а те, с которыми сталкивается молодежь, ничтожны...

Эх, знали бы они!

— Спасибо вам, — выдавила из себя Лида. — Пойду я...

И, встав, зашагала в направлении дома, словно робот. Пальцы на ногах (да и на руках) так замерзли, что она их не чувствовала. Но тепло разливалось по телу из желудка. Жаль, что медленно. Лида согрелась только через пять минут, когда уже подходила к подъезду. За теплом пришло опьянение, в квартиру она ввалилась подшофе.

— Ты где шлялась? — накинулся на нее отец, встретив ее в прихожей. — Мы уже хотели в милицию звонить!

Из комнаты тут же вылетела его гражданская жена. А вот Глеб не появился.

— Звонили тебе сто раз, почему трубку не брала? — не отставал отец.

— Да что ты с ней, шалавой, разговариваешь? — подключилась мачеха. — Не видишь, что ли, пьяная она. Таскалась где-то... С кобелями. Пригрели на груди змею!

Она вела себя не как интеллигентная женщина, а будто рыночная торговка. Даже голос изменился, стал визгливым.

— Я беременна, — сказала Лида бесцветным голосом.

— Что? — взревел отец.

— Вот! — Его гражданская супруга ткнула пальцем в Лиду. — Дотаскалась, залетела, непонятно от кого...

— От сына вашего!

— Ему можешь врать, мне не надо!

Так Лида поняла, что мать Глеба уже в курсе. Тот, узнав о ее беременности, сразу побежал к мамочке и выдал ей свою версию событий. Наверняка оговорил Лиду, выставил шлюхой. И это человек, который лишил ее девственности!

— Обзывайте меня, как хотите, мне все равно, — выдавил из себя Лида. — Но знайте, я буду рожать. А когда увидите моего малыша, поймете, от кого он.

— Как рожать? — просипела мачеха — Ты что... С ума сошла?

Да, пожалуй, сошла. Потому что одно дело забеременеть в семнадцать, выйти замуж за любимого и родить, а другое забеременеть, быть преданной любимым и родить, как говорится, для себя. И никто не поможет! Ни «принц», ни его мать, ни Лидин отец, пляшущий под дудку своей хозяюшки. А куда еще ей податься с ребенком? Тетка не примет. У матери своих трое, а дом больше не стал...

— Ты хочешь испортить жизнь моему сыну? — не отставала от нее мачеха. — Не только себе, но и ему? И всем нам?

— Я просто хочу родить этого ребенка.

— И что ты будешь с ним делать? Ты хоть понимаешь, что это такое — материнство?

— Как же я хочу спать, — выдохнула Лида. Только сейчас, когда она окончательно отогрелась, поняла, как невероятно устала.

— Мы не закончили!

Лида оттолкнула преградившую ей путь мать Глеба, прошла в комнату и легла на кровать. Отец вместе со своей сожительницей не отставали от нее. Орали что-то, пытались тормошить. Но Лида все равно погрузилась в сон.

На следующее утро с ней никто не разговаривал. Все трое между собой что-то обсуждали вполголоса, делали вид, что Лиды нет. Но так продолжалось недолго. После ужина мачеха увела Лиду на балкон, чтобы, как она выразилась, поговорить, как женщина с женщиной.

— Ты не передумала? — спросила она.

— Нет.

Та поджала губы.

— Все, разговор окончен? — спросила Лида.

— Нет. Я просто надеялась, что ты изменила свое решение. Ведь утро вечера мудренее.

— Я не буду делать аборт. Боюсь, что потом не смогу забеременеть.

— Да что за глупости? Многие женщины проходили через эту процедуру и ничего...

— А я не стану! — повысила голос Лида.

— Хорошо, — на удивление спокойно согласилась с ней мать Глеба. — Ты уже ходила к врачу?

— Нет еще.

— Давай я запишу тебя к своему гинекологу? Он очень хороший специалист. А то в поликлинике сейчас девочка сидит неопытная, — предложила сожительница отца.

— Спасибо.

— Все ж ты моего внука носишь...

Они отправились к гинекологу через три дня. Врач Лиде понравился. Симпатичный мужчина средних лет с ласковыми руками. Когда он ее осматривал, она никакого дискомфорта не ощутила.

— Да, милочка, вы беременны, — сказал он, закончив осмотр. — Примерный срок пять недель.

Лида прикинула и поняла, что забеременела в волшебную ночь своего выпускного бала.

— Как я понял, вы хотите оставить ребенка?

— Да.

— Одобряю ваше решение. Я анализы взял, посмотрим, каковы будут результаты. Но пока мне все нравится. Встретимся через неделю.

Спустя семь дней Лида явилась на обследование. Мачеха в этот раз ее не сопровождала.

— Вы хорошо себя чувствовали все это время? — спросил доктор, как-то уж очень сильно нахмурившись.

— Да.

— Никакого дискомфорта?

— Живот болел позавчера. Наверное, съела что-нибудь...

— Да нет, не съели... — Он стянул с рук перчатки и велел ей одеваться.

— Что-то не так?

— Анализы у вас не очень. И выделения нехорошие. Давайте-ка сделаем УЗИ.

Доктор посмотрел на результат УЗИ, ничего не сказал и велел Лиде явиться еще через неделю. Но только если будет нормально себя чувствовать. В противном случае — пусть звонит.

За неделю Лида ни разу не почувствовала себя плохо. Да, было недомогание, но не более того. Однако когда доктор осмотрел ее, он стал очень нервничать. Отвел в сторону мачеху (у нее был выходной, и она отправилась с Лидой) и начал показывать карту.

— Со мной что-то не так? — взволнованно спросила девушка.

— Да, не так, — не стал спорить врач.

— Что?

— У вас замершая беременность. Плод не развивается. Придется чистить.

— Но почему это произошло?

— У вас были плохие анализы изначально. Сильное воспаление придатков. Плюс инфекция. Это все из-за секса в неподобающих условиях.

— Ничего нельзя сделать?

— Увы...

— Мне так жаль, — всхлипнула мачеха. — Я уже свыклась с мыслью, что скоро стану бабушкой.

Доктор успокаивающе похлопал ее по плечу, а Лиде сказал:

— Я сам проведу операцию. Ничего не бойтесь. Обещаю, все будет хорошо.

Все и правда прошло замечательно. Без последствий. То есть то, чего так боялась Лида — бесплодие, — ей не грозило. И все равно ей было паршиво. А потом она узнала о том, что об этом докторе в городе ходят нехорошие слухи. Будто он ставит женщинам неправильные диагнозы, чтобы почистить их, а плаценту сдать за приличные деньги. Это были всего лишь сплетни, но Лида поверила им. И сделала вывод, что мачеха с врачом сговорились. В итоге оба получили желаемое. Мать Глеба избавила сына от нежеланного ребенка, а врач заработал лишнюю копеечку на ее «материале».

В тот же день Лида собрала вещи и покинула квартиру мачехи. Ее никто не пытался остановить. Все обрадовались тому, что она уезжает. Даже родной отец.

Денег у Лиды было совсем чуть-чуть. Выручила их от продажи золотых сережек, которые ей папашка подарил на шестнадцатилетие. Их хватило на билет до города, в котором жила тетка. Не хотелось, конечно, Лиде возвращаться к ней, но куда еще податься? Не в деревню же.

Однако ее ждал неприятный сюрприз. У тетки появилась новая приживалка (она именно так называла девушку), и вторая ей была без надобности. Эта не являлась ее родней, всего лишь внучкой хорошей знакомой, зато была страшненькой и забитой. Ей тетка не завидовала и помыкала ею с легкостью. Так что Лида получила от ворот поворот. Но в деревню она возвращаться не собиралась. Пару ночей на вокзале ночевала, а потом нашла женщину, готовую ее приютить, та буфетчицей работала на том же вокзале. Лида у нее чай и пирожки покупала. Разговорились, девушка поведала о своей беде. Женщина согласилась дать ей кров. Но сказала, что, когда Лида устроится на работу, потребует с нее за проживание деньги. Мол, она, конечно, добрая, всегда готова помочь, но коммунальные услуги стоят дорого, а жиличка будет и свет жечь, и воду лить. Если б буфетчица знала, что Лиде только семнадцать (та выглядела минимум на двадцать), не приютила бы. В таком возрасте работу найти нелегко. Разве что листовки раздавать или крупу фасовать в супермаркетах. Так там обман один, кидалово. Обещают одну зарплату, а платят в три раза меньше. Но Лида все же пристроилась! Не сразу, но...

На мясокомбинат устроилась уборщицей в забойный цех. Потом обещали перевести ее в разнорабочие. А если себя зарекомендует, то доверят туши разделывать. «Потрошители» больше других зарабатывали. Даже больше конторских: бухгалтеров, инженеров. Из-за денег Лида на мясокомбинат и пошла. Уж очень они ей нужны были! А работы тяжелой она не боялась. И вони. И грязи. Все это она видела в деревне.

Если б кто-то знал Лиду, очень удивился бы ее выбору. Бежала из деревни, чтобы снова вернуться... в хлев? Пошла, можно сказать, по стопам матери, к которой всегда относилась с легким презрением. Но Лида знала, чего хочет. И на мясокомбинате она задерживаться не собиралась. Дала себе год на то, чтобы скопить денег и уехать в большой город.

Она вкалывала как проклятая. Брала калым. Да еще, как все, подворовывала. Никакой личной жизни, развлечений, излишеств: питалась и одевалась крайне скромно. Ровно через год (к тому времени она была уже «потрошителем» — то есть сделала фантастическую карьеру) уволилась. Начальник цеха чуть не плакал, подписывая ее заявление. Уговаривал остаться. Обещал комнату в общежитии и заводскую стипендию. Но Лида была непреклонна. Она мечтала стать королевой и ею станет!

В большой город она приехала с небольшим чемоданом, кредиткой, на которой имелась вполне приличная сумма, адресом недорогой съемной квартиры и... с новым цветом волос! Она перекрасилась в рыжий.

На следующий же день Лида отправилась на прослушивание. Она отметила все заведения города, где выступали артисты, обзвонила их, предложила себя в качестве певицы. Ей отказали во всех, кроме одного. Туда-то Лида и поехала. Ресторан оказался очень приличный, со швейцаром на входе. Он открыл перед ней дверь и подсказал, куда направиться. Лида шла по залу и ахала — как же все красиво! Она ни разу не была в подобных местах. Да что там... Даже в кафе не ходила. Экономила. А на предложения мужчин поужинать неизменно отвечала отказом. Всем им одно нужно! Накормят, а потом в койку потащат. Дружить!

Ее принял сам хозяин ресторана. Толстый, кудрявый дяденька с губами, похожими на два облитых маслом вареника.

— Ты Анжелика? — спросил он у Лиды. Та кивнула. Она решила взять себе псевдоним. — Я такой тебя и представлял.

— Какой такой?

— Красотулечкой из деревни. С феноменальными природными данными, но без лоска. Откуда приехала?

Лида назвала город, где жила с теткой.

— Не слышал о таком, — покачал головой ресторатор. — Так, говоришь, петь умеешь? И танцевать?

— Да. Занималась в кружке народных танцев и в песенных конкурсах побеждала. У меня и дипломы с собой. Могу показать.

Толстяк рассмеялся и протестующе замахал руками:

— Нет, нет, не стоит. Лучше спой.

Лида тут же затянула хит из «Титаника». На втором куплете ресторатор ее остановил:

— Достаточно.

— Вам понравилось?

— Для караоке — сойдет. Но на нашу сцену тебе нельзя. Дор-блю закидают!

— Чем?

— Ну, я бы сказал, тухлыми помидорами, но у нас все овощи свежайшие. А дор-блю — это сыр с плесенью. Не слыхала, что ли?

Лида молча покачала головой.

— Не могу я тебя взять к нам. Хотя ты мне очень нравишься. Я как твой голос услышал... да с этим милым оканьем...

— Я уже не окаю! — возмутилась Лида.

— Это тебе так кажется, — ласково улыбнулся он ей. — Так вот, девочка дорогая, место певицы я тебе предложить не могу. Но есть другая вакансия.

— Официантки?

— Лучше! Моей любовницы.

Лида с ужасом уставилась на ресторатора. Ему, по ее прикидкам, было не меньше сорока пяти. А весил он больше ста кило. Да еще эти губы... Лида, как представила, что он будет своими варениками касаться ее кожи, едва сдержалась, чтобы не передернуться от отвращения.

— Ну, что скажешь? Согласна?

— Нет, — едва выдавила Лида.

— Нет? — несказанно удивился ресторатор. И посмотрел на нее как на какое-то диковинное животное. Сайгака, например. Она видела его в зоопарке — чуднее не придумаешь.

— Я пойду, прощайте.

— Вот ты дура, девка, — усмехнулся он. — Понимаешь хоть, от чего отказываешься? Я тебе квартиру сниму шикарную, карту в фитнес-клуб подарю, на курорты возить буду, денег давать на барахло. А если понравишься мне, куплю тебе машину.

Лида пристально посмотрела на ресторатора, прикидывая, сможет ли за такие блага ему отдаться. Попробовала найти в нем что-то привлекательное. Зацепилась за глаза красивого орехового цвета, за аккуратные уши, за... За? Все, больше не за что. Разве за часы дорогие, перстень с бриллиантом, шелковый галстук.

— Спасибо за предложение, но нет, — твердо ответила Лида.

— Гордость твоя от наивности. Сразу видно, совсем недавно приехала. — Он вынул из портмоне визитку, протянул Лиде. — Если передумаешь, звони. Ты меня зацепила.

Помявшись, Лида все же взяла визитку. И ушла, не проронив ни слова. Зачем? Она ведь уже сказала «прощайте».

Тогда Лида не знала, что увидит Эдуарда Гордона (именно такое имя было указано на визитной карточке) еще не раз. Правильно он сказал, наивной она была очень. Думала, ее, такую красивую и талантливую, рвать будут на части. Даже прикидывала, в каком заведении согласится работать, а в каком — нет. Но когда она обошла все клубы и рестораны, даже те, где не хотела бы петь, везде ей отказали. Только в одном месте Лидой заинтересовались. И был это стриптиз-клуб. Но раздеваться на потребу мужской толпе Лида не собиралась. Да и не верила, что девушки после того, как сходят со сцены, превращаются в скромниц и недотрог. Наверняка еще проституцией подрабатывают (по крайней мере, в том второсортном клубе, куда ее хотели взять). И толкают их на это работодатели. Так, может, лучше с одним... пусть и противным, чем с разными?

И все же Лида не сдавалась. Искала и искала достойное место. Но мысли о том, чтобы принять предложение Гордона, посещали ее все чаще. Попробовала в манекенщицы податься — не взяли. Сказали, ростом не вышла. Диджеев на радио набирали, Лида на кастинг отправилась. Зарубили из-за оканья. Пришлось устроиться официанткой в отличное заведение, чтобы зарабатывать на жизнь. Лида надеялась завести там знакомства. Или приглянуться какому-нибудь богатому мужчине с привлекательной внешностью, считай, принцу. А что? Сам Джорж Клуни с официанткой тогда в гражданском браке жил!

Но вместо принца получила Лида нагоняй от директора за разбитую бутылку дорогого вина.

А в конце месяца оказалось, что одним этим не отделается. Штраф ей впаяли, равный половине зарплаты. Психанула, ушла...

Деньги к тому времени подошли к концу. Оказалось, не так много она их скопила. Жизнь в большом городе — дорогая. Особенно арендная плата за квартиру, пусть и самую скромную.

Лида не знала, решилась бы она на звонок Гордону. Возможно, и нет. Но она его случайно встретила. Выходила из магазина дорогой мужской одежды (хотела устроиться туда продавцом), а ресторатор в него заходил. Столкнулись.

— Анжелика! — сразу узнал ее Гордон. — Рад видеть.

— Здравствуйте, — выдавила из себя Лида.

— Как дела?

— Хорошо.

— Так и не позвонила, а я ждал... — Он окинул ее взглядом. — Все так же хороша. Но огонек в глазах поугас. Значит, не очень все хорошо. Не хочешь со мной пообедать?

Язык чесался ответить «нет», но Лида себя сдержала и просто пожала плечами.

— Будем считать молчание знаком согласия, — хмыкнул Гордон. — Пошли. — И, взяв Лиду под руку, повел к машине.

— Но вы хотели что-то купить...

— Потом, — отмахнулся он.

Они быстро доехали до ресторана. Одного из тех, куда Лиду не взяли. Им, как оказалось, тоже владел Гордон, но на паях с другом.

За обедом они разговорились. Ресторатор расспрашивал Лиду о ее прошлом. Она отвечала когда правдиво, когда не очень. О некоторых эпизодах вообще умолчала. Принесли десерт, и Гордон объявил:

— Ты мне подходишь! Молодая, красивая и пока не испорченная. То, что я искал. — Он отхлебнул бренди из маленькой стопочки, заел шоколадным суфле. — Только у меня последний вопрос: ты девственница?

— Нет, — смутившись, ответила Лида.

— Вот умница, не соврала. А то такие сказочницы попадаются, мама не горюй! Будто я не знаю, со скольки лет вы, деревенские, на сеновалах кувыркаетесь. — Он полез в карман. — Значит, так, вот тебе ключ. Мой водитель тебя сейчас отвезет в квартиру. Там в холодильнике есть продукты, приготовь что-нибудь легкое для ужина и жди меня. Приеду на пару часов.

— Зачем? — тупо спросила она.

— Не строй из себя дуру. Ты хоть и малообразованна, но смекалиста. Я хочу заняться с тобой сексом. Потом поеду домой.

— Вот так прямо... сразу? — Она сглотнула.

— Ну а как ты хотела? Чтоб я ухаживал за тобой: цветы дарил да серенады под окном пел? Я деловой человек, мое время дорого. Не устраивает, ради бога, можешь отказаться. Но я бы не хотел этого. Знаю, я на героя романа не похож, а ты себе наверняка такого выдумала. Но я не извращенец, не дегенерат, не подлец, не жлоб. Со мной тебе будет комфортно.

Он очень складно говорил, а главное, спокойно и уверенно. И голос у Гордона был очень приятный. Вот третье, за что Лида зацепилась. И больше не колебалась.

* * *

С Эдуардом Гордоном Лида была почти счастлива без малого два года. Он оказался именно таким человеком, каким себя описывал: не подлым, не жадным, без жлобства и сексуальных отклонений. А еще очень приятным собеседником и большим умницей. Как же Лиде было с ним интересно! Гордон многому ее научил, многое показал. Он пристрастил ее к книгам, а возил не на Мальдивы и Сейшелы, где они бы только и делали, что валялись на пляже и ходили под парусом, а в Париж, Лондон, Барселону. Там они много гуляли, посещали музеи, и Гордон лучше любого экскурсовода рассказывал ей об истории городов, зданий, картин.

Лида привыкла и к его внешности. Она уже не казалась ей отвратительной. Даже губы-вареники... Ведь она узнала, как нежны они бывают.

Пожалуй, она могла бы полюбить своего Эда. Но у него была жена, и Лиду сразу поставили перед фактом, что брак этот нерушим. Поэтому она решила не растрачивать впустую свои чувства. На правах законной супруги она могла бы остаться с Гордоном, но в его любовницах долго задерживаться не собиралась. Годы идут, надо как-то устраиваться. Не до седых же волос в содержанках прозябать. Да и не нужна Гордону любовница с седыми волосами. Он молодых любит. А значит, бросит ее, Лиду, через... В лучшем случае через семь лет. Даже если у нее никаких серебряных нитей в волосах не появится. Просто Эд обожает совсем юных девушек. И не скрывает этого.

Гордон к Лиде тоже прикипел. Не только телом, но и душой. Поэтому и старался сделать ее лучше, развить интеллектуально. Ему нравилась ее искренность, но коробила невежественность. Вот он и подтягивал ее к своему уровню, чтобы было о чем поговорить. И все могло продолжаться дальше, да жена у него заболела. Так серьезно, что на лечение ее пришлось везти в Израиль.

Эд жену сопровождал. И там, на чужбине, погруженный в заботы и переживания о своей благоверной, о Лиде позабыл. То есть не просто стал реже о ней вспоминать, вообще не звонил, не писал. А когда она сама его набирала, отделывался сухим: «Перезвоню!» И не перезванивал! Не до Лиды ему стало.

И она загуляла. В клубе познакомилась с красивым парнем, он пригласил ее на неделю на Кипр, она, недолго раздумывая, согласилась. Улетели оттуда через два дня, а их провели, не вылезая из постели!

Парень был прямой противоположностью Гордону. Молодой, стройный, эффектный, модный, но ограниченный, незрелый, развращенный донельзя. Он гулял на деньги папочки. Лида видела, что он — пустышка, но ей с ним было весело. Все же в общении с ровесниками есть свои плюсы. Можно покуражиться, протанцевать всю ночь напролет, поржать над ерундой, побыть дурой, в конце концов. А как приятно пройтись с красивым парнем за руку по набережной, когда все смотрят на вас с восхищением, а не с недоумением.

И что-то в Лиде надломилось. Да еще Гордон хоть и вернулся в Россию, но стал уделять ей гораздо меньше внимания. Бежал домой, к медленно выздоравливающей жене. И денег давать стал совсем чуть-чуть. На лечение ушло много и на реабилитацию. И Лида ушла от Эда. Он ее не осудил. Хотя, конечно, надеялся на большее понимание.

— Я могу оставить вещи, что ты мне подарил? — спросила она на прощание.

— Конечно.

— И машину?

— Она твоя.

— Спасибо тебе, Эд. Ты замечательный. Я тебя никогда не забуду, но пришла пора мне двигаться дальше.

— Желаю удачи, — улыбнулся он, растянув свои вареники в два чебурека.

Она действительно не забыла его. Всех последующих с ним сравнивала. И почти все проигрывали. Пусть были и моложе, и красивее, и порой богаче. Но с ними она не ощущала такого комфорта, как с Эдом. И никого так не уважала, как его.

* * *

Она переехала в другой город. Нашла себе нового спонсора — теперь это было сделать легче. Она стала опытной, в ней появился лоск. А еще легенда! Она никому не говорила о том, что деревенская. Врала, что родилась в городе, в богатой семье. Мол, жила, как сыр в масле катаясь, но папаша прогневался на нее, выгнал из дома, и теперь Лида (Анжелика, конечно же) вынуждена как-то устраиваться. А так как институт она бросила, потому что отец отказался платить за обучение, то на работу устроиться крайне сложно.

Ей верили. Порхая от одного к другому мужчине, Лида достигла двадцатипятилетия.

И тут ей выпал козырной туз! Она познакомилась с настоящим принцем. Неженатый олигарх тридцати двух лет. Не красавец, но симпатичный. Он увлекся Лидой очень серьезно. Перевез ее в Москву. Помог записать альбом, снял для нее клип. Его крутили по телевизору аж целый месяц. Лида (псевдоним — Маркиза) стала звездулечкой. Она сама понимала, что ее популярность сиюминутна. Для поддержания требуется очень много денег. Ее принц слишком практичен, чтобы вкладывать средства в убыточное дело. Сделать приятное девушке, которой увлекся, да. Но вбухивать в нее миллионы — другое дело. Была бы она жена... А то... любовница.

То, что Лида никогда не станет женой олигарха, ей дали понять сразу. Принцы только в сказках женятся на золушках, в реальной же жизни они, как правило (бывают, конечно, исключения, но редко), выбирают себе подобных. Чтоб деньги к деньгам. Связи к связям. У Лидиного милого уже и невеста имелась. Дочка нефтяного магната из Азербайджана. С ней свадьба была назначена на будущий год. Но Лиду уверили, что она никак не помешает их отношениям.

Находясь на волне успеха, Лида умудрилась дать несколько концертов в клубах отдаленных от столицы городов. Занесло ее и туда, где жил отец, мачеха, Глеб...

Нет, не так! Ее туда не занесло. Она сделала все, чтобы выступить в том городке. Согласилась на минимальный гонорар, лишь бы там очутиться.

Ее встретили на обычной «Тойоте», отвезли в отель. Из номера она вызвала лимузин, заказала цветы. Когда машина и букеты прибыли, накинула самую дорогую шубу, взяла корзину с фруктами, подаренную организаторами гастролей, и отправилась с визитом.

Она не надеялась застать Глеба в квартире. Была уверена, что он живет отдельно. Но, к огромному Лидиному удивлению, дверь открыл именно он.

— Здравствуйте, вы к кому? — спросил он.

Не узнал! А вот она его — мгновенно. Он не особенно изменился. Да, возмужал и немного поправился. Но остался по-прежнему симпатичным, улыбчивым. Он был такого же типа, что и Леонардо Ди Каприо. Худой, смазливый в ранней молодости, мясистый, заматеревший в зрелости.

— К вам, — просто ответила Лида.

— Ко мне?

— К тебе, твоей маме и отчиму.

— Отчима у меня нет, — нахмурился Глеб.

— Разве?

— Был у матери сожитель, но он умер год назад... А вы кто, собственно?

— Не узнаешь?

— Что-то знакомое... — Глеб отошел на шаг и внимательно посмотрел на Лиду. — На артистку похожи, которая Анжелику играет! И на эту... Как ее? Песенку еще заводную поет про ласточек?

— Маркиза.

— Точно!

— Это я.

— Да ну? И вы к нам?

Он по-прежнему ее не узнавал. Лида знала, что сильно изменилась. Глеб помнил ее девочкой со светлыми волосами и бледным личиком. Она не красилась и была очень худенькой. Сейчас рыжая, яркая, сексуальная, с грудью четвертого размера, презентованной ей одним из поклонников. Но ведь черты лица остались прежними. Их она не меняла. Те же глаза, нос, губы... Губы, которыми он восхищался! Говорил, что они словно лепестки роз. Этот избитый комплимент Лиду когда-то радовал до трепета...

— Неужто, я так изменилась, Глеб? — спросила она, откинув со лба рыжую челку.

— Лида? — воскликнул он пораженно. — Ты?

— Я, — просто ответила она.

— Да что ж ты на пороге-то?.. Заходи! — И Глеб наконец посторонился.

Она перешагнула порог.

Квартира была все такая же. Даже обои прежние — в ромбики. И вокруг выключателя засалено.

— Твоя мать дома? — спросила Лида.

— Нет, она на работе. Я один.

Он помог ей снять шубу. Под ней — облегающая кофточка с вырезом-капелькой на груди. Ложбинка сверкает, стоит немного повернуться. От Лиды не ускользнуло, какие взгляды Глеб кидает на ее декольте.

— Какие красивые у тебя цветы! — восхитился он. — И как их много.

— Поклонники на концерте надарили, — повела плечом Лида.

— А ты не знала разве, что твой отец умер?

Она не удостоила его ответом. Конечно, не знала. А сейчас, узнав, не испытала никакой горечи. Умер и умер. Кто он ей? Папа? Да бросьте...

— Почему ты все еще с матерью живешь? — спросила Лида, когда ее ввели в знакомую кухню и усадили за стол с новой клеенкой, та, что она помнила, была в клубничках, а эта в винограде. — Не нашел достойную?

— Я был женат, развелся. Дочь есть. А ты как?

— О-о-о... — Она закатила глаза. — У меня все супер. Вот сегодня в вашем клубе выступаю. Билеты вам привезла. Приходите... — Лида выложила на стол два пригласительных, оставив в сумке один, для отца. — Буду рада видеть тебя и твою мать.

— Мама вряд ли пойдет...

— Возьми с собой свою девушку. Или друга. Или толпу приятелей. Сколько еще хочешь билетов?

— Не нужно мне, спасибо. Я не люблю клубы, как и мои друзья.

— А девушка?

— У меня нет ее. Я замшелый холостяк...

Лида не собиралась от него отставать. Ей хотелось, чтоб Глеб явился на концерт. И увидел ее во всем блеске. А чтобы блеск был стопроцентно, Лида постаралась. Бесплатные билеты раздавались студентам, чтоб присутствовала публика, а двум ее помощникам приказала вынести на сцену букеты. Будто от горячих поклонников.

Тут из прихожей раздался шум.

— Мама пришла! — воскликнул Глеб. — Что-то рано сегодня.

— Глебушка, это я! — послышался знакомый голос. — Представляешь, у нашего дома стоит огромная машина. Кажется, она называется лимузин. Свадьба, что ли, у кого?

В кухне через несколько секунд показалась она... Хозяюшка!

Ненавистная мачеха.

— У нас гости? — зажурчала она. — А что ж ты, сынок, девушку чаем не поишь?

И замолчала резко. Узнала!

— Добрый день, — поприветствовала ее Лида.

— Здравствуй.

— Вот решила проведать вас...

— Не знала, что твой отец умер? Мы пытались тебя найти, чтобы ты приехала на похороны, но у нас ничего не вышло.

— Я схожу на его могилу.

— Мам, Лида хочет пригласить нас на свой концерт, — встрял Глеб.

— И что она делает? Фокусы показывает? Пляшет?

— Поет. Помнишь хит про ласточек? Он Лидин.

— О...

— Вот билеты принесла. — Глеб показал их матери. — Пойдем?

— Я — пас! — И скривилась брезгливо, будто ее позвали чистить выгребную яму.

— Если передумаете, вэлком, — лучезарно улыбнулась ей Лида. — А мне пора. Нужно готовиться к выступлению. — Она указала на корзину с фруктами и цветы. — Это вам.

И покинула квартиру, задержавшись лишь на секунду, чтобы снять с вешалки свою шубу.

На концерт явился один Глеб. Сидел перед самой сценой, восхищенно таращился на Лиду-Маркизу. А она была ох как хороша в коротких кожаных шортах и водолазке в крупную сетку, с распущенными волосами и алыми губами. Поющая, танцующая, флиртующая с залом.

А после концерта она упорхнула, даже не помахав Глебу на прощание. У нее был совсем другой план. Соблазнить его, влюбить, а потом бросить. Плюнуть в душу, как он ей когда-то.

Но в какой-то момент Лида поняла, что ни к чему все это. Тратить время, силы, нервы... И ради чего? Чтоб сделать бяку тому, кого по наивности посчитала своим принцем? Пустое все это. Но она не жалела, что приехала. Себя показала, на Глеба посмотрела. Убедилась, что он ничем не примечательный мужчинка из глухой провинции. Позлорадствовала: плохо устроен, личного счастья нет. И решила идти дальше, не оглядываясь назад.

Глава 3

Он всегда был скверным ребенком, подростком, взрослым...

Мать его, грудничка, чуть не выкинула с балкона. Ее остановил муж, пришедший вовремя. Крохотный Егор орал так часто и громко, что у молодой мамочки сдали нервы.

Когда у мальчика начали резаться зубки, стало еще хуже. Он плакал непрерывно. И тогда даже его спокойный отец выходил из себя. Егор помнил, как он тряс его и кричал: «Да когда же ты заткнешься?»

Да, да, именно так! А кто сказал, что полугодовалые дети ничего не запоминают?

Родители не чаяли, когда отдадут сына в детский сад, потому что он перевернул вверх дном весь дом, попортил кучу вещей. Но и сам пострадал. Один раз утюг раскаленный себе на руку поставил, другой — выпил очиститель для унитазов.

В садике Егор бил всех, кто трогал его игрушки. Швырялся кашей в воспитателей. Подбрасывал в кроватки девочек гусениц или жуков, пойманных во время прогулок. Родителям приходилось щедро одаривать директора, чтоб Егорку не вышвырнули вон.

В школе он стал первым хулиганом и отъявленным двоечником. В пятом классе его поставили на учет в детскую комнату милиции. После девятого отправили в спецПТУ. В восемнадцать он получил условный срок. В двадцать был изгнан родителями из дома. Они так устали от своего сына, что не могли его больше терпеть.

Егор их понимал. Его от самого себя тошнило. Но он ничего не мог поделать с собой. В него как будто вселялся бес. Причем, когда это происходило, он наблюдал за действиями этого беса со стороны. И мысленно качал головой, вздыхал и охал. Мол, что ж ты творишь-то, ирод?

Егор любил своих родителей. В глубине своей поганой души. Но постоянно их огорчал. Как будто не мог простить за то, что мать чуть не скинула его с балкона, а отец тряс и орал: «Да когда же ты заткнешься?» Причем помнил он именно его ор. И его глаза, совершенно бешеные. Поэтому, наверное, именно отцу он досаждал больше, чем матери. А однажды, пьяный, руку на него поднял, ткнул кулаком в живот. А когда тот упал, хотел еще ногой пнуть. Но тут вмешалась мать. Влепила сыну оплеуху и сказала ледяным тоном: «Пошел вон из моего дома!»

— Иди ты на х!.. — заорал Егор, схватившись за щеку. — Это и мой дом тоже!

— Не уйдешь, вызову милицию и посажу тебя, гаденыш!

— Мать называется...

— Нет у меня сына. Есть злобное животное, проживающее со мной под одной крышей. Больше я тебя видеть у себя в доме не намерена! Катись!

— И уйду!

Он показал матери неприличный жест и вышел, громыхнув дверью так, что со стены свалилась полочка для одежды.

В тот день он впервые укололся. Алкоголь не помогал, и когда ему приятель-торчок предложил вмазать, Егор не отказался.

И понеслось...

Прочно на иглу Егор сел уже через месяц. Через три стал нападать на прохожих на улице, чтобы раздобыть денег на очередную дозу. Через полгода сел в тюрьму.

Мать с отцом на суде не присутствовали, но передачки посылали. Без писем.

Егору дали семь лет (одна из жертв нападения едва не скончалась от потери крови после ножевого ранения — если б скончалась, впаяли бы пятнашку). Первые месяцы были адом. Кромешным! Его ломало так, что хотелось разбежаться и удариться головой о стену. Но он перетерпел, и жизнь как-то наладилась. Он даже почувствовал себя счастливым. В тюрьме ему было спокойнее, чем на воле. С корешами отношения сложились отличные. Егора уважали. Но главное не это. А то, что он нашел себе занятие по душе — начал вырезать из дерева фигурки. У них умелец на зоне был. Его творения за приличные деньги продавались. Егор мог бесконечно смотреть на то, как Мастер (погоняло у него такое было) из простой деревяшки создает настоящее произведение искусства. И попросился к нему в подмастерья.

Мастер был пожилым человеком, вором-рецидивистом. Полжизни провел за решеткой. Здоровье уже было не то, глаза плохо видели, спина болела. Поэтому он взял Егора в помощники.

Сначала ничего у него не получалось. Совсем. Только руки стирал в кровь. Но Егор не бросал — упорства ему было не занимать. И дело пошло. Вот только создавал Егор не хлебницы, шахматы, полочки, тем более не чертей, выскакивающих из бочки с членом наперевес, душа требовала другого. Только он не мог понять, чего именно. В голове крутились какие-то размытые образы, но они, даже если Егор очень сосредотачивался, не становились четкими. Он вырезал что-то, отдаленно напоминающее эти образы, но получалось нечто невнятное. И Егор брался за шахматы и чертиков. Это у него выходило.

После освобождения он домой возвращаться не собирался, что естественно — его там не ждали. Прописали бы снова — и на том спасибо. Но жить где-то нужно. И решил он по примеру многих своих корешей познакомиться с женщиной на сайте знакомств. Писал тем, кто нравился, но они, узнав, что он в заключении, переставали с ним общаться. Правда, сначала шли на контакт охотно. Егор был парнем красивым. И писал без ошибок — хоть и был двоечником, а грамотностью мог похвастаться. Когда он пожаловался Мастеру, тот фыркнул:

— Красоток выбираешь?

— Ну... таких. Зачетных телочек.

— Дурак. Пиши тем, кто пострашнее. И постарше. Неухоженных выбирай, простоватых. Серых мышек. Лучше толстых. Я бабцов мясистых люблю, вот с такой кормой... — Мастер развел руки так широко, как бывалый рыбак, показывающий невероятную добычу. — Но я старый. А молодежи подавай костлявых, вот толстухи и комплексуют.

— У меня ж не встанет на такую, Мастер?

— После семи лет зоны? Ха! У тебя встанет и на медведицу. Тебе зацепиться надо. А там разберешься. Главное, побольше в уши ей дуй. Чтоб встречала водкой, пирогами и нагретой постелью.

Егор прислушался к советам старшего товарища и уже через месяц обзавелся «невестой». Танечкой. Ей было тридцать пять. Невзрачная, если не сказать блеклая, истинная серая мышь, но не полная, а очень худая. Бездетная разведенка, живущая в крохотной квартирке. Зато отдельной! И одна, без родителей или детей. Не женщина — находка.

В жизни «находка» оказалась даже хуже, чем на фото. Но Егор сдержал разочарование. Мило улыбнулся «невесте», сделал комплимент, а главное — подарил цветы. У него после освобождения были деньги, и он решил потратить часть их на «невесту». Заработать баллы, что называется.

Пирогов и водки не было. Имелось сухое красное вино и суши. А также тахта в кухне.

Егор сказал, что у него на сырую рыбу аллергия. А из-за проблем с поджелудочной вино он не употребляет. Пошел в магазин, купил курицу-гриль и бутылку водки. Поел и выпил. А потом завалил хозяйку квартиры на кровать и до утра так «любил», что соседи возмущенно стучали в стену.

Завидовали!

Егор много врал женщине в письмах. Начиная от статьи, по которой был осужден, заканчивая своими планами на будущее. Говорил, что работал краснодеревщиком и собирается вернуться к профессии. К ней, Танечке, приехал на несколько дней, чтобы познакомиться. А потом, если все у них сладится, он заберет ее к себе в город (который находился всего в двухстах километрах), и будут они жить-поживать и добра наживать.

Прожив у Тани неделю, он стал собираться домой. А точнее, делать вид. За эти дни он подарил ей столько чувственного наслаждения (прав был Мастер — после семи лет заключения даже на медведицу залезешь, особенно после водки), что женщина даже похорошела. Щечки розовые, глазки горят. Да Егор еще в доме ее кое-что поделал. Ящики отремонтировал, что болтались на одном шурупе, унитаз подтекающий починил. И красивое блюдо вырезал из фанеры. Для хлеба или печенья.

И Таня его не отпустила! Побоялась, что он ее забудет. Такой молодой, красивый, горячий, умелый... Да его на части разорвут женщины. И что, что сидел? По глупости же попал. Но зона его не испортила. Вон какой интеллигентный, добрый. Только выпивает часто. Но не дуреет же. Лишь ласковее становится!

И остался Егор у Тани. Она устроила его в мебельную мастерскую. Там он сначала очень ценился как работник. Руки золотые! Но потом характер сказался. Полезло из Егора привычное дерьмо. Стал конфликтовать с начальником. Пока не набил ему морду и не был изгнан с работы.

Тане тоже доставалось. Егор перестал с ней церемониться очень скоро. Видел, что она влюблена по уши и будет терпеть его. А еще она хочет ребенка. И все удивляется, почему не может забеременеть. А Егор после своих наркоманских угаров стерильным стал, но об этом он Тане, конечно, не говорил. Пока он в ней нуждался.

К героину Егор не вернулся. Да и водку хоть и пил, но не допьяна. Не как раньше. В другом кайф нашел. В творчестве. Таня учителем рисования была по образованию. Когда-то в школе работала (потом на фабрику мебельную ушла декоратором), и в ее доме было много книг по искусству. Егор их листал. И наткнулся как-то на статью, посвященную архитектору Гауди. Едва глянув на фотографии его работ, он понял, какие именно образы вертелись в его голове. Строения Гауди напоминали природные творения. То ли колонна, то ли тропическое дерево, обвитое лианой. То ли окно, то ли пролом в скале. То ли купол, то ли гигантский гриб. Вот и Егору хотелось создавать деревянные скульптуры, которые... сразу и не поймешь, человеком ли сделаны или над ними сама матушка-природа поработала.

И он начал творить! Таскал из леса пеньки да сучья и отсекал, отсекал все лишнее...

Первой родилась фигурка олененка. Когда Таня взглянула на нее, она воскликнула:

— Какое дивное деревце! — И только потом рассмотрела, что, кроме растения, есть еще и животное. Стройный олененок притаился за стволом, положив мордочку на одну из веток.

Потом была женщина, купающаяся в водопаде. Гном, прячущийся в скале. Застывший в янтаре жук. Все из дерева. И на первый взгляд все творения Егора казались лишь хорошо отшлифованным, облагороженным куском древесины. Корягой причудливой формы. Но стоило сфокусировать взгляд, как начинали вырисовываться детали...

— Тебе нужно выставляться! — сказала как-то Таня. — Это же настоящее искусство.

— Да разве я пробьюсь?

— Я помогу.

— Как?

— Я училась на художника, если помнишь.

— На учителя рисования, — поправил Егор. Но Таня не слушала:

— В моей группе был мальчик. Очень талантливый. Не поступил в Строгановское, пошел к нам, в пед. Сейчас он известный не только в городе, но и в России художник. Я обращусь к нему. Он мне не откажет.

— С чего бы?

— Я была его первой любовью.

И все получилось! Бывший Танин воздыхатель устроил Егору выставку. Посмотрев на его работы, одобрил, но сказал, что этого мало, надо как минимум два раза по столько. Создать еще десять работ для Егора труда не составило. А пока он творил, Таня кормила его и поила. В том числе иногда водкой, потому что трезвый он на нее как на женщину не смотрел, только на свои деревяшки. Но стоило Егору выпить, как он преображался. Переставал быть просто мастером, в нем еще и мужчина просыпался.

Выставка прошла на ура. У Тани оказался еще знакомый журналист. Он написал статью о тюремном самородке (Егор не стал скрывать, что сидел), и люди захотели посмотреть на его работы. К концу выставки на каждой появилась табличка «Продано». Дальше — больше. Егору стали поступать заказы от богатых людей. Многие хотели украсить его скульптурами свои шикарные дачи и охотничьи домики — они идеально в них вписывались.

Егор начал зарабатывать приличные деньги. На первый гонорар купил Тане шубу и плазменный телевизор, о котором она мечтала. После чего бросил ее и ушел к другой. Молодой, красивой, яркой. Такой, о какой всегда мечтал. Но долго он с ней не прожил. Девушка мешала работе и тянула из него деньги. Егор был погруженным в творчество и жадным, потому ушел и от молодой.

Но одному жить тоже не хотелось. Убираться, готовить, стирать, искать женщину для секса, когда приспичит, самому себе говорить, какой он гениальный. Егору требовалась сожительница. Такая восторженная, порядочная и домовитая, как Таня, но молодая и привлекательная. К огромной радости Егора, такая отыскалась довольно быстро. Дочка одного из его заказчиков. Хорошенькая двадцатидвухлетняя девица, влюбленная в его творения, сама захотела с Егором познакомиться. И как только увидела его, сразу влюбилась и в самого мастера. Через две недели он уже жил у нее в шикарной трешке, подаренной папой. Новая избранница Егора была безалаберной, но это вовсе ее не обесценивало, поскольку за порядком в доме следила домработница, она же и готовила.

Это было счастливое время! Егора все устраивало до тех пор, пока девушка не предложила ему узаконить их отношения.

— Жениться? — ужаснулся Егор. — Зачем?

— Я хочу нормальных отношений.

— А они разве ненормальные?

— Нет. Нормальные — это законные. А еще я хочу свадьбу. И путешествие! На Мальдивы.

— Какие Мальдивы? — начал закипать Егор. — Я невыездной!

— Папа все уладит, — беспечно фыркнула барышня. — Так что давай уже делай мне предложение. Кольцо я выбрала и отложила. Можешь съездить купить и завтра за ужином в ресторане преподнести его мне. В бокал класть не надо. Лучше в коробочке!

Она была милой романтической дурочкой. И это Егору нравилось. Вот только женитьба в его планы не входила. Вечером, когда любовница убежала на фитнес, он собрал вещи и съехал. Была у него в запасе одна поклонница. Взрослая, обеспеченная, интересная внешне, а главное, не помешанная на браке после двух скандальных разводов. Плохо только, что жила она с двумя детьми. Но Егору было не до жиру, как говорится, быть бы живу.

С этой женщиной он прожил еще меньше. Не поладил с ее детьми. В итоге ушел. По-английски, как обычно. Но сначала занял у нее крупную сумму якобы на аренду выставочного зала, хотя в деньгах не нуждался. Имел два счета банковских. Но разве бабки бывают лишними?

Он вернулся в родной город, не потому что соскучился по родителям или хотел помириться. Нет, он собирался отсудить у них часть квартиры. Чтоб жизнь им медом не казалась. Избавились от сынка, выгнали из дома да забыли (передачки — не в счет, они как подачка). А вот я напомню о себе! Нате, получите приветик от Егорки!

Поселился он в кои веки не у кого-то, а на съемной квартире. Цены в городе были смешными, вот он и не пожадничал. Хотелось отдохнуть немного от баб и поработать. Егор решил немного поэкспериментировать. Начать создавать скульптуры из глины. Он знал, где ее брать. Детьми они набирали ее в оврагах и лепили всевозможные фигурки. Девочки куколок и животных, а пацаны пистолеты да танки.

Материал был хороший, податливый. Но почему-то не работалось с ним так, как с деревом. Егору не хватало идей. Из грубого материала он создавал нежные скульптуры. Из мягкого же хотел ваять нечто брутальное, даже агрессивное. Но не знал — что...

Пока не оказался в комнате с черным потолком...

Смерть стала его вдохновением!

Глава 4

Он с трудом открыл глаза. Веки слиплись, будто ресницы намазали клеем «Момент». Он знал, что это такое. Как-то в детстве, когда он отдыхал летом в загородном лагере, с ним сыграли злую шутку. Мальчики и девочки ночами наведывались друг к другу в спальни, чтобы измазать лица спящих зубной пастой. Обычно просто закорючки рисовали. Но иногда писали короткие, но обидные слова на лбу или щеках. Например, лох. Или — коза. Егор же пошел дальше. И выводил пастой на лицах девочек слова другого порядка — матерные. Особенно одной доставалось, Вале. Она Егору нравилась, но не обращала на него внимания, и он мстил ей за это. И вот когда пришел черед девочек мазать мальчиков, Валя взяла и вылила на веки Егору клей. Глаза тут же защипало. Он начал тереть их, и стало только хуже. Ресницы слиплись. Слезы текли ручьем...

Вот как сейчас!

Егор обозрел пространство. Сначала картинка было размытой, но он, поморгав, смог сфокусировать зрение. Все то же помещение, те же лица, вот только на одном из них нет привычного апатичного выражения. Оно напряжено, взволнованно и... радостно, что ли? Как у ребенка, который развязывает ленту на подарке. Он сосредоточен, нетерпелив и доволен оттого, что совсем скоро увидит содержимое коробки.

— Красавчик, ты чего это? — спросил Егор у парня, похожего на манекенщика. Именно его лицо привлекло внимание.

— Наручники, — возбужденно выпалил он. — Я могу снять их...

— Да ладно, — не поверил Егор. Он бесчисленное множество раз пытался сделать что-то со своими.

— Тут шуруп разболтался один. Пытаюсь его выкрутить...

Услышав их разговор, голову подняла блондинка с аллергией. Ее красные глаза оживились — в них заблестела надежда.

— Все равно это ничего не даст, — проговорила барышня с русыми волосами, которая постоянно спала. Или делала вид. Она и сейчас сидела с закрытыми глазами.

— Все! — вскричал красавчик, разомкнув руки.

— Ничего себе! — восхитился Егор. — А теперь отвязывай веревки на ногах. Только быстро.

Тот принялся освобождать щиколотки. Через пару минут веревки упали на пол. Красавчик встал со стула.

— Боже, как хорошо-то, — простонал он, с хрустом потянувшись.

— Хватит потягиваться, — рыкнул на него Егор. — Освобождай нас!

— Каким образом он это сделает? — заныла спящая некрасавица.

— Да заткнись уже! — И Егор снова обратился к парню: — Найди что-нибудь острое. Попробуем взломать замки на наручниках.

— Острое? — Парень стал озираться. — Но тут нет ничего...

— Есть нож!

— Где?

— Где-где? Торчит в груди жмурика. Вытащи его.

— Нет, я не смогу, — замотал головой красавчик.

— Хватит уже вести себя как кисейная барышня, будь мужиком.

Тот, закусив губу, прошел к трупу, взялся за рукоятку ножа, потянул...

— Не могу вытащить, — сказал сдавленно.

— Напрягись!

— Подними ногу, — вступил в разговор мужик, сидящий рядом, остряк, который маньяка Дартом Вейдером назвал, — упрись ею в грудь покойника и с силой выдерни нож.

Бедный красавчик едва чувств не лишился, услышав эту фразу. Но надо отдать ему должное, взял себя в руки и проделал все точно по инструкции. Когда нож оказался в его руке, он отбежал от покойника и стал нервно почесываться. Егор сам в периоды эмоционального напряжения ощущал зуд. И иной раз до крови раздирал тело. Поэтому он понимал парня.

— Давай попробуй освободить меня, красавчик.

— Меня зовут Кен.

— Да хоть Барби. Ну же...

Кен подошел к Егору, встал у него за спиной на корточки и начал колдовать над наручниками. К удивлению обоих, справиться с ними удалось довольно скоро. Егор с утробным рычанием освободил руки и начал растирать их.

— Освобождай остальных, — велел он Кену. — Я сам ноги распутаю.

Пока тот обходил пленников с чудо-ножом (ведь это реально было чудом, что обычный человек, а не какой-нибудь домушник, смог им открыть замок), Егор избавил себя от пут. И сразу кинулся к двери. Естественно, она была заперта. Но оказалась не такой основательной, какой выглядела. Да, она была обшита листами железа, но между ней и косяком образовался зазор. Если толкнуть, дверь на сантиметр подается вперед. Значит, запор недостаточно крепок. Возможно, это обычная щеколда. Три здоровых мужика общими усилиями выломают ее.

— Поддастся? — услышал Егор за своей спиной. Обернулся, увидел соседа-остряка.

— Надеюсь.

— Давай ломать, пока Кен барышень освобождает.

Егор отошел на метр и врезался плечом в створку. Та только глухо бухнула.

— Если наш похититель за дверью, он знает, что хомячки выбрались из клетки.

— И что он сделает с нами? Убьет? Так пусть лучше сейчас... Опять же, у кого-то из нас есть шанс спастись.

— Я не хочу лишать себя его, — губы Егора скривились. — Ломай дверь сам. А я за твоей широкой спиной спрячусь. Идет?

— Ты хоть поглядывай из-за моей широкой спины, смельчак, — брезгливо поморщился собеседник. Но Егору было плевать на его гримасы.

Мускулистая нога в спортивных штанах с кучей накладных карманов, в ботинке на тракторной подошве врезалась в дверь. Раздался хруст, затем лязг. Треснул деревянный косяк, вылетел замок.

Егор присвистнул. Остряк был не похож на Рэмбо. Жилистый, да, спортивный, но роста среднего и размер одежды сорок восемь, не больше.

Дождавшись, когда сокрушитель дверей выйдет в коридор и крикнет оттуда «Чисто», Егор направился следом. Но его остановил бабий вопль:

— Не бросайте меня, умоляю!

Он обернулся и увидел красноглазую блондинку, рыдающую на своем стуле. Две другие девушки были освобождены. И только она оставалась скованной наручниками.

— Никак не получается, — виновато протянул Кен. — Не знаю, что делать. Замок не поддается.

— Дай я, — отобрала у него нож рыжеволосая красотка.

— Вы как хотите, а я валю! — выпалил Егор. — Каждый за себя, вот мой девиз!

— Нет, нельзя ее бросать, — воскликнул Кен.

— Вот ты и не бросай!

Он вышел в коридор. Огляделся. Бетонные стены, потолок, пол. Грязно и влажно. Пахнет подвалом. Но это не подвал — потолки слишком высокие. В конце коридора Егор увидел еще одну дверь. Распахнутую. За ней — темнота.

— Где это мы? — спросил он у «Рэмбо».

Тот пожал плечами и вернулся в комнату с черным потолком.

— Эй, ты куда?

— Мы своих на войне не бросаем!

— Да пошли вы... А я на волю!

— Ты знаешь, где находишься? — бросил через плечо парень.

— Нет, но я сориентируюсь.

— Заблудишься только. Без меня вам не выйти. А я уйду только тогда, когда мы освободим девушку. — Он подошел к блондинке: — Как вас зовут?

— Дина.

— Я Паша. Давайте сделаем так. Мы развяжем вам ноги, вы встанете. Затем заберетесь на сиденье и сможете освободить руки.

— Но наручники на них останутся.

— Ничего страшного. Главное, вы сможете передвигаться, и мы покинем это помещение. Давайте.

Егор грязно выругался. Ох уж эти благородные рыцари! Как же они его бесят! Ну и пусть себе пропадают...

Он сделал несколько шагов вперед, но остановился. Темнота пугала. Мало ли что она скрывает? К тому же он не знал, куда двигаться. И вообще... Одному как? Не за кого спрятаться... Коллективный разум все же лучше. Егор взвесил все «за» и «против» и решил дождаться остальных.

Тем времени Рэмбо, носящий имя Паша, освободил пленницу. Снял на руках со стула. Дина встала на ноги, но они тут же подкосились, и она чуть не упала. Если б ее вовремя не подхватил под локти Кен, девушка осела бы на пол.

— Мать, ты давай бери себя в руки, — строго сказала рыжая. — Надо валить отсюда, и побыстрее.

— Да, да, я смогу... — Дина сделала один неуверенный шаг, второй. Кен поддерживал ее. И она больше не падала.

— Следуйте за мной! — скомандовал Павел.

— Где мы? — спросил у него Егор.

— В бомбоубежище заводском.

— Да ладно! Завод работает, значит, убежище должно быть пригодным для обитания, а тут все давно заброшено.

— Потому что мы находимся на территории второй площадки. А она как раз заброшена давным-давно.

— Откуда ты знаешь?

— Когда-то работал на этом заводе. Начальником. Имел доступ ко всем объектам. — Павел уверенно шагнул в темноту и повел их по лабиринту коридоров. — Подворовывал, естественно. Поэтому всю территорию изучил досконально, где можно что-то украсть, куда спрятать и откуда вынести. Площадка обнесена забором, и она охраняется. Так что просто так не выйдешь с территории.

Он подвел их к двухстворчатой двери таких огромных размеров, что в нее мог въехать танк, и сказал:

— Все, за ней воля!

Обрадованный Егор рванул к двери, но резко затормозил.

— Ты чего? Толкай! — крикнула рыжая.

— Боюсь, — вздохнул он. — Вдруг она заперта? Тогда нам конец. Другого выхода отсюда нет. Я знаю, как строились бомбоубежища...

— Толкай! — разозлилась та.

Егор упер руки в створки и поднажал.

Дверь не поддалась.

— Так я и знала, — упавшим голосом сказала неспящая красавица. — Все напрасно... — Она просто излучала пессимизм. И Егору хотелось треснуть ее по макушке.

— Даже если мы отсюда не выйдем, — подал голос Кен, — мы в лучшем положении, нежели раньше. У нас свободны руки и ноги. Мы можем оказать сопротивление.

— Или поискать свои телефоны! — воскликнула рыжая. — Если вещи, что у нас отобрали, находятся тут, мы сможем вызвать полицию!

— Из бомбоубежища? Это вряд ли. Ту наверняка сотовые не ловят...

— Экстренный звонок всегда можно сделать,

— Да они уже разрядились, — прошелестела блондинка. — Мой точно. Я тут бесконечно давно...

Пока они вели эти разговоры, Егор наблюдал за Пашей. Он давно понял, что единственный, кто способен спасти их, — это он. И не только потому, что он знает бомбоубежище, просто в нем видна уверенность в себе. А еще... фартовость, что ли? Да не простая. Есть люди, к которым деньги как будто сами плывут. А есть те, кому в любви везет. Чтоб и в том, и в другом — редко. Не просто же так родилась фраза: «Не везет в картах — повезет в любви». Понятно, что богач может себе отхватить самую распрекрасную жену или любовницу, да только не верил Егор в искренность этих отношений. Паша, пожалуй, не относился ни к тем, ни к другим. То есть, по прикидкам Егора, он и в деньгах не купался, а если и имел приличный доход, то зарабатывал его потом и кровью, и в личной жизни у него не особенно ладилось. Были, конечно, женщины, и немало, но никто его не трогал, впрочем, как и он кого-то. В общем, не везло Паше ни в деньгах, ни в любви. Его фарт иного рода. Чувствовалось, что ему везет в схватке со смертью. Егор не сомневался, что он бывал на волосок от нее неоднократно, но умудрялся ее избегать...

— Ты что делаешь? — спросил он у Павла, видя, как тот что-то выискивает на стене.

— Я знаю один секрет, — проговорил он, встав на ящик, что валялся поодаль. — Двери этого бомбоубежища должны открываться изнутри. Даже если их заперли снаружи. Такой вот хитрый замок. Чтоб люди, находящиеся здесь, могли выйти в любом случае...

Тут Егор увидел щитки на стене, коих раньше не заметил. Паша открывал один за другим, пока не нашел нужный.

— Ага, вот он! — И повернул тумблер слева направо.

Раздался щелчок.

Рыжая тут же подбежала к двери и толкнула створки...

Они поддались!

К девушке подскочил Кен и помог открыть их. В помещение хлынул солнечный свет. Все зажмурились. А Егор закрыл глаза ладонью. Пока блуждали по темным коридорам, глаза отвыкли от дневного света.

— Даже не верится, что существует другой мир, — прошептала Дина, разлепив воспаленные веки.

— Как говорилось в одной хорошей книге и не менее замечательном фильме: «Всем выйти из сумрака!» — воскликнул Паша и первым перешагнул через порог. Остальные следом за ним.

— Как же хорошо-то, а? — всхлипнула Дина. А потом вдруг опустилась на колени и уткнулась носом в пожухлую траву. — Здесь тепло, свет, запахи... Как мир прекрасен, боже! Почему мы этого не замечали раньше?

— Мать, давай мелодраму не ломай, — с укором протянула рыжая. Она нравилась Егору все больше и больше. Наверное, потому, что была чем-то похожа на него: язвительная, агрессивная, напористая, но в то же время не злобная. Злющих баб Егор терпел с трудом. Считал, что это все от неудовлетворенности, эти бабешки либо невостребованны, либо фригидны.

— Куда направляемся? — обратился Егор к проводнику Паше.

— В десятке метров отсюда замаскированная дыра в заборе. За забором дорога. Но по ней редко ездят машины. Я бы лучше двинул к проходной. Пусть придется протопать километра полтора, зато на КПП есть охранник. У него связь.

— Хочу поскорее отсюда убраться! — с нервом в голосе прокричала спящая некрасавица. Егору стало интересно, как ее зовут.

— У тебя есть имя, психованная?

— Наташа, — машинально ответила она. И тут же взвилась: — Я психованная не больше, чем ты, понял? — И уже Паше: — Я на дорогу, а вы как хотите. Покажешь, где дыра?

— Нам лучше держаться вместе, — ответил тот.

— Тогда давайте все туда... К забору.

— Это неверное решение, — возразил Павел. — Мы можем простоять на дороге час, пока появится машина. И не факт, что она остановится. До КПП же мы дойдем за десять-двенадцать минут.

— Ну и катитесь! — сорвалась она на визг.

— Наташа, возьми себя в руки! Все уже позади. Теперь мы точно выберемся.

— Я хочу к своей дочери, понимаешь? Она не знает, где я, что со мной! Мне каждая минута дорога.

— Поэтому послушай меня... — Он протянул руку и положил ее на худенькое Наташино плечо. — Мы идем к проходной, вызываем полицию, она приезжает...

— И мы застрянем тут еще на дикое количество времени! — заорала она, отшвыривая его руку. — А я хочу к дочери! Покажи мне дыру. Или иди к черту!

Паша молча указал направление.

— Как я найду лаз?

— Возле него растет рябина, — сухо ответил он. — Она там одна. Отодвинешь листы шифера и увидишь.

— Мы не остановим ее? — спросил Кен.

— Я с ней драться не буду. Как хочет. — Паша махнул рукой. — Пойдемте, я покажу дорогу...

И они двинули за своим проводником. Егор шел позади всех, смотрел вперед. Паша шагал энергично, будто провел последнее время не в плену, а за игрой в бадминтон, которая его взбодрила, но ни капли не утомила. Кен шел тяжело. Наверняка он вообще не привык передвигаться пешком. Егор знал таких пижонов, они даже до мусорного бака, что на углу дома, на машине ездят. Причем при параде. Ни треников на них не увидишь, ни растянутого свитера. Сейчас же Кен был похож на бомжа, забравшегося в дом богатого человека и стянувшего у него дорогие шмотки: мятый, грязный, да еще и воняющий мочой. А вот рыжеволосая красотка выглядела практически безупречно (что неудивительно — она провела в плену мало времени) и шагала энергично. В отличие от блондинки Дины. Та еле переставляла ноги. Спотыкалась постоянно, и то Кену, то рыжей приходилось ее поддерживать.

— Почти пришли, — сказал Паша. — Вон КПП!

Егор уже и сам видел торчащую из-за деревьев крышу, покрытую старым шифером.

— Стойте! — закричала вдруг Дина.

Все недоуменно на нее воззрились.

— А что, если охранник и есть маньяк?

Паша нахмурился. Затем задумчиво кивнул:

— Да, вполне возможно...

— Да стопроцентно! — воскликнул Егор. Он досадовал на себя. Как же он сам не додумался до такого! Именно охранник — их похититель. А кто ж еще? Он и на территорию заброшенной площадки попасть может с легкостью, и шастать по ней, когда ему вздумается, никого не боясь. Опять же пленников не каждый день похититель и тюремщик навещал. А охранники сутки через трое или двое работают. Все сходится!

И додумалась до этого глупая блондинка!

— Я вот что предлагаю, — опять включил вожака стаи Паша. — Я вбегаю в домик первым, мужчины меня подстраховывают, девушки стоят в сторонке...

— Почему это мы в сторонке? — изогнула красивую бровь рыжая. — Я кикбоксингом занимаюсь. И если надо, наваляю так, что мало не покажется. Предлагаю свою кандидатуру взамен его! — И указала на красавца Кена. Тот и на Егора впечатления бойца не произвел. Пожалуй, в схватке между ним и рыжей он поставил бы на девушку.

— Как вас зовут?

— Лида.

— Лида, давайте не спорить?

— Да с какого?.. — И она припечатала его матом. — Я пойду с тобой, и точка.

Поняв, что с Лидой спорить бесполезно, Паша пожал плечами. Затем забрал у Кена нож. Уверенно обхватив рукоятку сильными пальцами, он двинулся к КПП. Остальные следом за ним.

Глава 5

Она сидела на холодной земле, поджав под себя ноги. Ее трясло, но больше от страха.

Дина наблюдала за тем, как Паша врывается в помещение КПП, и с ужасом ждала выстрелов. У охранника наверняка есть оружие. Если он вовремя среагирует и успеет его выхватить, то все... Паше конец!

Представив, как он падает, окровавленный, на пол, Дина зажмурилась.

Посидев некоторое время с закрытыми глазами, она поняла, что так еще страшнее, и открыла их. Оказалось, что в здании КПП скрылся не только Паша, но и остальные. Это обнадеживало.

— Дина! — послышался женский крик. Это ее звала Лида. — Иди сюда!

Она тяжело поднялась с земли и поковыляла к КПП. Ноги едва слушались. Да еще сцепленные за спиной руки мешали нормальному передвижению. Дина всегда ходила размашисто. В детстве мама ругала ее за то, что у нее руки, как маятники. Девочка, шагая, махала ими так, что задевала прохожих. Но Дина ничего не могла с собой поделать. Без «маятника» она не набирала нужной скорости и еле-еле двигалась, загребая ногами. Она долго училась ходить как «все нормальные люди» (слова мамы), но все равно ее руки всегда были (опять же по словам родительницы) в свободном полете.

Дина опасливо заглянула в домик. Охранник лежал на полу лицом вниз. Его закинутые за спину руки Кен заматывал скотчем. Где он его взял, можно только гадать. Паша разговаривал с кем-то по телефону. Наверняка звонил в полицию.

— Пить хочешь? — обратилась к Дине Лида. Она обнимала двухлитровую бутылку воды, из которой до этого отхлебывала.

Конечно, Дина хотела пить! И еще как. Пленники страдали от жажды все то время, что находились в заключении. А она особенно. Потому что любая болезнь воды требует, в том числе аллергия.

Дина кивнула и дала Лиде себя напоить — сама-то бутылку держать не могла...

— Вы кто такие? — взревел охранник, начав дергаться. — И почему вы так воняете?

— Молчи! — рыкнул на него Кен.

Дина тем временем попила. И опустилась на стул, но тут же вскочила с него. Хватит с нее... стульев! Уж лучше на полу посидеть. И она села, скрестив ноги по-турецки. Охранник больше не предпринимал попыток освободиться, лежал смирно. Дина рассматривала его. Полный, рыхлый, с волнистыми темными волосами и глазами навыкате, он выглядел безобидно. Но Дина почему-то все равно была уверена, что именно он их похититель.

— Полиция скоро будет, — сообщил Павел, положив телефон. — Наряд уже выслан.

— Пить хочешь? — спросила у него Лида.

— Все хочу: и пить, и есть, и по нужде... — Он взял у девушки бутылку и сделал из нее огромный глоток. Утерев рот рукавом, поставил воду на стол и направился к двери.

— Ты куда? — испуганно спросила Дина. Ей было спокойнее, когда Паша находился поблизости.

— Пойду в туалет. Он тут неподалеку.

— Я за тобой, — бросил ему противный тип с залысинами — единственный, имени кого Дина не знала. — А пока пожру! — И стал уплетать печенье, лежащее в вазочке возле электрического чайника.

Он не ел, а именно жрал, жадно, неаккуратно. Засовывал в рот целое печенье и, чавкая, грыз его. А крошки валились ему на грудь. Зрелище было малоприятное. Понятно, что человек очень голоден, но можно же как-то поприличнее себя вести. Или он всегда так пищу поглощает?

Вернулся Паша. Лицо и волосы влажные — судя по всему, умылся в туалете. Дине тоже очень хотелось облегчиться и умыться, но как сделать это со скованными за спиной руками?

— Кажется, едут! — подняв палец, воскликнул Кен. — Слышите?

— Сирена, — кивнула Лида.

— Надо ворота открыть, — бросил Паша, подойдя к пульту. Пробежав глазами по кнопкам, нажал самую большую. Послышался скрежет, это начали отъезжать в сторону проржавевшие ворота.

Дина поднялась на ноги и прошла к окну, чтобы видеть, как к воротам подъезжает карета «Скорой помощи». Она прибыла на место первой. Следом по дороге несся микроавтобус полиции. При виде его Дина разрыдалась ...

Неужели все позади?

Через минуту здание КПП заполнилось людьми. Полицейские в штатском, омоновцы в камуфляже и бронежилетах, врачи в белых халатах. Последние сразу бросились к Дине. После того как один из бойцов освободил ее от наручников, девушку уложили на носилки и отнесли в автомобиль, где ей тут же поставили капельницу. Не прошло и минуты, как Дина погрузилась в сон...

* * *

Ей снилась комната с черным потолком! Но в ней она находилась одна. Сидела, привязанная к стулу, и не могла двинуть не только руками и ногами, но и головой. Она слышала шумное дыхание за спиной. Хотелось обернуться, но не получалось...

Ужас был в том, что Дине казалось, будто она до сих пор находится в плену, а спасение ей приснилось!

— Дина, Дина, очнись, — услышала она далекий голос. Он был настойчив, тверд, требователен, и Дина уцепилась за него, как за веревку, чтобы выбраться из вязкого болота своего кошмара — теперь она понимала, что спит.

С трудом разлепив веки, она увидела белый потолок больничной палаты.

— Слава тебе, господи! — прошептала она.

— С добрым утром, — услышала Дина тот же голос, но звучал он иначе — мягче.

— С добрым, — откликнулась она, повернув голову, и увидела сидящего у кровати Пашу. — Спасибо, что разбудил. Ты давно тут?

— Только что пришел...

Он был чист, выбрит и хорошо одет. Тертые джинсы, свитер грубой вязки с высоким воротом и кожаная косуха очень ему шли. Пожалуй, можно сказать, что в этих вещах он смотрится лихо. Как какой-нибудь киношный искатель приключений.

— Ты выглядишь значительно лучше, — сообщил он Дине. — Краснота прошла, глаза открылись.

— Я и чувствую себя хорошо. Буду просить, чтоб выписали.

— Да, забыл. Это тебе! — Он наклонился и поднял с пола прозрачный пакет, в который был помещен маленький кактус с голубыми колючками. — Хотел обычные цветы купить, да побоялся, что у тебя и на них аллергия.

— Чудесный кактус, спасибо, — улыбнулась Дина.

— К тебе еще не приходили из полиции?

— Приходили, но я спала, и врач их не пустил. — Она сняла пакет с кактуса и провела пальцами по его колючкам. Они оказались острыми, хотя на вид были пушистыми, как шерстка ее хомячка Пепе. — Я, как медведь, в спячку впала. Только глаза открою, они тут же закрываются.

— Это из-за лекарств.

Дина поставила кактус на тумбочку, водрузив его между бутылочкой с водой и вазой с фруктами, принесенными родителями. И, не глядя на Пашу, спросила:

— Его заключили под стражу?

Конечно, Паша сразу понял, о ком она, и ответил без промедления:

— Нет.

— Почему? — резко обернувшись, спросила Дина.

— Это не он.

— Не охранник?

— Нет. У него железное алиби на момент убийства. Он был на свадьбе сестры. С утра и до вечера находился на глазах у нескольких десятков людей. А ночь провел у соседей. Спал пьяным на полу — свою кровать уступил приезжим гостям.

— А его сменщик?

— Сменщица, — поправил Паша. — Это женщина. Ее проверяют. Но вряд ли это она. Примерная мать семейства. Исключительно положительные характеристики.

— Все ерунда. Многие маньяки имели семьи и исключительно положительные характеристики.

— Согласен. Но эта женщина, во-первых, не располагает достаточным временем, чтобы провернуть сложнейшую операцию с похищением нескольких человек. Во-вторых, не водит машину, а как бы она смогла транспортировать нас, бесчувственных, в бомбоубежище? В-третьих, у нее хрупкое телосложение...

— Ясно, ясно, — прервала его Дина. — А какие-то другие зацепки у полиции есть?

— Не могу сказать точно. Но обыск в бомбоубежище ничего не дал. Я вместе с полицией прочесывал его. Не найдены ни костюм химзащиты, ни вода со снотворным, которой вас поили, ни магнитофон, воспроизводящий музыку. Ничего!

— Камеры слежения в помещении были?

— Нет. Только микрофон. Он был установлен еще при строительстве бомбоубежища. И отлично работал.

— А наши вещи?

— Тоже нет.

— Странно, правда?

— Да я бы не сказал, что очень странно. У похитителя наверняка есть машина. Да не обычная легковая, а, скорее всего, минивэн. Он все держал в ней.

Тут в палату заглянула медсестра. Белоснежный халат, курносое лицо с ярким румянцем, рыжая челка из-под шапочки — совсем девочка, наверняка только училище закончила.

— Больной укол пора ставить, — прочирикала она, игриво посмотрев на Пашу.

— Да, да, ухожу. — Он окинул взглядом тумбочку. — Ручки нет?

— А зачем?

— Телефон тебе свой запишу.

Дина выдвинула ящик, достала из него карандаш. Отец с матерью принесли ей, кроме всего прочего, книги, прессу, сборник кроссвордов и ручку с карандашом. Паша черкнул номер на лежащей на тумбочке газете.

— Звони в любое время.

— Да у меня и телефона пока нет... Как выпишусь, обязательно позвоню. Спасибо, что навестил. И за кактус.

Он помахал ей рукой и вышел. В палату тут же просочилась медсестра.

— Симпатичный какой мужчина, — прочирикала она. — Ваш муж?

— Нет, я не замужем.

— Бойфренд?

— Нет, просто товарищ... — А про себя добавила: «По несчастью».

О том, из какой передряги она выбралась, знал только ее лечащий врач и больше никто из персонала. Полиция запретила разглашать информацию. О том, что несколько человек стали жертвами маньяка и провели в плену от двух недель до трех дней, не прознали даже журналисты. Сведения держались в строжайшей тайне по причине того, что полицейские имели надежду (пусть и крохотную) на то, что преступник объявится. «Приползет паук к своей паутине, думая, что плененные мухи еще в ней!» — так выразился доктор Антон Петрович, беседовавший с Диной от лица следователя, которого к ней не пустили.

— Поворачивайтесь попой, укол будем делать, — скомандовала медсестра.

Дина послушно перевернулась на живот. Она лежала в отдельной палате. Очень симпатичной, с хорошим ремонтом. Мебель новая, на полу ламинат, на стенах, выкрашенных персиковой краской, картины. Одна — над кроватью. Нераздражающая абстракция в металлической раме под стеклом. Дина мельком глянула на свое отражение в нем и ужаснулась. Как же она подурнела! Лицо высохло, глаза ввалились. И в таком виде она предстала перед мужчиной, который...

Медсестра всадила ей в ягодицу иглу, и Дина ойкнула.

— Больно сделала? — всполошилась девушка. — Простите, пожалуйста...

— Ничего страшного, но вы поаккуратнее в следующий раз.

— Да, конечно.

— А можно мне с доктором поговорить?

— Я передам Антону Петровичу, что вы хотели его видеть.

Девушка убежала, а Дина перевернулась на спину и закрыла глаза. Ей снова хотелось спать. Что, если ее опять затянет в тот кошмар?

Глаза сами по себе открылись. Надо чем-то себя занять. Почитать, разгадать кроссворд? Нет, не хочется. Телевизор? В ее палате имелся и он. Тоже нет. Там одно насилие. Время новостей, но если и покажут что-нибудь позитивное, то только в конце, в коротком сюжете.

Дина взяла с тарелки яблоко и вгрызлась в него зубами. Надо подумать о чем-то хорошем. Воскресить в памяти приятные воспоминания, например. Или помечтать. Тут взгляд упал на кактус. И сразу подумалось о Паше. Дина улыбнулась. Давненько на нее никто из мужчин не производил такого приятного впечатления. После сильного любовного разочарования она вообще на них смотреть не могла.

Они познакомились на курорте.

Дина впервые отправилась на отдых одна. До этого всегда с кем-нибудь ездила. Сначала с родителями, затем с подругами, последний раз со своим парнем. С ним она рассталась в марте, а в июле ей дали отпуск. Неожиданно. По графику должна была идти в сентябре и договорилась с подругами лететь на Крит, но в фирме, где она работала, начались какие-то сложные пертурбации, и Дину буквально выгнали на отдых. Начальница, очень хорошая женщина и крайне к ней расположенная, сказала, чтоб она «валила», потому что неизвестно, что будет в сентябре, вполне возможно, и ничего (их фирмы то есть).

И Дина свалила в отпуск. Шенгенскую визу оформлять было некогда, ей дали только две недели, так что о Крите нечего и мечтать, и она полетела в Турцию. Выбрала Мармарис, вычитав в Интернете информацию о том, что это самый европейский курорт. Купила недорогую путевку в трехзвездочный отель. Планировала много плавать и загорать, кататься на яхте и велосипеде, взятом в аренду, и спать, спать...

Отдых не заладился с самого начала. Самолет задержали на три часа. Во время полета ее пьяный сосед то лез с разговорами, то спал, роняя голову ей на плечо. По прилете долго не могли найти багаж одной из пассажирок, и остальных туристов продержали в автобусе час, пока его обнаружили. В итоге Дина приехала в отель поздним вечером, усталая и злая как черт. Но на этом ее мытарства не закончились. Отель оказался перегруженным, и ее заселили не в сингл, а в сьют вместе с двумя незнакомыми женщинами (обещали расселить в десять утра и вручить каждой по презенту в виде похода в хамам). Соседкам было под шестьдесят, они впервые приехали за границу и вцепились в Дину мертвой хваткой. Им требовалась не только информация, но и опека. Когда Дина отправилась на море, чтобы искупаться, они увязались за ней. И все спрашивали, спрашивали, как, что, куда, и просили их не бросать...

Ночью одна из них храпела так громко и раскатисто, что Дина спросонья принимала ее храп то за работу бульдозера, то за рокот самолетного двигателя, а вторая через каждый час вставала в туалет. Это была самая ужасная ночь в ее жизни! Так Дине казалось в тот момент...

Утром, сразу после завтрака, вместо того чтобы идти на море, она засела в фойе. Хотелось заселиться в свою, отдельную, комнату, а уж потом...

В номер она попала только в двенадцать. Пока разобрала вещи, пришло время обеда. Спустилась в ресторан, поела овощей — ничего другого просто не было. Вернулась, переоделась, прилегла, да уснула. Пробудилась в пять часов вечера. Злясь на себя, побежала на море. Нужно было хоть разок окунуться!

Она долго плавала. До тех пор, пока спина не стала ныть от усталости. Потом сидела на берегу, обхватив согнутые колени руками, и смотрела на море. По его спокойным водам плыли прогулочные яхты. Дине хотелось покататься на одной из них. Пожалуй, вот на той, с пиратским флагом! Наверняка капитан ее будет в костюме Джека Воробья, которого Дина обожала. К Джонни Деппу относилась спокойно, а вот этот его персонаж ей очень нравился.

Дина изменила позу. Распрямилась, вытянула ноги, откинулась на руки — подставила тело заходящему солнцу. Загореть вряд ли удастся, хотя бы просохнуть.

Людей на пляже было немного. Все пошли на ужин. А ей не хотелось. Да и что там есть, в ее отеле? Лучше потом зайти в ресторанчик и поесть рыбки, приготовленной на гриле, под фужер холодного белого винца...

Взгляд Дины блуждал, когда она думала об ужине. Она скользила им то по небу, то по морю, то по песку, в котором, несмотря на каждодневную уборку пляжа, было много мусора, то по лицам или фигурам тех, кто находился поодаль. Подолгу взгляд ни на ком не останавливался, пока не наткнулся на мужчину, выходящего из моря.

Высокий, очень хорошо сложенный смуглый брюнет стряхивал с волос воду, шагая к шезлонгу. Но он не стал ни вытираться, ни одеваться, ни даже садиться. Встал возле шезлонга и стал обсыхать...

Красивый, подумала Дина. Наверняка жиголо. Оно уже посещала Турцию, была с подругами в Кемере и видела в клубах (сама она не любила ночные тусовки, но ходила за компанию) много красавчиков. Они искали себе женщин с деньгами. Программа-минимум — развести их на подарки, максимум — затащить в загс.

Дина стала потихоньку собираться. Но нет-нет да поглядывала на эффектного турка. Зацепил он ее. И не столько красотой, сколько грацией. Он двигался, как леопард. А еще у него было очень умное лицо.

Одевшись, она направилась к душевой кабине, чтобы сполоснуть ноги. Объект ее внимания направлялся туда же.

— Девушка, не выключайте воду, пожалуйста, — услышала Дина, закончив смывать песок со ступней. К ней обращался красивый «турок» на чистейшем русском.

— Хорошо, — растерянно проговорила она.

— Как вам отдых?

— Пока не очень.

— Что так?

— Да никак не вольюсь...

Красавец подставил под струю лишь голову и через несколько секунд завернул кран.

— Только приехали? — спросил он, тряхнув густыми черными волосами.

— Вчера. — И не смогла удержаться от вопроса: — А вы русский? Или просто язык хорошо знаете?

— Я русский, — хмыкнул красавец. — Из Москвы. А вы меня за турка приняли?

— Честно говоря, да.

— Как многие. — Он протянул руку. — Меня Женя зовут. А вас?

— Дина.

— Очень приятно. Вы в отель?

— Да.

— В каком остановились? — Она сказала. — Не слышал... И как?

— Помойка.

— А у меня отель отличный, даже жаль уезжать.

— А когда вы?..

— Да уже завтра.

— Один приехали или?..

— Один. На четыре дня. Шенген закончился, вот я в Турцию и рванул. Впервые тут. А вы?

— Нет, я уже была.

— А давайте вместе поужинаем?

— С удовольствием.

— Недалеко от этого пляжа, буквально в двухстах метрах, армянский ресторан. Там такие баклажаны подают — ум отъешь. И настоящий «Арарат» можно заказать. Любите коньяк?

— Да! — На самом деле Дина его пила редко. Как и другие крепкие напитки. Предпочитала вино и шампанское.

— Отлично. Встретимся в девять у входа?

Она кивнула.

С пляжа она не шла — летела. Хотелось поскорее попасть в номер, чтобы привести себя в порядок. Помывшись, Дина накрасилась, хотя не собиралась этого делать все дни отпуска, и стала перебирать гардероб. Поскольку она не планировала вечерами ходить по клубам и ресторанам, а только отсыпаться, ничего приличного с собой не захватила. В шортах или юбке идти на свидание не хотелось. Дина с удовольствием надела бы платье, да не было с собой такового. Только сарафан имелся, но нарядный: ярко-красный с пышной юбкой и обтягивающим лифом. Дина дополнила его широким белым поясом, шею украсила крупными белыми бусами и осталась довольна своим видом. Жаль только, босоножек на каблуках не взяла, но сарафан и с балетками неплохо смотрелся.

Она подошла к ресторану ровно в девять. Женя ждал ее у входа. В белых брюках и небесно-голубой рубашке без рукавов он выглядел потрясающе. Высокий, статный, одежда сидела на нем безупречно. Лицо, гладко выбритое, с яркими карими глазами, было эталоном красоты. Дина не нашла в нем ни единого изъяна. Такое — хоть на обложку.

— Прекрасно выглядишь! — сделал ей комплимент Женя. — Ничего, что я на «ты»? — Дина улыбнулась ему. — Я столик заказал, когда с пляжа шел. А то место популярное, народа много... — Он взял ее под руку. — Пойдем.

К столику их провел улыбчивый официант, усадил, дал меню. Дина хотела заказать шашлык, но, увидев цену (в Турции очень дорогое мясо), решила взять расхваленные Женей баклажаны и куриные медальоны. Сам он попросил принести ему жареных кальмаров и овощной салат.

— Пить что будем? — спросил он у Дины.

— Коньяк «Арарат».

— Отлично, — широко улыбнулся Женя, сверкнув великолепными зубами.

Пока повар готовил блюда, они пили коньяк и болтали. Женя — легко и непринужденно, Дина — чувствуя внутреннее напряжение, которое, как ей думалось, заметно. Она боялась ляпнуть что-то не то и разонравиться спутнику.

— Ты тоже из Москвы? — спросил он.

— Да. Но живу в столице не так давно. Родом я из маленького городка в центральной России.

— Одна приехала в Москву?

— Да.

— А на отдых?

— Тоже. Отпуск получился нежданным.

— И у меня. Вернее, не так. Я уволился с одной работы, а на другую выходить нужно через неделю. Вот и рванул к морю. Сто лет не отдыхал. Я, Дина, трудоголик.

— А чем занимаешься?

— Я финансист. А ты?

— Почти коллеги. Я экономист.

— Надо же! Я думал, ты человек творческой профессии.

— Почему?

— У тебя такой романтичный вид. Я почему-то решил, что ты... — Женя прищурился. — Пишешь любовные романы.

Дина засмеялась. Она даже обычные школьные сочинения умудрялась написать так отвратительно, что учителям приходилось завышать ей оценки, чтобы не портить аттестат. По остальным предметам она успевала отлично. Особенно по математике. Даже на районных олимпиадах занимала призовые места.

— Я на тебя сразу обратил внимание, — продолжил он. — Ты сидела на берегу и смотрела на море. Вид у тебя при этом был такой... Мечтательный и... одухотворенный, что ли? Я решил, что ты придумываешь сюжет какой-нибудь любовной истории. — Женя плеснул ей и себе коньяку. — А еще ты очень красивая. Но ты наверняка сама об этом знаешь.

Нет, она не знала...

Дине мужчины часто говорили комплименты, но она все их воспринимала как дежурные. Самой себе она не нравилась. Это шло из детства. Ребенком она была непривлекательным, белобрысым, долговязым, носатым. Ее дразнили цаплей. В подростковом возрасте Дина изменилась в лучшую сторону. Ее рост и белокурые волосы стали достоинством, а не недостатком, а нос на округлившемся лице уже не казался большим. В институте Дина уже считалась чуть ли не самой красивой девушкой в группе, но она продолжала чувствовать себя дурнушкой.

— Хочу выпить за тебя! — сказал Женя, подняв пузатый бокал. — За твою красоту, нежность, женственность, одухотворенность... И прочие достоинства, из которых ты вся соткана!

— У меня и недостатки есть, — смущенно пробормотала Дина.

— Быть такого не может. Ты идеальна!

— Ты же меня не знаешь.

— Готов узнать лучше, чтобы убедиться в правильности своего предположения. Позволишь?.. Узнать? — И так на Дину посмотрел, что у нее мурашки по спине побежали.

Им принесли ужин. Дина хоть и была голодна, но ела плохо. От волнения кусок в горло не лез...

А вот коньяк плавно в него перетекал, и она чувствовала опьянение. Но оно было приятным, а не тяжелым, как бывало в студенческие годы после крепких напитков.

— Ты такая очаровательная под хмельком, — шепнул ей на ухо Женя. — Щечки румяные, глаза горят...

Ей хотелось сказать, что это не от коньяка, а от его близости, но она, конечно же, промолчала, только улыбнулась застенчиво.

Поужинав, они отправились на прогулку по набережной. Дошли до поселка Ичмелер, где на пляже проводилась пенная вечеринка.

— Пойдем? — предложил Женя.

— Пойдем! — хихикнула пьяненькая и счастливая Дина.

Она думала, они просто посидят за столиком, посмотрят на людей. Но Женя потащил ее на танцпол, в самую гущу танцующих... Под низвергающуюся с потолка пену! Дина визжала и вырывалась. Ей не хотелось портить прическу, макияж. Но Женя схватил ее на руки и стал кружить. Пена лилась на голову, попадала в глаза. Дина зажмурилась. Поэтому она не увидела, как Женя приблизил свое лицо к ее, она лишь почувствовала на своих губах его губы. Поцелуй был с привкусом шампуня, но от этого он не стал менее приятным.

Боже, боже, боже... Какие у Жени губы! Нежные, умелые. И в меру пухлые. Дине не нравились рты а-ля Брэд Питт. Казались женственными. У Жени был стопроцентно мужской рот!

— Ты фантастически целуешься, — пробормотал он, оторвавшись от ее губ.

— Это ты фантастически целуешься...

Одежда на них промокла. Голубая рубашка Жени прилипла к его телу. Дина видела, как проступают через материал волосы на его груди. Это было очень эротично. Она не смогла отказать себе в удовольствии провести по его облепленному мокрым хлопком торсу руками. Жене понравились ее прикосновения. Он теснее прижался к Дине. Она почувствовала его эрекцию и смущенно отстранилась. Но Женя, взяв ее под ягодицы, поднял и усадил на себя, заставив обвить его тело ногами. Столь бесстыдно Дина еще себя в жизни не вела. Чтоб вот так на людях целоваться, обниматься, виснуть на мужчине, принимать совершенно непристойные позы...

— Отпусти меня, пожалуйста, — попросила она.

Он поставил ее на ноги, но объятий не разомкнул.

— Хочу поплавать с тобой в море, — прошептал он. — Пойдем, смоем с себя пену, а потом искупаемся...

Они приняли душ прямо в одежде. Отойдя на приличное расстояние, бросились в море. Женя — раздевшись догола. Дина в трусиках и лифчике. Однако недолго она пробыла относительно одетой. Женя, подплыв к ней, стянул с нее сначала верх, затем низ. Да так проворно, что она и глазом моргнуть не успела. Раздев ее, он швырнул мокрые вещи на берег.

— Ты фантастически красива, — восхищенно протянул Женя. — Такая беленькая, нежная... А какая гладкая у тебя кожа...

Его руки скользили по ее шее, плечам... Затем опустились на грудь. Дина шумно втянула носом воздух. У нее не было мужчины около двух месяцев. Когда рассталась со своим парнем, так и, как говорила ее деревенская бабушка, запечатала коробочку.

— Я так хочу тебя... — услышала она страстный шепот Жени

И тут же почувствовала его руку у себя на животе...

— Женя, не надо... — слабо запротестовала Дина.

Но ее никто не послушал. И уже через пару секунд нежные, но требовательные пальцы коснулись ее интимного места.

— Ты тоже меня хочешь, — констатировал он.

— Не здесь...

— Здесь. И не здесь. Я намерен заниматься с тобой любовью до тех пор, пока хватит сил...

Говоря это, он ласкал ее, очень умело. А потом вошел к нее.

— Я не предохраняюсь, — предупредила Дина.

— Ничего не бойся, детка...

Это было какое-то помешательство! Секс с мужчиной в первый день знакомства — ладно. В море — ладно. Но — без презерватива... На одном доверии...

И все же это было прекрасно!

Когда они выбрались на берег и упали на песок, Женя обнял Дину и выдохнул:

— Со мной такого еще не было.

— И со мной... — Она зарылась носом в его влажные волосы. — Как мы пойдем... Грязные и мокрые?

— Помоемся и обсохнем. А потом поймаем такси.

— Не хочется отсюда уходить.

— А надо. Скоро кончится дискотека, и народ повалит. — Он поднялся и помог встать Дине. — Давай смоем с себя песок, оденемся и выйдем на шоссе.

— А потом?

— Потом пойдем ко мне в номер и займемся любовью по-настоящему.

Окунувшись еще раз, Дина натянула на себя влажное платье. Белье не стала — сунула в сумочку. Благо было очень тепло. И можно не бояться замерзнуть. Хотя приятного мало — ходить в сырой одежде.

Машину они поймали сразу. Таксисты знали, что скоро окончится большая пенная вечеринка и народ повалит. Доехали. Вышли у отеля с пятью звездами на фасаде.

— А меня пропустят? — робко спросила Дина. — Я же без браслета.

— Главное, иди уверенно.

Дина очень постаралась придать своему лицу невозмутимое выражение, когда проходила мимо стойки ресепшена. И о чудо, у нее получилось! Портье их не остановил.

Они вошли в номер Жени. Он был просторен, шикарно обставлен. Посредине огромная кровать, при виде которой Дина вспыхнула (она, как многие натуральные блондинки, быстро краснела). Она представила, что они будут вытворять на ней после того, как примут душ...

Но все началось гораздо раньше! В душе. Потом продолжилось на кровати королевских размеров, а закончилось на балконе, куда они вышли полюбоваться панорамой ночного Мармариса.

Уснули они под утро, сплетясь ногами и руками. Во сне Женя целовал Дину, и она просыпалась, счастливо жмурясь. Встали в десять. Занялись любовью. Потом вместе приняли душ и отправились завтракать в ближайшее кафе.

— Так не хочется уезжать, — вздохнул Женя.

— Всегда грустно, когда отдых заканчивается...

— Дело не в этом. Не хочу уезжать от тебя.

Диана потупилась. Вообще-то она была не особо робкой. Но рядом с Женей терялась. Он был так фантастически красив, умен, сексуален... Мужчина на миллион! А она? Самая что ни на есть обычная. Даже не верилось, что на нее может обратить внимание *такой* мужчина...

А он обратил! И провел с ней незабываемые вечер, ночь, утро... И не хочет с нею расставаться!

И он...

Возможно... Захочет продолжить их знакомство в Москве!

— Мы можем встретиться, когда я вернусь, — робко предложила Дина.

— Обязательно встретимся!

Дина просияла.

— Во сколько у тебя самолет? — спросила она, отправив в рот кусок омлета.

— В семь. Так что у нас осталось немного времени — в три за мной приедет такси.

Улыбка сползла с лица Дины. Ей так не хотелось расставаться!

— Продиктуй свой телефон, — попросил Женя, — я, как прилечу, позвоню.

Дина продиктовала. Он занес его в справочник.

Через пару мгновений ей пришло сообщение. Она открыла его: «Ты просто супер, детка!» Номер был незнакомый. Дина в замешательстве смотрела на экран, пока не услышала смех Жени. Это он прислал ей смс!

После завтрака они направились на море, решили немного пройтись, подышать соленым воздухом. Женя обнимал Дину за плечи, она его за талию, и со стороны они выглядели как парочка молодоженов. Дина слышала, как за спиной какая-то женщина сказала своей спутнице: «Сразу видно, только поженились, так и светятся...»

Они вернулись в отель. Женя быстро собрал вещи.

— Давай прощаться, — сказал он, заключив Дину в объятия.

Она припала щекой к его груди, зарылась носом в курчавые волосы. К глазам подступили слезы, но Дина сдержала их. Они провели вместе меньше суток, а ей так больно расставаться.

Что это? Любовь?..

— Все, надо идти, — сказал Женя. Но сам продолжал прижимать ее к себе.

— Да, — сдавленно прошептала Дина. И первой оторвалась от него.

Они покинули отель. Такси ждало у входа. Женя забрался в него, чмокнув Дину на прощание.

Машина умчалась. Дина села на ступеньку крыльца, чтобы немного успокоиться. Телефон издал двойной писк. Пришло сообщение.

«Не грусти, детка, скоро увидимся!»

Вдогонку другое — «Целую!»

И третье — «Уже скучаю!»

Дина не сдержала радостного смеха. Люди, выходящие из отеля, посмотрели на нее с удивлением.

Он ее целует! И скучает! И обещает ей скорую встречу!

Она вернулась в отель, поспала. На ужин явилась с такой физиономией, что ее знакомые, те самые женщины, с которыми пришлось коротать первую ночь, с восторгом спросили, не влюбилась ли она? Дина ничего не ответила, но внутренне похихикала. И с огромным аппетитом съела овощи с хлебом.

Весь вечер Дина пребывала в приподнятом настроении. Даже поехала в клуб — от отеля туда ходил бесплатный автобус. И танцевала так, что мужчины восхищенно цокали языками. Многие приставали. Но зачем они ей, если у нее есть самый лучший на свете... Ее Женя!

Спать Дина легла под утро. Пока приехала, помылась... Уже полпятого. Женя не позвонил.

Не позвонил он и утром. Хотя Дина ждала весточки от него именно с утра. Думала, что он ночью беспокоить ее не хочет.

Днем и вечером ее телефон тоже молчал. Дина вся издергалась — чего только не передумала. В итоге не выдержала, сама набрала. И услышала механический голос, говорящий что-то по-английски. Языка Дина не знала. Поэтому подошла к бармену, который отлично им владел, и попросила перевести.

— Отключен номер, — сказал он.

— Как? — И в голове сразу зароились мысли... страшные...

— Номер турецкий. Человек уехал, сим-карту выбросил.

— Турецкий?

— Ну да...

Дина понуро ушла. Выходит, у нее нет настоящего телефона Жени, и сама она не может с ним связаться.

Грустно...

И нечестно. Почему он оставил ей только тот телефон, которым пользовался на отдыхе?

Оставшиеся дни Дина не отдыхала — маялась. Женя так и не позвонил, и она изводила себя. То ей думалось, будто с ним что-то случилось, то ругала себя за то, что позволила заморочить себе голову. И все же ей не верилось, что Женя ей врал. Он был так искренен в своей симпатии к ней. И так убедительно говорил о встрече в Москве...

Потерял телефон? Нечаянно стер ее номер?

Но как тогда они найдут друг друга?

Она ведь ничего не знает о Жене. Как и он о ней. Они мало разговаривали, все больше занимались любовью или просто целовались...

Домой Дина летела кислая. Отпуск прошел, а удовольствия от него она не получила. Если не считать тех фантастических часов, что провела с Женей. Но стоили ли они последующих дней, проведенных в терзаниях? Ах, если бы она не влюбилась, а всего лишь увлеклась, все было бы по-другому. Но у Дины просто «сорвало башню», и она позволила себе зайти в мечтах так далеко, как никогда. Мысленно она рассказывала историю их знакомства своим внукам. Она так и видела их, двух мальчиков и девочку. И себя старенькую. Прожившую, естественно, всю жизнь с мужчиной своей мечты — Евгением.

На работу Дина вышла на следующий же день. Могла бы посидеть дома еще пару суток, но решила этого не делать. С ума же сойдет! Уж лучше впрячься в работу, чтобы отвлечься от мыслей о *нем*!

Коллеги встретили Дину радостно. Расспрашивали, как отдохнула, за чаем с восточными сладостями, привезенными ею из Турции. Она делилась с ними впечатлениями. Не всеми, только теми, что касались отеля, моря, перелета. В общем, говорила недолго. Зато от коллег услышала много интересного. Фирма их перешла к другому владельцу. Но штат решили сохранить. Только начальников поменяли. В их отделе, например, появился новый маленький босс. Женщины рассказывали о нем, закатив глаза от восторга.

— Такой красавчик, — ахали они. — Жаль, что женат.

— Покажите! — требовала Дина.

— Будет после обеда, сейчас он на выставке...

И вот настало время обеда. Сходив в недорогое кафе, Дина вернулась в офис и сразу услышала: «Приехал, приехал!»

Она увидела высокого мужчину в светло-сером костюме, идеально сидящем на его широкоплечей фигуре. Он стоял спиной к ней, и лица Дина не видела. Но уже верила, что он красавчик. Одна фигура чего стоит. А волосы! Темные, чуть волнистые...

Как у Жени!

И фигура.

И посадка головы...

И...

— Как зовут начальника? — сипло спросил Дина у коллеги.

— Евгений Алексеевич.

Евгений!

Неужели?

И тут он обернулся.

Он! Женя!

Дине захотелось убежать. Но коллега вцепилась в ее руку и зачирикала:

— Евгений Алексеевич, познакомьтесь, это Дина Семенова. Она главный наш экономист. Из отпуска вышла.

— Очень приятно, — выдавил из себя Женя. Он был смущен не меньше главного экономиста Семеновой. — Не зайдете ко мне в кабинет минут через пять?

Дина тупо кивнула. Когда Женя скрылся за дверью, она спросила у коллеги:

— Он женат, ты говорила?

— Да. Дочка есть. Что ты хочешь? Ему тридцать, и он фантастически хорош. Мало того что красавец, еще и умница. Жена ему под стать.

— Видела ее?

— На фото. Жгучая брюнетка с пышными формами. Софи Лорен — вылитая.

Дине стало понятно, почему его потянуло к ней. Худенькая, беленькая, она совсем не походила на Софи Лорен, а мужчинам так хочется разнообразия...

— Иди, он ждет тебя! — Коллега подтолкнула задумавшуюся Дину к дверям кабинета.

— Пять минут еще не прошло...

— Да чего тянуть? Иди! Потом расскажешь, зачем звал...

На трясущихся ногах Дина зашла в кабинет.

Женя стоял у окна и пил воду прямо из бутылки. Услышав шаги, он обернулся. Губы тронула легкая улыбка.

— Привет, — сказал он.

— Здоровались уже вроде. Что ты... что вы хотели?

— Поговорить... Объясниться.

— Да все понятно. Закрутили короткий курортный роман, о котором забыли сразу, как вернулись в Москву. — Дина говорила спокойно, но внутри у нее все клокотало. Ее переполняли злость, разочарование, возмущение и... Любовь, нежность, желание! Так хотелось влепить ему пощечину, а потом коснуться покрасневшей щеки губами.

— Ты все неправильно понимаешь, Дина. Все как раз иначе. Я слишком много думал о тебе и решил поставить жирную точку. Удалил твой номер и попытался забыть... Не очень получилось, но... Со временем это прошло бы.

— Бы?

— Бы. Но теперь мы вместе работаем, ты будешь каждый день попадаться мне на глаза, и я... Я не выдержу, Дина. Ты мне очень нравишься, но я женат.

— И что же делать?

— Я предлагаю тебе написать заявление об уходе.

— Что?

— Я помогу тебе найти новое место, не беспокойся.

Дина ушам своим не верила. Неужто он всерьез?..

— Что скажешь? — спросил Женя.

— Мне нравится моя работа, я не хочу ее менять.

— Но как ты не понимаешь? — Он в сердцах хлопнул себя ладонями по бедрам. Жест получился каким-то... бабьим, что ли? Дина поморщилась:

— Не волнуйся, я никому не расскажу о нашем приключении! — Она перешла-таки на «ты».

— Дело не только в этом, я же сказал...

— Боишься не устоять и залезть мне под юбку на каком-нибудь корпоративе? Что ж, это твои проблемы. Учись владеть собой. А теперь, если позволишь, я вернусь к работе.

И, развернувшись на каблуках, зашагала к двери.

Покинув кабинет, она направилась в туалет и долго там плакала. Знала, что нельзя. Не только глаза и нос — все лицо будет красным. Но Дина ничего не могла с собой поделать. Ревела и ревела. Успокоившись, позвонила коллеге (хорошо, что телефон был при себе), сказала, что плохо себя почувствовала, и попросила прикрыть ее. Приехав домой, выпила успокоительного и легла спать. Вечером встретилась с подругами, но ничего им не рассказала. Было стыдно... И больно. Напилась, как свинья. И опять плакала, вернувшись домой.

А утром на работу...

С Женей они столкнулись нос к носу у дверей офиса. Он выходил, забыв что-то в машине, она заходила. Евгений Алексеевич сухо поприветствовал Дину. Она лишь кивнула в ответ. Очень надеялась, что выглядит невозмутимой. А тут еще...

Она, жена! Оказалось, это она его привезла. Вышла из авто с папочкой. Высокая, грациозная, с большой грудью, рвущей шелковую рубаху, с копной смоляных волос, она действительно походила на Софи Лорен. Настоящая сексуальная красотка. Дина всегда думала, что таким женщинам не изменяют.

Оказывается, ошибалась...

Дина приостановилась, рассматривая супругу Евгения. И он это заметил. Заметил и испугался. Дина видела, как забегали его глаза. Да и движения стали суетливыми. Он едва не выронил папку, протянутую женой. Дина не стала мучить его и быстро скрылась за дверью.

Через десять минут ее вызвали в кабинет начальника.

— Ты подумала над моим предложением? — спросил Женя.

— Я не хочу увольняться.

— Это твое окончательное решение?

— Да.

Женя поджал губы.

— Я могу идти?

— Идите, работайте, — сухо ответил он. — К обеду жду отчета.

— К обеду? — переспросила Дина. — Но я его должна была сделать к завтрашнему дню.

— В час дня отчет должен лежать у меня на столе.

И уставился в компьютер, давая понять, что разговор окончен.

«Он будет меня выживать, — поняла Дина. — Создавать условия, при которых я не смогу работать! — И с горечью: — И этот человек еще вчера говорил мне о том, как сильно я ему нравлюсь...»

Тот отчет она умудрилась сделать к обеду. Но он начальнику не понравился. Как и все, что она делала после. Три недели Женя изводил Дину придирками. А она себя думами о том, что могла забеременеть, когда они занимались сексом в море. Но, к счастью, обошлось. Когда пришли месячные, Дина испытала такое облегчение, что не смогла сдержать слез радости. Только недолго она длилась. Уже на следующий день ее вызвали на ковер к самому генеральному. Тот с суровым лицом положил перед ней квартальный отчет и сказал, что таких чудовищных ошибок в нем не мог допустить даже первокурсник, не то что опытный экономист.

— По какому блату вас приняли на работу? — спросил он. — И почему держали на ней так долго? Вы профессионально непригодны. Если не хотите увольнения по статье, пишите заявление. Мне такие работники не нужны.

И Дина написала. Потому что не могла допустить, чтоб ее уволили. Доказать, что в отчет внес «нужные» коррективы ее начальник Евгений Алексеевич, все равно не удастся. Как и плюнуть ему в лицо. Женечка уехал в командировку сразу после того, как подставил Дину.

Финита ля комедия!

Часть вторая

Глава 1

Наташа укрыла дочку одеялом — девочка постоянно сбрасывала его с себя во сне. Ей было четыре. Толстощекая кудряшка с огромными синими глазищами и дивным характером, любимица всех дворовых бабушек. Когда дочка приходила домой с гулянья, ее карманы были битком набиты конфетами. Ими ее соседки одаривали. Думали, она страшная сластена. Наверное, потому что девочка напоминала Аленку с шоколадки. Но дочка к конфетам была равнодушна. Даже новогодние подарки ее не радовали. Она обожала ржаной хлеб с подсолнечным маслом и солью, а еще тертую морковь с изюмом и сметаной и кислые-прекислые яблоки.

Дочка завозилась и вновь скинула одеяло. Оно свалилось на пол. Наташа наклонилась, чтобы поднять его, и услышала сонный голос:

— Мама, ты тут?

— Да, Дашенька...

— Хорошо, — счастливо выдохнула та. — Ты больше не бросай меня надолго, ладно?

— Обещаю...

Даша тут же погрузилась в сон. Наташа закутала ее в одеяло, подоткнула края под матрас. Перед тем как выйти из детской, чмокнула Дашу в кудряшки.

Она обожала свою девочку. Даже если б она не была такой замечательной толстощекой кудряшкой с дивным характером, все равно Наташа любила бы ее больше жизни. Материнство далось ей очень непросто. Чтобы забеременеть, лечилась. Чтобы выносить, лежала на сохранении чуть не весь срок. Чтобы родить, подверглась экстренному кесареву...

А после него чуть было не умерла от внутреннего кровотечения.

И одна с ребенком возилась, никто не помогал. А Даша так часто болела!

С мужем Наташа разошлась еще до ее рождения. Как узнала, что забеременела, так сразу и выгнала его. Последний год она с ним жила только потому, что ей нужна была его сперма. Женой быть Наташа расхотела, только матерью, хотя когда-то...

* * *

Наташа мечтала выйти замуж с самого детства. Любимым ее нарядом было мамино свадебное платье, а игрой — «дочки-матери». Уже в возрасте пяти лет Наташа мысленно начала писать сценарий своего бракосочетания. Потом догадалась зарисовывать его эпизоды (альбомами и тетрадями с «эпизодами» был забит весь письменный стол). Первого жениха она присмотрела себе в первом классе. Выбрала самого примерного и успевающего. В третьем променяла его на хулигана. В пятом переключила внимание на учителя физики, решив, что муж постарше — гораздо лучше. А в девятом огорошила маму известием, что летом выходит замуж. Та перепугалась, думала, дочь за-

забеременела в свои пятнадцать. Но Наташа просто по-настоящему влюбилась. Впервые. Предыдущие «женихи» были ей всего лишь симпатичны. К тому же она им даже не нравилась. А этот последний... О, как он ее обожал! Так обожал, что предложил пожениться. Это было первое предложение, которое получила Наташа...

Первое и единственное!

С тем парнем они не дотянули и до выпускного. «Жених» требовал доказательства любви в постели, а Наташа хотела сохранить девственность до свадьбы. И он изменил ей. С общедоступной. И женился на ней по «залету» сразу по окончании школы.

А Наташа пошла не замуж, а в институт. Поступила, отучилась. С парнями встречалась. Но всех отпугивала своим страстным желанием создать семью. Итог — к двадцати одному году не то что мужем не обзавелась, даже постоянным мужчиной.

Устроилась на работу. На склад сантехники кладовщицей (с перспективой стать логистом). Мужиков кругом — море. Выбирай — не хочу. А Наташе не хотелось. Разочаровалась она в них. И в замужестве. Как посмотрела, как некоторые живут после этих прекрасных свадеб, так и сникла. Мечты — одно, а жизнь, увы, совсем другое.

Однако, когда ей исполнилось двадцать шесть, стало очень тоскливо. Вот она уже и логист, и квартира имеется — от бабушки досталась, а семьи так и нет. И решила она отправиться на вечеринку знакомств, куда ее позвал бывший одногруппник. Она с ним хорошо ладила во время учебы и по окончании института связь поддерживала.

— Какой формат вечеринки? — спросила Наташа у него, сев к нему в машину.

— Да какой... — Он смутился почему-то. — Приезжаем в загородный дом, выпиваем, знакомимся...

— Выпиваем? Но ты же за рулем.

— Я только пригублю. А вот тебе не мешает поддать хорошенько, ты такая напряженная!

— Работаю много, — пожала плечами Наташа. — А расслабляться некогда.

— Вот и расслабишься, — усмехнулся приятель.

— Народу будет много?

— Не очень. Человек двадцать.

— И все холостые?

— Почему? Разные. Или ты думаешь, знакомства только одиноким нужны? Семейные пары тоже хотят с новыми людьми сблизиться.

Наташа немного разочаровалась, но решила, что если ни с кем достойным не познакомится, то хотя бы время весело проведет. Большая компания, выпивка, фуршет... Сауна, бассейн! И все бесплатно. Одногруппник с нее ни копейки не взял. Сказал, только составь компанию, одному мне некомфортно.

Люди, присутствующие на вечеринке, на Наташу произвели приятное впечатление. Интеллигентные, доброжелательные, мало пьющие. Причем если женщины принимали все, то многие мужчины воздерживались. К Наташе каждый подошел познакомиться. И она чувствовала их симпатию. Ей же понравился только один. Кудрявый шатен лет тридцати. Ваня. Пришел один. Приятель, когда заметил ее симпатию к парню, просиял. Сказал, что выбор ее одобряет. И начал усиленно Наташу спаивать. Та пила редко и помалу, поэтому быстро захмелела. И когда всех позвали в сауну, отправилась туда с охотой...

Вот только быстро сбежала оттуда. Застеснялась, потому что все были голыми, и только она в простыне. За ней тут же последовал Ваня. Принес выпить и увлек к бассейну...

Дальнейшее Наташа помнила смутно. Разве что поцелуй...

Очнулась от боли. Трещала голова. Наташа со стоном поднялась на локте и...

И едва в обморок не упала, когда увидела картину, представшую ее взору. В комнате вповалку лежали люди. Все голые. Почти все спали, и только ее приятель занимался сексом с двумя женщинами.

Она с ужасом опустила глаза и посмотрела на себя. Тоже голая!

Наташа вскочила, чем потревожила спящего рядом с ней Ваню. Схватив свои вещи, валяющиеся на полу, убежала в ванную одеваться. Пока натягивала на себя одежду, боролась с ужасом и отвращением. Куда она попала, черт возьми? И что натворила?..

Выйдя из ванной, она натолкнулась на Ваню. Он по-прежнему был обнажен. В руке держал бутылку минералки.

— Хочешь пить? — спросил он.

Наташа молча взяла у него бутыль и начала жадно пить.

— Лучше?

Она мотнула головой.

— Надо таблетку принять. В кухне я видел аптечку, пойдем.

Он взял ее за руку, но Наташа выдернула ее с воплем:

— Что тут вообще творится?

Ваня недоуменно на нее воззрился:

— В смысле?

— Почему все голые? И... И что происходило последние часы?

— Что и должно было происходить — оргия.

— Что?

— Ты не врубилась, куда попала?

— На вечеринку знакомств.

— В принципе, да... Можно ее и так назвать. Но вообще-то это свинг-пати.

Про свингеров Наташа слышала. Это люди, меняющиеся половыми партнерами.

— Хозяева дома проводят такие вечеринки два раза в месяц, — продолжил просвещать ее Ваня. — Обычно в узком кругу. Но иногда приглашают людей со стороны. Меня, например. Или вас. Тот, с кем ты пришла, кем тебе приходится?

— Приятелем. И он не сказал мне, что мы отправляемся на свинг-пати. Почему?

— Если б сказал, ты бы пошла?

— Конечно, нет! — возмутилась Наташа.

— Вот и ответ!

— Но зачем ему это? Мог бы один прийти, как ты...

— Не мог. Женщин не хватает. И мужчин, как правило, без пары не пускают — я исключение (друг хозяина). Вот твоему приятелю и пришлось, чтобы попасть сюда, ввести в заблуждение одну милую особу. — Он игриво похлопал Наташу по ягодице. Та отшатнулась.

— И что я творила этой ночью?

— Занималась сексом, как и все...

Наташа зажмурилась.

— Со сколькими партнерами?

— Только со мной, не беспокойся. Тамара пыталась к тебе подлезть, когда мы с тобой кувыркались, да ты ее оттолкнула.

Она испытала облегчение. Но ненадолго. Все же она занималась сексом с незнакомым мужчиной. Да еще на глазах у других...

А что, если в помещении установлены камеры?

— Это безобразие никто не снимал на видео? — проблеяла Наташа не своим голосом.

— Ты что? Конечно, нет. Тут все своей репутацией дорожат. Не дай бог вылезет куда запись...

— Ты пользовался презервативом?

— Да.

Наташа выдохнула. Все не так страшно. Противно, да. Но хорошо, что без последствий.

— Я уезжаю, — сказала она. — Дай номер такси, пожалуйста.

— Зачем? Я тебя довезу.

— А ты в состоянии?

— Конечно. Мужчины на таких вечеринках пьют мало. Чтобы стоял нормально. Ну, ты понимаешь?

Теперь она поняла!

— Отвези меня домой, — взмолилась Наташа.

— Подожди пять минут, я оденусь и найду ключи.

— Буду за дверью.

Наташа покинула дом. Когда торопливо шла к двери, старалась не смотреть на сплетенные тела своего приятеля и двух женщин. А чтобы не слышать их стоны, заткнула уши.

Ваня вышел через обещанные пять минут, махнул на стоящий у самого крыльца «Лендкрузер». Типа, иди к нему.

— Твоя? — поинтересовалась Наташа.

— А чья же? — хмыкнул Ваня.

— Папы, например.

— Ха! Я уже не в том возрасте, чтобы брать отцовскую тачку. К слову, у него ее нет. Пешком ходит.

Они сели в машину. Наташа пристегнулась. Ей по-прежнему было паршиво, но она отметила про себя, что есть и приятный момент — ей нравится Ваня. Даже очень. Он симпатичный, видно, что неглупый, не бедный, судя по машине... И они уже переспали! Вот только каким был секс, Наташа не помнила... Увы!

— Тебе хоть понравилось? — выпалила она.

— Что?

— Секс. Со мной.

— Не очень...

Она воззрилась на него широко открытыми глазами. Ваня усмехнулся.

— Нет, сначала понравился. А когда понял, что ты в отключке, я немного разочаровался. Получается, что ты ничего не почувствовала. Так?

— Не помню.

— Придется повторить! Только не сегодня. Мне к восьми на работу, а во сколько освобожусь, не знаю.

— А сейчас сколько времени?

— Пять утра.

— Подумать только! Я рассчитывала вернуться домой максимум в час ночи.

— Ты не владела полной информацией. Такие пати обычно заканчиваются на следующий день. Сейчас все проснутся и еще разок, но уже так, вяленько, друг друга отымеют.

— Ты завсегдатай подобных пати?

— Нет. Бывал пару раз. Из интереса.

— Но это же... Отвратительно.

— Почему же? Люди занимаются сексом по обоюдному желанию. Без принуждения. Что в этом плохого?

— А не лучше ли заниматься сексом с тем, кого любишь? Только с ним.

— Кому как.

— А тебе?

— Мне, пожалуй, да. Но что поделать, если на данный момент я никого не люблю, у меня нет постоянных отношений, а лишь случайный секс. И чем он лучше того, какой я могу найти на свинг-пати? К тому же... — Он оторвал взгляд от дороги и перевел его на Наташу. — К тому же на последней я познакомился с очаровательной девушкой. То есть с тобой.

— И занялся с ней сексом, — пробормотала Наташа.

— Да.

— Ужас.

— В чем?

— Я не занимаюсь сексом с первым встречным!

— Ты с первым и не занималась. Первый к тебе Гоша пристал, хозяин дома. Но ты его отвергла.

— И отдалась тебе, второму встречному?

— Мужчине, который тебе понравился, — пожал плечами Ваня. — Что в этом плохого?

— На глазах у восемнадцати человек!

— Да им не до тебя было, — отмахнулся он. — Уж из-за этого не переживай. Но с приятелем своим больше не водись. Некрасиво это — обманывать.

Наташа с ним была полностью согласна.

Через два дня они снова пересеклись. Посидели в кафе, поболтали, потом поехали к Ване и занялись сексом. Так, миновав конфетно-букетный период, они стали встречаться.

Теперь Наташа вела себя мудрее. Не тащила Ваню в загс после месяца знакомства. Но представлять его в костюме жениха у алтаря начала сразу. И общих детей. Мальчика и девочку, конечно же. Вот только не придумала, что будет им рассказывать о том, где их родители познакомились.

«Детишки, вы знаете, что такое свинг-пати? Нет? Я сейчас объясню вам, чтоб вы знали, где ваши мама и папа встретили друг друга...»

Наташу вообще коробил тот факт, что Ваня бывал на подобных сборищах. И хоть он ее уверил в том, что с этим покончено, она все равно беспокоилась. А что, если его опять потянет?

И все же, когда Ваня предложил переехать к нему, Наташа с радостью согласилась.

Они хорошо ладили первое время. Обоих все устраивало. Наташа рьяно взялась за исполнение роли идеальной спутницы жизни: домовитой, понимающей, радушной и, что немаловажно, всегда готовой к сексу. И Ваня по достоинству оценил это...

Вот только замуж не звал.

Наташа убедила себя, что это не так важно. Главное, они вместе. И им хорошо.

Но Ваня удивил ее. Спустя полгода, забрав с работы, привез ее не домой, а в загс.

— Мы зачем сюда? — недоуменно спросила Наташа.

— Жениться. Вернее, подавать заявление.

Наташа не знала, радоваться ей или огорчаться. С одной стороны, вот оно, счастье долгожданное, ее хотят в жены взять. А с другой... Как же обыденно все! Без романтики. Где ужин в ресторане, пылкое признание, кольцо в фужере с шампанским, коленопреклоненная поза?

Но Наташа настроила себя на позитив. Неважно, при каких обстоятельствах тебя позвали замуж, главное — сделали это.

Регистрация была назначена не торжественная. На этом настоял Ваня. Сказал, что не хочет всех этих глупостей, типа расфуфыренной тетки, читающей всякую муть, бездарного оркестра, хлеба-соли и танца молодоженов.

— Но свадьба у нас хотя бы будет? — чуть не плача, спросила у жениха Наташа.

— Конечно. Да не такая, как у всех.

— То есть?

— Устроим ее на берегу моря.

— На Сейшелах? — ахнула она и закатила глаза.

— Лететь далеко. Давай в Египте? Зато поселимся в шикарном отеле. И такое там забабахаем...

Она согласилась. Как потом оказалось, зря. Ваня нашел себе в отеле кучу друзей и проводил все время не с молодой женой, а с ними. Зато все они были на их свадьбе. Пьяные в дым. Впрочем, как и жених.

В общем, Наташа была ужасно разочарована. Но не разводиться же из-за этого? Наконец она обрела статус, о котором мечтала, надо наслаждаться хотя бы им.

Их браку исполнилось три месяца, когда выяснилось, что Ваня продолжает посещать свинг-пати. Делал ли он это на протяжении всего времени или только возобновил свои визиты в «гнездо разврата», Наташа не смогла узнать. Но это было и не так важно. Главное, ее опасения подтвердились. Он в первую очередь похотливый козел, а уж потом все остальное.

«Зачем он на мне женился? — недоумевала Наташа. — Если меня одной ему мало. Пусть бы шлялся и дальше...»

Ответ она узнала вскоре, когда подслушала разговор мужа с холостым другом (приехала с работы пораньше, вошла в квартиру бесшумно).

— Женись, дурак. Тыл всем нужен. Знаешь, как хорошо, когда, уставший от гулянок, пьянок, баб, приходишь домой, а тебя ждут. По квартире запах борща разносится. Постелька чистая. И добрая, наивная баба, которая приласкает, выслушает, посочувствует, потому что думает, ты так на работе устал. Женись, дурак! Как сделал это я.

В тот момент она хотела влететь в комнату и разорвать мужа на части. Но вместо этого Наташа уехала к маме. Ваня хватился ее спустя два часа. Наверное, когда стал умирать от голода, посмотрел на часы и понял, что Наташа уже давно должна быть дома.

Он принялся звонить ей. Она не брала трубку. Тогда он набрал домашний номер родителей. Мама ее шепотом сообщила, что Наташа у них. Она радовалась тому, что дочка вышла наконец замуж, и не собиралась помогать ей рушить семью.

Ваня приехал. Завел с Наташей разговор. Он не понимал, что с ней случилось, ведь все же было хорошо...

А ей не хотелось говорить с ним. И рубить сплеча. Поэтому наврала, что плохо себя чувствует перед месячными. Просила оставить ее в покое на сутки.

Она не спала всю ночь. Думала. А когда за окном занялся рассвет, Наташа приняла решение.

«Рожу и разведусь, — сказала себе она. — Потому что ребенка я хочу, а жить с похотливым козлом, для которого я лишь удобный тыл, — нет...»

Вечером она вернулась к мужу, не сообщив о том, что перестала пить противозачаточные пилюли.

Глава 2

Кен поднялся с кровати, потянулся. Он всегда спал голым. И теперь на нем не было никакой одежды. Кен обычно и по дому фланировал обнаженным: умывался, завтракал, рылся в шкафу, выбирая, в чем выйти, но сегодня он сразу натянул на себя халат. В квартире было холодно. Отопления еще не дали, хотя за окном уже установилась нулевая температура.

Запахнувшись и потуже подвязавшись поясом, Кен направился в кухню. Хотелось есть. Зверски! Он был мужчиной астенического телосложения. Но на отсутствие аппетита никогда не жаловался. Ел много и с большим удовольствием. Сейчас, например, он планировал закинуть в себя две котлеты и тарелку макарон. И это на завтрак!

Перед тем как поставить еду в микроволновку, он достал из холодильника овощи. Пока котлеты и макароны греются, он себе салатик настрогает. Помидорка, перчик болгарский, салатные листья и много зелени. Жаль, чеснок не добавишь. Его Кен позволял себе есть только на ночь и если спать ложился один. Чтоб не дышать на людей чесночным перегаром. Салат он заправил майонезом. Да не легким, а настоящим провансалем. Кен был завсегдатаем всех модных ресторанов. И там, естественно, заказывал фирменные блюда от шеф-повара. Что-нибудь малюсенькое, непонятное, залитое каким-нибудь диковинным соусом. Иногда это бывало вкусным. Чаще — никаким. Но даже если Кен получал удовольствие от пищи, все равно, приходя домой, открывал холодильник и заедал изысканную еду привычной. Особенно любил рубленые котлетки, вареную колбасу, слабосоленую скумбрию. Но самым любимым блюдом Кена было гороховое пюре с копчеными ребрышками. Как его готовила его бабушка! О!.. Он съедал подчистую весь горох, обсасывал ребра, а потом еще ржаным хлебушком вычищал тарелку, вот до чего вкусно.

С тех пор как бабушка умерла, Кен не ел подобной вкуснятины. Хотя и сам готовить пробовал, и девушек своих просил, и в заведениях заказывал. Есть можно, но не то.

Бабушка скончалась пять месяцев назад. Скоропостижно. Была бодрой, никогда на здоровье не жаловалась. А оказывается, сердце ее давно пошаливало. И однажды остановилось.

...Кен осиротел. Почувствовал себя самым одиноким человеком на планете. И это при том, что его отец с матерью были живы и здоровы. Хотя через полтора месяца ушли из жизни и они. Разбились на машине. Но это известие он воспринял спокойно.

У Кена были золотые родители.

Или все же платиновые?

В общем, богатые. И не жадные. Ничего для ребенка своего не жалели. У Кена были лучшие игрушки, шмотки, велики, репетиторы. Позже — те же шмотки, гаджеты, институт, машина... телки. Телок, ясное дело, ему не родители подгоняли. Они сами липли. Велись на бабки, которыми обеспечивали его «платиновые». А порой Кену и тратиться не приходилось особо. Достаточно было сверкнуть лейблом, выложить на стол телефон, продемонстрировать часы. Это если он находился в помещении: в универе, клубе, кафе, на вечеринке друзей. На улице все было еще проще. Кен даже за минералкой в ларек на машине ездил. А машина у него была не хухры-мухры, «Ауди ТТ». Золотисто-оранжевая, с языками пламени на капоте. Красавица за восемьдесят тысяч долларов.

На такой тачке к телочке подкатишь, и все... Она твоя!

Вообще-то Кена звали Петром. Хорошее имя. Царское. Но оно ему не нравилось. Поэтому когда его за сходство с женихом куклы Барби Кеном прозвали, он только обрадовался.

Золотая молодежь, так все называют таких, как он. И Кен не спорил. Он на самом деле был «голди». Но не из-за бабок родительских...

«Золотко мое», — так обращалась к нему бабушка.

Именно она вырастила его, а не платиновые родители.

В городок, где жила папина мама, Петра «сослали» в возрасте двух лет. Отцу предложили работу в Канаде. Он решил попробовать. Мама поехала с ним. А маленького сына с собой не взяли, потому что неизвестно, как там, в этой Канаде. Вот когда все устаканится, тогда можно будет его забрать. А пока пусть с бабушкой...

Она, бабушка, рано овдовела. В двадцать девять лет. Но больше замуж не вышла, хотя мужчины ее не обделяли своим вниманием. Трудно ей было двух сыновей одной воспитывать, но она продолжала любить покойного супруга и никого к себе не подпускала. Всю себя детям отдавала. Младшему (папиному брату) материнской ласки доставалось больше. Наверное, потому, что тот был точной копией своего покойного отца. А Кен очень сильно походил на дядю. Сам он его не видел, разве что на фото. Тот трагически погиб в возрасте двадцати одного года. Но бабушка говорила, что Кен очень его напоминает, и не столько внешностью, сколько походкой, осанкой и даже привычками. Например, Кен, смеясь, морщил нос. А когда задумывался, начинал постукивать пальцами по коленям. Еще в отличие от большинства людей любил вареный лук и пенку на молоке. Его дядя, по словам бабушки, имел те же привычки.

Поэтому она обожала Кена. Называла золотком, тогда как с другими была холодна. Бабушку недолюбливали многие. За суровость нрава и неприветливость. С теми же соседями едва здоровалась, и то через раз. Ни с кем не болтала, соли ни у кого не просила, а одалживала ее так неохотно, что мало кто за ней приходил. Многие ее откровенно побаивались. В том числе учителя Кена. Если бабку вызывали в школу, чтобы пожаловаться ей на внука, она устраивала им такой нагоняй, будто это они толкают ее мальчика на кривую дорожку. В итоге их оставили в покое. И Кен мог хулиганить сколько вздумается. Хорошо, что ему не так часто этого хотелось. А то мог бы вляпаться в серьезные неприятности — в детской комнате милиции вряд ли его бабку испугались бы, и не таких видали.

Он прожил с ней до окончания школы. Поступив в институт, Кен стал жить отдельно. Золотые родители, которые так и не забрали его к себе в Канаду, купили ему квартиру в большом городе. И машину. И продолжали перечислять сыну деньги, а вот к себе в Канаду не звали. Да Кен и не стремился туда особо. В России на деньги родителей ему жилось вольготно. И бабушка рядом. Ее Кен навещал регулярно. А родители что? Чужие люди. Воссоединись он с ними, неизвестно еще, как жизнь сложится. Возможно, докучать начнут, изображать заботу. А еще хуже — переделывать на западный манер. Кен с отцом и матерью виделся за жизнь несколько раз. И замечал изменения в их мировосприятии и поведении. Чем дальше, тем больше. В последнюю встречу, а состоялась она, когда Кен учился на первом курсе, он увидел перед собой стопроцентных канадцев, а никак не русских. Отец с матерью даже говорили между собой по-английски и только с сыном и бабушкой общались на родном языке.

Кен испытал облегчение, когда они уехали.

По окончании института он устроился в банк. Получал мало, почти вся зарплата уходила на бензин и оплату коммунальных услуг, но благодаря золотым родителям Кен не знал нужды. Рестораны, клубы, ранчо — почему-то именно так назывались ныне бывшие турбазы. Дорогое шампанское, виски, иногда кокс и афганская анаша. Куча телочек. Толпа приятелей. И ни одного настоящего друга, как и любимой женщины. Не нашел Кен свою Барби. Хотя желание такое имел. Ему хотелось быть золотком не только для бабушки, но и еще для кого-то.

Похоронив ее, Кен остался в городке, где вырос. Уволился из банка, сдал квартиру и переехал в бабушкину двушку. Денег, по-прежнему присылаемых родителями, и тех, что он получал от арендаторов, ему хватало на жизнь с лихвой. Тем более что в маленьком городке их и тратить особенно не на что. Развлекал себя Кен двумя вещами — кино и литературой. Фильмы смотрел запоем, а книги писал. Сразу несколько в разных жанрах. Кен с детства сочинительством баловался и вот решил наконец посвятить себя ему.

А потом погибли родители, и он стал богатым. Те собирались вернуться в Россию, продали все имущество, что там нажили, положили деньги в банк. Причем один из счетов открывал Кен на свое имя. Средства с него он мог снимать, не дожидаясь того, когда вступит в права наследования. Родители озолотили его и после своей смерти.

Вот только какой от денег прок, если они не избавляют от одиночества? А лишь от него он и страдал.

Поев, Кен бросил тарелки в раковину. Потом помоет. Сегодня ему ничего делать не хотелось. С обеда до ночи вчера он провел в том месте. Ходил вместе со следователями и операми по бомбоубежищу, а также по зданию склада, стоящему поодаль, тому самому, где держали пленников до того, как «перевели» их в комнату с черным потолком. Кроме него, по месту преступления водили Пашу и Егора. Когда все закончилось, мужчины выкурили по сигарете (курил из них троих только Егор, он и угостил сигаретами), перебросились несколькими фразами, обменялись телефонами. Вспомнив об этом, Кен сходил за своим сотовым. Посмотрел, не было ли звонков (на ночь он отключал звук), оказалось, есть. Но ничего важного. Кен уже хотел отложить телефон, как он завибрировал. На экране высветилось имя «Павел».

— Доброе утро, — поприветствовал он звонившего.

— Привет. Не разбудил?

— Нет, я даже позавтракал.

— Я чего звоню... Есть у меня предложение, которое хочется обсудить.

— Давай.

— Не по телефону. Ты сможешь подъехать ко мне в отель часам к трем?

— Смогу.

— Отлично. Буду ждать.

И Павел отсоединился.

А Кен пошел в комнату, сел за старенький письменный стол, за которым в детстве учил уроки, открыл ноутбук и начал быстро набирать текст — ему в голову пришла потрясающая идея, и он решил записать свои мысли, пока они не забылись.

Глава 3

Паша шел по тротуару и угрюмо смотрел на лужи, тянущиеся вдоль него. Если сейчас поедет машина, ему придется отпрыгивать, чтобы его не забрызгало.

Настроение было препаршивое. Испортила его жена. Когда он пришел навестить ее и дочку, она с порога начала обливать его грязью. Кроме всего прочего, обвинила в том, что он вернулся в город несколько дней назад, а их навестить изволил только сейчас. Паша не мог сказать ей, что конкретно помешало его визиту, бросил банальное — «были проблемы», чем разозлил жену еще больше.

— Да какие проблемы у тебя могут быть? — брызгала она ядом. — Живешь, как падишах — не работаешь. Да еще за семью ответственности не несешь...

И так далее. А дочка, свидетельница этой сцены, поддакивала.

Паша смотрел на «своих» женщин и ужасался. Как он мог прожить с ними так долго? Нет, их нельзя назвать отвратительными. Даже плохими. У обеих была своя правда. Это он, Паша, виноват в том, что его жена стала такой озлобленной. Он не оправдал ее надежд. Как и дочкиных. Он не любил ее безоглядно, как положено отцу, и она чувствовала это. В общем, что посеял, то и пожинает. И поделом!

Но не об этом он думал, глядя на «своих» женщин. Не его они вовсе! А коль так, незачем находиться рядом с людьми, чужими тебе. Жениться не стоило. Чтобы себе и ей жизнь не портить. И ребенка рожать тоже. Да что там... Вообще жизнь иначе надо было строить. Сколько лет потрачено впустую...

И перед всеми виноват!

Паша свернул во дворы. По дороге ехала огромная фура, и брызги, которые она поднимет своими колесами, обязательно попадут на пешехода. Он шел мимо четырехэтажных хрущевок. Не хоромы, конечно, но по сравнению с хижинами африканцев — дворцы. И все равно Паше хотелось туда. А еще больше в Австралию. Там он еще не был.

И в Турцию! Подумать только, он не посетил Турцию, где отметился каждый третий россиянин. Конечно, Паша стремился не в Аланию или Анталью, а в Стамбул, Анкару, Бодрум. Но следователь категорически запретил ему покидать не только страну — город.

Паша вышел к отелю. Из полулюкса он перебрался в обычный эконом. И не чувствовал в нем дискомфорта. Туалет и душ есть, а остальное... Зачем кондиционер, если на улице плюс пять? Заполненный мини-бар, когда супермаркет круглосуточный в соседнем здании? Спутниковое телевидение, если его не смотришь, а когда возникает желание глянуть перед сном что-то, можно подключиться к Интернету?

Одно плохо, номер очень маленький. Ему одному его вполне хватало, но сегодня он ждет гостей. Наверное, зря он всех к себе пригласил. Лучше было бы собраться на квартире Кена. Но теперь уже поздно что-то менять, надо просто затащить в комнату стулья с балкона, чтобы все могли рассесться.

Он так и сделал. А еще сдвинул кровать к стене, чтобы втиснуть пуфик. Пока передвигал мебель, употел весь. Захотелось принять душ, но в дверь постучали. Паша открыл. На пороге стояла Дина. Ее выписали из больницы этим утром. Девушка выглядела отлично. Краснота с глаз исчезла, пятна сошли. Дина подкрасилась, и Паша отметил, как идет ей макияж. Лицо стало очень выразительное.

— Привет, — поздоровалась она. — Я, как всегда, первая?

— Ты первая. А почему как всегда?

— Я крайне пунктуальна. Являюсь не просто вовремя, а за пять, десять минут до встречи. Даже на свидания.

— Точность...

— Вежливость королей? — закончила за него Дина и улыбнулась. — Я узнавала, в моем роду нет даже купцов. Только крестьяне.

Она вошла, села на стул. Сделала это грациозно, но без малейшего женского кокетства. В ней его вообще не было. Многие дамы садятся, чуть изогнувшись в пояснице, будто исполняя сдержанный эротический танец. Выставляют ножку или закидывают одну на другую и поигрывают туфелькой. Если б Дина проделала это, Паша бы только порадовался. У нее ладная фигурка и длинные ноги. И одежда подчеркивает эти достоинства: юбка-карандаш до колена, простая шелковая блузка (плащ она сняла) и туфли на каблуке. Немного официально, но Дине шел такой офисный стиль.

Паша предложил ей воды или сока. Девушка отказалась.

— Ты хорошо спишь? — спросила вдруг она.

— Нормально.

— А я ужасно. Кошмары мучают.

— Я научился контролировать свои сны.

— Каким образом?

— Есть много методик. Я изучил почти все. Главное, выдрессировать себя. Научиться во время сна активизировать свой мозг. Если хочешь, я дам тебе литературу. Вернее, ссылки на интернет-сайты, где опубликована нужная. Много ерунды есть, пустых, а то и тупых советов. Я столько по этой теме трудов перелопатил — ужас просто.

— Была большая надобность?

— Да. У меня с детства имеется несколько фобий, которые, если б я не научился контролировать сны, не давали бы мне покоя и ночами.

— Ты сказал «имеется», а не «было». То есть?..

— То есть они так и остались, но я научился жить с ними. Не верю, что от страхов можно избавиться окончательно. Хотя иногда умудряюсь убедить себя в обратном.

Дина слушала его с неподдельным интересом. Когда Паша закончил фразу, она хотела задать ему вопрос, но в дверь постучали, и она оставила его при себе.

Явился Егор. В джинсах не по размеру и в заляпанном грязью свитере он походил на бездомного. Сходство с бомжом усиливали всклокоченные волосы и запах перегара. Если б Паша не знал, что Егор преуспевающий деятель искусств, подумал бы, что тот живет под мостом, зарабатывает попрошайничеством и сдачей жестянок и бутылок.

— И на фига ты меня позвал? — сразу же напустился он на Пашу. — Оторвал от важных дел...

Егор был последним, кого Павел позвал на встречу. И все потому, что трубку скульптор взял только с пятого раза, и произошло это полтора часа назад.

— А можно узнать, что за дела? — спросил Паша.

— Скульптуру ваяю. Из глины... — Паше сразу стало ясно, откуда на свитере пятна. — Называется «Обитель зла». Круто, да? Звучно! Пришло в голову сам знаешь когда...

— Кино такое есть.

— Да ладно? — не поверил Егор.

— Точно тебе говорю. С Милой Йовович.

— Кто это?

— Ты вообще не интересуешься киноиндустрией?

— Не-а. Но мультики люблю. «Том и Джерри» особенно. — И без перехода: — Бухнуть есть че?

— Нет, извини.

— Ну вот... Знал бы, с собой принес. — Егор плюхнулся на кровать. Дину он даже не поприветствовал, как будто ее в номере и не было. — Вообще-то я не пью. Ну, в смысле, не алкаш. Но с тех пор как мы вырвались, сам знаешь откуда... — Многозначительная пауза. Паша хотел сказать, что Егор напоминает ему героев книг о Гарри Поттере, которые не произносили имени Волан-де-Морта, называя его «сам знаешь, кто», но смолчал. Все равно Егор книг не читал, кино не смотрел. — Короче, страшно мне постоянно. И днем и ночью. А синька немного страх снимает.

— Всем нам страшно.

— Да? По тебе не скажешь!

Тут в дверь снова постучали, и Паша открыл. На пороге стояли Кен и Лида. Вместе они смотрелись удивительно гармонично. Оба высокие, красивые, модно одетые. Идеальная пара просто. Пожалуй, Лида подходила Кену больше, чем кукла Барби.

Паша впустил их.

— А, у нас типа общество анонимных алкоголиков! — воскликнул Егор, узрев явившихся. — Сейчас сядем в круг и будем делиться друг с другом своими переживаниями по поводу сами знаете чего?

— Не совсем, — возразил Паша. — Давайте подождем Наташу. Когда она придет, я скажу, зачем собрал вас, оторвав от важных дел.

— Меня можешь отрывать в любое время, — промурлыкала Лида и лучезарно ему улыбнулась.

«Да она флиртует со мной! — поразился он. — И не просто потому, что она неисправимая кокетка. Такие женщины заигрывают со всеми без разбора. Лида же флиртует именно со мной. Я ей нравлюсь?»

Лида была слишком хороша для него. Паша не мог пожаловаться на отсутствие женского внимания, но те барышни, что выбирали его (это ведь только считается, что выбирает мужчина), были в лучшем случае симпатичными. Лида же — красотка! К тому же уверенная в себе и боевая. А еще сексуальная. Такие женщины пользуются невероятным успехом у представителей противоположного пола. И могут рыться в них, как в соре. Они выбирают самых лучших: красивых, обеспеченных, успешных. Таких, как Кен. Лида же предпочла ему Павла, всего лишь приятного внешне и далеко не богатого. Если б ее привлек Егор, это было бы понятно. Он известный скульптор, а женщины обожают людей искусства, особенно успешных.

Лиде же нравился он! Необъяснимо...

— Бухать кто-нибудь будет? — спросил Егор.

Паша покачал головой. Дина бросила «нет». Кен сказал, что он за рулем. А Лида изъявила желание принять граммов сто виски.

— Я тоже не откажусь от «Джека Дэниэлса», — одобрил ее выбор Егор. — Сбегаю-ка я в магаз, пока Наташка не пришла.

— Можно в номер заказать из бара, — предложил Кен.

— Втридорога? Нет уж.

И, похлопав себя по карманам джинсов, чтобы проверить, на месте ли деньги, удалился.

— Он так и пришел? — спросил у Паши Кен. — В грязном свитере и только?

— Да.

— И как только не замерз? На улице прохладно.

Сам Кен был облачен в твидовый пиджак с кожаной отделкой, водолазку и вельветовые джинсы. Английский стиль очень шел ему. Не то что Паше. Он мысленно примерил на себя вещи Кена и усмехнулся. Вид был бы чудной. Хотя, возможно, просто непривычный?

Наташа явилась спустя пару минут, запыхавшаяся и какая-то встрепанная. Попросила воды сразу, как вошла. Попив, выдохнула:

— Извиняюсь за опоздание. Дочку к папе, то есть бывшему мужу, отвозила, потом автобус сломался...

— Как ты уехала?.. — спросила у нее Дина. — В тот день?

— На удивление быстро. Мимо ехал минивэн, меня подхватили, и уже через двадцать минут я была дома.

— Минивэн? — заинтересовался Паша. — Откуда он ехал?

— Не знаю, не спрашивала.

— Номера не запомнила?

— Нет, зачем мне?..

— А кто был за рулем?

— Мужчина какой-то. А что?

— Да так...

— Неужели ты думаешь, что это был наш похититель? — недоуменно спросил Кен.

— Не знаю, — протянул Павел, задумчиво почесав переносицу.

— Если б это был он, Наташу мы бы живой не увидели!

— Мы не знаем о его планах.

Кен хотел поспорить с Пашей, но тут явился Егор. Бутылку виски он сунул в карман, не удосужившись купить пакет.

— Все в сборе, что ли? — хмыкнул он, увидев Наталью. — Ты, птичка, бухать будешь?

— Нет, — отрезала та. Наташе, судя по всему, было неприятно сравнение с птицей. Наверняка ей многие говорили, что она похожа то ли на синичку, то ли на воробушка.

— Значит, мы вдвоем с красоткой тяпнем! — Егор разлил виски по двум стаканам, кинул в них лед — в номере Паши имелся маленький холодильник. — А теперь... — Он сделал добрый глоток. — Бубни, студент!

— Я что предложить хочу... — начал Паша и замолчал. — Черт, так долго готовил речь, а теперь не знаю, как лучше сказать... — Он шумно выдохнул. — В общем, возникла у меня мысль провести наше собственное расследование. У полиции куча дел, не только наше. Они маньяка, нас похитившего, могут ловить бесконечно долго...

— А ты, значит, скоренько его поймаешь? — скривил губы Егор. У него была дурная привычка растягивать одну сторону рта. Из-за нее на лице появилась очень глубокая носогубная складка. Вторая едва просматривалась.

— Не я — мы. И, возможно, не поймаем. Но если добудем какую-то важную информацию, то поможем следствию. Мы больше всех заинтересованы в том, чтоб маньяк оказался за решеткой. Только тогда мы перестанем бояться, потому что угроза нашей жизни будет устранена. Сейчас же мы как... — Он щелкал пальцами, пока подбирал подходящее сравнение, наконец выдал: — Как под занесенным ножом гильотины. Он всегда может опуститься на наши шеи!

— Как поэтично! — фыркнул Егор и налил себе еще виски.

— Но что мы можем? — робко спросила Дина. — В полиции профессионалы работают, а мы даже не любители...

— Я все понимаю, но... Давайте хотя бы попробуем устроить мозговой штурм. Собрать информацию воедино и проанализировать ее. Я много размышлял о случившемся с нами. Начал еще в плену. И пришел к выводу, что мы — не случайные жертвы.

— Как так?

— Маньяк охотился именно за нами. За конкретными людьми. За мной, Егором, Кеном, Наташей, Диной, Лидой и покойным Георгием.

— Полиция того же мнения, — проговорила Дина.

— Знаю. И тут мы сошлись во мнении со следствием. А вот по другим позициям нет...

— Подожди про другие позиции, — оборвал его Кен. — Почему мы не случайные?..

— Меня и Дину выманили сюда.

— Куда — сюда?

— В этот город. Я находился за границей, мне пришло письмо якобы от матери. В нем говорилось, что она перенесла тяжелую операцию и нуждается в моей поддержке. Дина получила предложение занять пост замначальника финансового отдела нашего завода. Ее пригласили на собеседование, она приехала из Москвы и угодила в ловушку.

— Не стоит и говорить, — подхватила Дина, — что заводу замначальника финансового отдела не требовался. Хотя электронное письмо было отправлено с почтового ящика секретариата. На бланке со всеми реквизитами.

— А тебя не удивило это предложение? — поинтересовалась Наташа, склонив голову набок, в очередной раз напомнив синичку. — Где ты и где завод? Они что, поближе специалиста найти не могли?

— Удивило, но не очень. Я работала на заводе. Как раз в финансовом отделе. А адрес электронной почты у меня с тех пор не изменился.

— Ты не звонила в секретариат или в отдел кадров?

— Нет. Были выходные. Письмо пришло в пятницу вечером. В воскресенье я уже была в городе.

— Ну, меня никто сюда не выманивал, — пожала плечами Наташа. — Я тут живу. Так что ничем помочь не могу.

— Меня тоже, — бросил Кен. — Я сам приехал в город несколько месяцев назад на похороны бабушки, да так тут и остался. Без чьего-то давления.

— А ты, Егор? — Паша обратился к скульптору. — Что заставило тебя приехать сюда? Ты же где-то далеко жил.

— Я приехал по собственному желанию.

— Тебя точно никто к этому не подталкивал?

— Нет же! — рявкнул Егор.

— И все равно это ничего не меняет. Просто вы находились здесь на момент...

— Стоп! — оборвал его Егор. Нахмурив высокий лоб, он пробормотал: — Я не просто так приехал... Нет, не просто! Как же я раньше-то?.. Вот дурак!

— Что такое?

— Мне же пришло письмо от нотариуса. В нем сообщалось, что родители собираются выписать меня из квартиры, чтобы лишить доли в ней! Кто не знает, я сидел. После освобождения каждому нужна регистрация. Предки, которые меня выгнали когда-то из дома, из-за чего я и покатился, решили проявить благородство и прописали меня снова. Я не жил у них ни дня, но на треть квартиры все же имею право. А после их смерти она должна целиком перейти мне. Если же они меня выпишут и лишат доли, то я получу шиш. Завещание напишут, и сыночек умоется.

— А тебе так нужна эта доля? Ты же хорошо зарабатываешь на продаже своих работ.

— Дело принципа! — Егор грохнул стакан на стол. — Но сейчас я думаю, а не липовое ли письмо было! Может, меня так же, как вас... развели?

— Так ты не разговаривал с родителями на эту тему?

— Нет. Я сразу, как приехал, пошел к адвокату.

— А письмо сохранилось? — спросил Кен.

— Нет, как получил, порвал его и выкинул.

— То есть оно было прислано по почте?

— Да.

— Все это совпадения, — тряхнула кудрями Лида. До сего момента она молчала, попивая виски мелкими глотками. — Хотя я тоже получила письмо. От нотариуса, кстати сказать. Якобы моя тетка, мамина сестра, у которой я одно время жила, умерла и оставила мне свою квартиру. Я приехала, и что же? Тетка жива!

— Ты тоже письмо порвала?

— Нет, сохранила. Сейчас оно в полиции. Только все равно я при своем мнении остаюсь — это простые совпадения.

— Не может быть так много совпадений, — не согласился с ней Паша.

— Но если допустить, что нас четверых заманили в ловушку, то... То наш маньяк обладает неограниченными возможностями. Кто он? Верховный маг какого-нибудь тайного ордена? Полковник ФСБ? Олигарх, способный нанять и мага, и фээсбэшника? Вы представляете, сколько усилий нужно приложить, чтобы узнать нашу подноготную, выяснить, на какие точки жать, потом найти нас, проживающих в разных городах... Нет, это невозможно!

— Возможно, — не согласился с ней Паша. — Главное, как ты правильно заметила, приложить усилия.

— А зачем столько усилий?

— А вот это другой вопрос. И, пожалуй, самый главный. Чем мы заслужили чью-то немилость?

— У всех есть грехи, — пожал плечами Кен.

— Да. Но нас должен объединять один, общий.

— Мы даже друг с другом не были знакомы! Какой общий грех?

— Главная версия полицейских — нас похитили какие-то сектанты. И мне она не нравится.

— Почему? — заинтересованно спросил Егор. — Версия самая вероятная. Кому мы еще сдались? Опять же не забывай про это! — Он повернулся к Паше спиной и оттянул ворот свитера.

Рисунок, который маньяк нанес Егору на шею, теперь стал коричневым. Раны покрылись задубевшей коркой.

— Полиция выяснила, что означает этот рисунок? — спросил Кен.

— Нет пока. Проверяют все сектантские символы. Но их же масса. Сейчас столько развелось повернутых на эзотерике и прочей мути...

— Можно я сфотографирую? — попросила у Егора Наташа.

— Зачем?

— Поищу его в своих книгах.

— Ты тоже... из этих? — И он повертел пальцем у виска.

— Нет, не из этих, — поджала губы Наташа. — Просто интересуюсь символами, в том числе оккультными.

— Фоткай, не жалко!

Наташа достала сотовый телефон и сделала несколько снимков.

— И что дальше? — спросил у Паши Егор. — Что еще ты хочешь выяснить, чтобы начать мозговой штурм?

— Мы должны выяснить, что нас объединяет.

— Ничего, — не раздумывая, ответил Кен. — Мы все абсолютно разные. Из разных социальных слоев. Разного возраста. Разных судеб. У нас даже общих знакомых нет.

— А может, мы просто не пытались их поискать? Нас что-то должно связывать. Что-то или кто-то! А коль мы все родом из этого города...

— Я нет! — заявил Кен.

— И я, — подхватила Лида. — Я жила здесь у тетки несколько лет, ходила в школу, и только.

— А ты, Кен?

— Я тоже ходил тут в школу. Меня бабушка воспитывала. Но я родился не здесь.

— Не суть. Наше детство прошло в этом городе. Значит, надо искать зацепки там.

— Типа, девочку или мальчика, над которой-которым мы глумились, он вырос и решил нам отомстить? — расхохотался Егор. Он выпил уже три стакана виски и был изрядно пьян. — Бред!

— К тому же киношный, — поддакнула Наташа.

— Готов выслушать ваши версии, — спокойно парировал Паша.

— У меня их нет, — заговорила Дина. — Но я согласна с Павлом. Что-то должно нас объединять. Или кто-то. Поэтому предлагаю составить нечто вроде схемы. Кто в какие годы ходил в садик, школу, мы ведь все разного возраста.

— Кто самый младший из нас? — спросил Кен.

— Наверное, я. Мне двадцать семь.

— А старшему?

— Мне тридцать девять, — сказал Егор. — Есть кто старше? Нет? Значит, я.

— Мы четверо примерно одного возраста? — задала вопрос Наташа. — В районе тридцати, так? Значит, учились в одно время. Пусть кто-то в первом, кто-то в пятом классе. Но я никого из вас не помню...

— Я помню Лиду, — выдал Кен. — Она хорошо пела, выступала часто.

— А... Это та девочка, что выиграла конкурс, и ей дали путевку в «Артек»?

— Она самая, — хмыкнула Лида.

— Но ты была совсем другой.

— Все мы меняемся.

— Значит, мы с тобой учились в одной школе. Двадцать второй. И Кен тоже, правильно?

— Нет, я в спецшколе. Она нынче называется английской гимназией.

— Буржуй, — пьяно проблеял Егор, совсем осоловевший после очередного стакана.

Тут у Наташи затрезвонил мобильный, и она, извинившись, ушла в ванную, чтобы поговорить. Вернулась спустя минуту, красная, с глазами, метающими молнии.

— Ненавижу мужчин! — выпалила она.

— За что ты нас так? — округлил глаза Кен.

— Вы все козлы.

— Все? А может, только твой муж? Ведь это он звонил?

— Нет, дочка, — выдавила она. — Говорит, папа какую-то тетю привел. И спать с ней собирается.

— И что тут такого? Вы же разведены?

— Ребенка он видит раз в месяц. Неужели нельзя своих шалав подальше держать в те дни, когда дочь у него?

— Почему ты решила, что она шалава? Может, они встречаются, у них все серьезно, и твой бывший хочет, чтобы его избранница поладила с дочкой?

— Ой, да не знаешь ты ничего! — отмахнулась Наташа. Ее настроение резко испортилось. — Пойду я. Мне одной побыть нужно. Пока!

И ушла, не оглянувшись.

— Неудивительно, что мужик ее бросил, — скривился Егор. Хоть в бутылке и оставалось виски, он больше не пил. Решил попридержать коней. Все же знал меру.

— Мне тоже пора, — сказала Дина. — У моей тетки сегодня юбилей, надо сходить поздравить. Если вы не возражаете, я вас покину.

— Ты еще в реверансе присядь, — хрюкнул Егор. — Иди, раз надо.

Она поднялась. Паша помог ей одеться.

— Я позвоню, если вспомню что-то важное, — сказала она ему.

— В любом случае позвони, хорошо?

Дина кивнула и, помахав всем на прощание, вышла за дверь. Паша проводил ее взглядом. Да таким пристальным, что Егор все понял и скорчил свою привычную гримасу. А потом закатил глаза, показывая, что не разделяет Пашиных восторгов. Дина Егору не нравилась. Его привлекала Лида. Это было очевидно, он глаз с нее не сводил.

А Паше нравилась Дина. Скромная, сдержанная, задумчивая... С пушистыми золотистыми бровями, которые неплохо было бы выщипать и подкрасить. С острыми плечами мальчика-подростка.

С бледной кожей, сквозь которую просвечивают голубые жилки. Даже с пятнами аллергии на щеках и шее Дина нравилась Паше.

И это удивляло его. Не потому, что она была чем-то нехороша. Нет. Возможно, не так эффектна, как Лида, но бесспорно привлекательна. И умна. И человек, сразу видно, хороший, цельный. Просто так сильно Паше еще никто не нравился. Даже та, что стала его женой...

— Может, передислоцируемся? — услышал он голос Кена и встряхнулся.

— Куда, например? — спросил Павел.

— Я ужасно голоден.

— Спустимся в ресторан?

— Нет, я не люблю рестораны при гостиницах. Если это не «Фо сизенс» или «Риц». К тому же хочется чего-то простого, но основательного.

— Шашлычка, — подсказал Егор.

— Да, пожалуй.

— А я бы в билльярд поиграл. Умеете?

— Я слабо играю. А ты, Паша?

— Прилично.

— Значит, идем в бильярдную, где подают шашлыки. — Егор повернулся к Лиде, которая не принимала участия в их разговоре. Думала о чем-то, постукивая по опустевшему стакану ноготками. — Красотка, ты с нами?

— Нет уж, спасибо, — наморщила она свой чудесный носик. — Я предпочитаю заведения поприличнее.

— Например? — За Лидой он готов был последовать куда угодно.

— Тебя туда все равно не пустят, — рассмеялась она. — В таком виде место тебе только в шашлычной.

— А что с моим видом? — нахмурился Егор. Похоже, он даже не замечал, как грязен его свитер, всклокочены волосы, а штаны велики.

— Глянь в зеркало — узнаешь.

— О чем она? — уставился на Кена Егор.

— Тебе не помешает причесаться и замыть пуловер, — деликатно ответил тот.

— Да? — Он опустил глаза и, казалось, только что увидел на груди пятна глины. — И правда грязный...

— Хочешь, я дам тебе чистый свитер? — предложил Паша.

— Да не надо. Этот замою... — И скрылся в ванной.

Лида тем временем поднялась с кровати. Именно так, как это делают роковые красотки в голливудских фильмах. С грацией кошки и кричащей сексуальностью опытной стриптизерши. Зазвучи сейчас музыка, ее движение можно было бы принять за па эротического танца.

На Лиде были брючки в обтяжку, высокие сапоги на шпильке и трикотажная кофточка под горло, провокационная, но не вульгарная. Поверх то ли куртка, то ли шубка — Паша не очень разбирался — связанная из тонких лоскутков меха. Ее медовый цвет выгодно оттенял загар и гармонировал с волосами. Одежда Лиды была в той же цветовой гамме, что и у Кена. Эти двое создавали невероятно гармоничный дуэт. И почему, интересно, они друг к другу равнодушны?

— Паша, проводи меня, пожалуйста, до стоянки такси, — попросила Лида, затянув пояс на своей то ли курточке, то ли шубке.

— Так, может, я тебя отвезу? — предложил Кен.

— Не стоит беспокоиться. Я прекрасно доеду на такси. — И выжидательно посмотрела на Павла.

— Да, хорошо, только куртку накину.

Он не стал говорить, что удобнее вызвать такси из номера или по сотовому. Если ей хочется дойти до стоянки, что ж... Он сопроводит ее. Благо парковка в двадцати метрах от отеля.

Они вышли из номера. Миновали коридор, спустились по лестнице вниз.

Лида резко затормозила перед дверью, ведущей в фойе, и, повернувшись к Паше, выпалила:

— А может, к черту вашу шашлычную? Поехали ко мне? Я отлично готовлю фетучини. И у меня есть дивное итальянское вино...

— Да мы вроде договорились уже, — растерянно протянул он. — Не думаю, что ребята захотят.

— А я ребят и не приглашаю, только тебя. — Она легонько коснулась его груди. И столько чувственности было в этом мимолетном касании, что по телу Паши побежали мурашки.

— Это, бесспорно, очень заманчивое предложение, но... — Он беспомощно развел руками. — Мы уже в бильярдную собрались.

— Приезжай после.

— Ничего не обещаю, Лида.

— Я от тебя этого и не требую. Но если захочешь нанести мне визит, милости прошу... — Он кивнул. — Буду ждать твоего звонка, — проворковала Лида. Затем поцеловала его на прощание. Не чмокнула, именно поцеловала. Пусть и в щеку.

— Мы вроде на стоянку такси шли, — заметил Паша.

— Я тебя умоляю! Красивые женщины не пользуются такси. Они просто выходят на улицу и поднимают руку.

И удалилась, дробно цокая каблучками и повиливая бедрами.

Как же она хороша!

Паша еле сдержал себя, так хотелось поддаться на ее заигрывания. От таких, как Лида, только дурак мог отказаться. Или импотент. Он же ни то ни другое. «Я, скорее, трус, — сказал себе Паша. — Боюсь в ней увязнуть. Подсесть на Лиду, как на наркотик. Впасть в сексуальную зависимость...»

С ним уже такое случалось. Во Вьетнаме он познакомился с девушкой из местных. Она сначала на него особого впечатления не произвела. Обычная азиатка. Среднестатистическая. Но как-то вечером, когда они компанией пошли купаться, она разделась догола и нырнула с высокой скалы в океан. Тогда Паша увидел ее в ином свете... Лунном! Ее тонкое гибкое тело, длинные черные волосы, точеный профиль...

И она показалась ему удивительно притягательной.

Девушку звали Нгует. Что переводится как «луна».

Потом они вместе плавали. Кто обнаженный, кто в купальнике и плавках. Паша остался в трусах. Но «лунная» девушка быстро это исправила. Поднырнула под Пашу и стянула их с него. А потом, обвив его шею руками, а тело стройными ногами, принялась целовать...

Сколько у него было женщин до нее... Десятки... А ни одна так не волновала.

Сексом они занялись прямо в воде. Паша не подумал ни о контрацепции, ни о правилах приличия. Он вошел в девушку по ее молчаливой, но настойчивой просьбе. Все ее тело хотело этого. Каждая его клеточка. И когда Паша вошел в нее, оно, казалось, застонало восторженно. Именно каждая клеточка тела. Потому что девушка не издала ни звука. Только зажмурилась от удовольствия...

Они провели вместе две недели. И все дни занимались сексом. Паша не мог оторваться от Нгует. Он собирался покинуть городок, где она жила, на третий день, но сил не было сделать это. Она уговаривала его остаться. Расписывала прелести совместной жизни. И делала это сразу после секса, когда Паша, размякший и довольный, лежал в ее объятиях. Пару раз он почти согласился. То есть мысленно сказал: «Да!» Но не озвучил своего согласия. Зато представил свое будущее рядом с Нгует, и она показалось ему прекрасным. Но, к счастью, по прошествии некоторого времени включались мозги. И Паша понимал, что не может остаться. Не для того он все бросил полгода назад, чтобы опять осесть. Пусть в другом месте и с другой женщиной. «Завтра же поутру соберу вещи и уеду, — говорил он себе. — Нет, сначала прощусь по-хорошему... Нгует так прекрасна после сна. И так соблазнительна...»

Он все же ушел от нее. И не утром, а ночью, пока она спала. Чтобы опять не дать слабину после того, как растворится в сладости ее до конца не пробудившегося тела. Но он еще долго вспоминал Нгует. Даже занимаясь сексом с другими, представлял ее. Всех с ней сравнивал. И хотел вернуться.

А ведь не любил! Просто желал, пусть и безумно...

Любил бы — остался.

Но Паша считал себя не способным на это сильное чувство. А теперь стал сомневаться...

После знакомства с Диной.

Глава 4

Они сидели в бильярдной и курили. Все трое. Егор смолил крепкий «Кэмел», Паша «Мальборо лайт», а Кен смаковал во рту дым кубинской сигары. Они сыграли три партии, выпили по бокалу вина и съели на троих килограмм отличного шашлыка из баранины. Заведение был непримечательным, но готовили в нем, как оказалось, прилично. Даже кофе, что они пили, был не из машины, а сварен по всем правилам поваром.

— Хорошо, — выдохнул Паша, пустив в потолок колечки дыма. — Впервые за последние дни хорошо.

— И спокойно, — согласно кивнул Кен. — Помнишь, как в детстве? Накрываешь голову ладонями и говоришь «я в домике». И такое сразу умиротворение. Будто на самом деле спрятался.

— Было такое, — улыбнулся Паша, затушив сигарету.

Егор же докурил свою до фильтра. Он более-менее протрезвел. Спасибо жирному шашлыку и кофе. А бокал вина, что он выпил под мясцо, никакой отрицательной роли не сыграл. Что такое десять градусов в бочке сорокаградусных напитков?

— Я с бабушкой рос, — продолжил Кен. — И она меня этому научила.

— Я тоже рос с бабушкой, — встрепенулся Паша. — Любил ее больше всех на свете.

— И я свою! — захлебнулся радостью Кен.

Егор покосился на них с недоумением. Вроде взрослые мужики, а ведут себя как две восторженные школьницы, только что отведавшие вкус первого поцелуя.

— Только моя умерла давно. Я во втором классе тогда учился, — сказал Павел.

— Моя недавно, — погрустнел Кен. — Я так себя ругаю, что уделял ей последнее время мало внимания. Звонил не каждый день, навещал не каждую неделю... — Он отложил сигару и кинул в рот жвачку. — Твои родители живы? — спросил он у Паши.

— Да. Только с отцом не вижусь вообще, а с матерью редко.

— А моих нет в живых. Погибли в автомобильной катастрофе не так давно.

— Прими мои соболезнования.

Кен кивнул. Но лицо его даже не дрогнуло. Ему было плевать на смерть родителей. Когда о бабке разговор зашел, он чуть не расплакался. А о маме с папой упомянули, и ни один мускул не дернулся. Выходит, не только у него, Кена, к родичам не самое лучшее отношение.

— Ребята, а я нашел между нами сходство! — воскликнул Егор.

Спутники повернулись и вопросительно уставили на Егора.

— Мы все трое терпеть не можем своих родителей.

— Я терпел, — возразил Кен. — У меня были золотые родители. Просто они жили далеко. Я их почти не знал.

— Я тоже к своим претензий не имею. А у Дины, насколько я знаю, вообще чудесные отношения с папой и мамой. Так что не то...

Паша сделал знак официантке.

— Хочу еще кофе, — сказал он собеседникам. — Будет кто?

И Егор, и Кен изволили испить по второй чашке.

— Все хотел спросить... — Паша сделал заказ, после чего продолжил: — Хотел спросить, при каких обстоятельствах вас похитили? Меня вечером, когда я возвращался от матери. В пустынном переулке.

— Меня тоже вечером, — заговорил Кен. — Очень поздним. Было уже половина двенадцатого. Я припарковался в своем дворе, вышел из машины, направился к подъезду и тут...

— Укол?

— Нет. Мне брызнули в лицо газом. Нервно-паралитическим. Я подумал, что это банальное ограбление. Ждал, что мои карманы обчистят, а тачку угонят, но...

Его красивое лицо напряглось и стало похоже на физиономию манекена, выставленного в витрине магазина мужской одежды. Егор представил себе, каково пришлось Кену, когда он осознал, что именно произошло. Мужчинка явно не сталкивался в жизни с трудностями. Рос, что та мимоза в ботаническом саду (Егор хорошо помнил стих Михалкова про изнеженного мальчика), а самым большим испытанием для него было посещение общественного туалета на вокзале. Он не такой, как Егор, бывший бездомный, наркоман, зэк. Не такой, как Паша, работяга, гонщик, путешественник. Даже не такой, как Лида-Наташа-Дина. Бабы, известное дело, мужика духом сильнее. Даже эта размазня Дина...

А Кен и не мужик, и не баба.

Мужчинка, одним словом.

Подошла официантка с подносом, начала расставлять перед ними кофе. Делала она это медленно. Но не потому, что боялась расплескать. Просто хотела, чтоб мужчины смогли лучше рассмотреть ее грудь. Вырез на платьице был глубокий, и когда девушка наклонялась, ее пышный бюст так и выпрыгивал наружу. Егор оценил его, едва зайдя в кафе. И не отказался бы пощупать и поцеловать его, но девица заинтересовалась не им, а Кеном. Именно для него и была устроена демонстрация прелестей. Да только он как будто этого не замечал. Смотрел на девушку доброжелательно, но без всякого интереса. Когда она поставила чашку перед ним, чуть не уткнувшись своей грудью ему в лицо, Кен лишь вежливо кивнул. У него даже глаз не загорелся!

«Может, гей? — предположил Егор. — Хотя вроде не похож... Я голубков за версту чую. Значит, просто сисястых не любит. Есть такие чудики, которые на кости кидаются...»

— А меня средь бела дня похитили, — заговорил Егор, когда девушка, обиженная невниманием к своей персоне со стороны заинтересовавшего ее объекта, удалилась. — Я с карьера шел. Там глина чумовая. Не серая, даже не белая, а голубоватая. Накопал я большой пакет и пошел с ним к дороге, чтоб тачку поймать и в город вернуться. Из леска грибник выходит. В дождевике с капюшоном, в сапожищах резиновых, с корзиной. Я еще подумал, странный какой. Тут отродясь грибов не было. И вот прохожу я мимо него и вдруг ощущаю острую боль. А до этого звук такой слышу — чпоньк. И сознание помутилось...

— Чем это тебя свалили? — поинтересовался Кен.

— Думаю, из какого-то специального пистолета, заряженного снотворным. Как для животных.

— Хорошая подготовка.

— Да, — согласился Паша. — Все было предусмотрено. За каждым из нас следили, вели до места, где удобнее всего отключить. Под рукой имелось средство для этого. А подали транспорт. Потому нас и отлавливали по очереди с интервалами в день, два, три и более. Ведь маньяк не мог разорваться на части.

— Все равно не пойму, почему именно мы?

— Да нипочему! — отмахнулся Егор. — Да, маньяк хватал не тех, кого удобнее, а конкретных людей... Но нипочему!

— Что ты имеешь в виду?

— Ну, скажем... — Он пощелкал длинными узловатыми пальцами с желтыми от никотина ногтями. — Ткнул наугад в телефонный справочник. Или решил каждого десятого посетителя супермаркета осчастливить.

— То есть ты считаешь, что выбор был случайным, но окончательным?

— Как-то так. Потому что не может нас что-то объединять. Даже грехи, если у вас такие имеются. Возьми нас троих. Один мажор, второй работяга, третий шпана.

— Ты уже не шпана, а я не работяга, — поправил его Паша.

— Ладно. Я — скульптор, человек искусства, а ты путешественник. Кен тот же мажор.

— Ты меня не любишь, да? — без всякой обиды спросил Кен.

— Конечно. Потому что я тебе завидую. Тебе судьба сразу отсыпала монеток. Ты из хорошей семьи, и красавчик, и бабки к тебе сами в руки идут. Кто ж тебя такого любить-то будет? Только телки...

— А то, что я в свои двадцать девять совершенно один, и у меня ни бабушки, ни родителей, никого не осталось, это тоже милость судьбы?

— Я в этом ничего плохого не вижу, ты стал наследником и бабушки, и родителей. А что один — это твой выбор. Значит, ни жены, ни детей не хочешь. Хотел бы, все было б. А ты как считаешь, Паш?

Но тот его не слышал. Он думал о своем.

— А знаете, что странно? — сказал он вдруг. — Что я вас никого не помню.

— И что из того? — скривил губы Егор.

— Просто у меня очень хорошая зрительная память. Я половину города в лицо помню.

— Значит, мы из другой половины, — пожал плечами Егор.

— Или просто сильно изменились, — добавил Кен, — и стали не такими, какими ты нас запомнил.

Но Пашу их слова не убедили. Он продолжал хмуриться и грызть зубочистку. Уже пятую. Предыдущие превратились в опилки.

— У меня было несколько сотрясений мозга, — продолжил он. — Одно очень серьезное. Даже в больнице полежать пришлось. Вот думаю, а не повлияло ли это на мою память?

— Тебя это беспокоит? — поинтересовался Кен.

— А тебя бы не беспокоило? Что, если провалы в памяти начнутся?

— А может, уже начались? — подлил масла в огонь Егор. Он обожал это делать. — Не замечал ничего такого за собой?

— Было. Но только после выписки. Когда не до конца оклемался. Последнее время... тьфу, тьфу... — Он сплюнул через левое плечо. Подумав, еще и по столу постучал.

Егору стало скучно. Эти двое его утомили своими разговорами. Хотелось встряхнуться. А так как лучшей встряской для Егора был секс, то он решил взять на ночь девочку.

Он знал «пятак», где «пасутся» лучшие городские проститутки, неподалеку отсюда. Пешком — минут десять.

— Пойду я, мужики, — сказал Егор, вставая.

— Да и нам пора, — тут же поднялся Паша. — Время уже позднее... — Он махнул официантке, подзывая ее.

— Кого подвезти? — спросил Кен, следуя общему примеру.

— Я пройдусь, — ответил Паша, взяв из рук девушки кожаную папочку со счетом. Открыв ее, он объявил: — С каждого по семьсот рублей.

Егор нахмурился. Что-то многовато! Как пить дать обсчитали.

— Дай-ка сюда... — Он отобрал у Паши счет, пробежал глазами по столбцам, затем увидел итог. — По шестьсот десять с каждого! — возмутился он. — Ты что, плохо видишь или считать не умеешь?

— Вижу и умею. А на чай?

Егор фыркнул, но на стол бросил все же пятисотку и две сотенные.

— Подбросить? — обратился к нему Кен.

— Не, я тоже пройдусь.

— Ну вы даете! А меня пешком ходить не заставишь.

— Смотри, пузо нарастишь к моему возрасту. Оно у тебя уже дрябленькое, — не удержался от укола Егор.

Засим раскланялся и покинул кафе первым.

На улице было прохладно. Зябко поежившись, Егор сунул руки в карманы и быстро, чтобы не замерзнуть, зашагал в направлении «пятака». Вообще-то пользоваться услугами проституток он не любил. Не потому, что брезговал, как некоторые. Просто денег жалел. Егор не привык на баб их тратить. Но сейчас было не до экономии. Нестерпимо хотелось секса. Да не обычного, а поострее.

Чтоб встряхнуться так встряхнуться!

— Красавчик, развлечься не желаешь? — услышал Егор хрипловатый женский голос.

Приостановившись, он обернулся.

У стены, привалившись плечом, стояла девушка. Очень высокая и красивая, в плаще с капюшоном, но он не скрывал ее форм. А губки какие! Глаз не оторвать... Не была бы проституткой — зацеловал бы.

— Че почем, красавица? — поинтересовался Егор. Хотя уже решил для себя, что даже если дорого, все равно возьмет ее. Уж очень хороша.

— Для тебя, котик, будет скидка. Ты мне нравишься.

— Так сколько?

— Штука час.

— Пойдет. — Он подмигнул ей. — Пошалим?

— Не вопрос... — И повела плечиком. Грудь от этого движения колыхнулась, и Егор понял, что на ней нет лифчика...

А может, вообще ничего? Кроме чулок?

О-о-о... Тогда она просто женщина его мечты!

— Я готов, красавица.

— Пошли... — И поманила его за собой.

— Э нет! — Он погрозил ей пальцем. — По блат-хатам не хожу. Знаю я, на что там нарваться можно.

— Гарантирую безопасность.

— Детка, я не пальцем деланный. Меня не кинешь. Давай так. Берем такси и едем ко мне. Идет?

Она покачала головой.

— Плачу двойную цену! — Егор знал, что ни одна проститутка не откажется от такого предложения.

— Могу я сделать звонок?

— Ради бога, дорогая.

— Дождись меня!

Егор кивнул. Конечно, он ее дождется. Такую принцессу!

Он понял, что она пошла звонить сутенеру. Те девочки, что снимаются на «пятаке», под одной мамкой ходят. Но есть другие, у которых своя «крыша». Или ее нет вовсе. Хотя такие на улицу редко выходят.

Минуты через три амазонка (Егор так ее прозвал) вышла из-за угла.

— Ну, что? Едем?

— Едем! — лихо крикнула она.

Егор схватил ее за руку и повел к дороге. Девушка была выше его. И это тоже ему нравилось. Вот только он никак не мог рассмотреть ее волос, их скрывал капюшон. Егору было плевать на их цвет, ему одинаково нравились и блондинки, и брюнетки, и рыжие. Но только длинноволосые. Каре он еще как-то терпел, а вот короткие стрижки его отвращали.

— Как тебя зовут? — спросил Егор.

— Матильда.

— О... Супер! Выпить хочешь?

— А чего ж не выпить?

— Что будешь?

— То же, что и ты.

— Тогда водку. От вискаря у меня отрыжка уже.

— Но сейчас поздно, не продают алкоголь.

Егор посмотрел на нее с некоторым недоумением.

— Ты любительница, что ли?

— В каком смысле?

— Все уличные девки знают, где купить бухло, наркоту и прочее...

— Я не уличная! — ощетинилась проститутка.

— Ах, простите, ваше величество, — дурашливо поклонился Егор. — Не хотел вас обидеть. — Он на самом деле не стремился к этому. Зачем ссориться с девкой, которую хочешь в скором времени отыметь. Пусть и за деньги. Среди продажных попадаются гордые (или глупые, как посмотреть) особы, которые могут заартачиться, если клиент слишком груб. Ясное дело, вся их спесь куда-то улетучивается, стоит повысить гонорар, но Егор и так цену удвоил. Сколько можно?

— Я работала в очень приличном заведении, — смягчилась Матильда. Она же Маша или Марина по паспорту. — Но нас накрыли. Поэтому пришлось выйти на улицу.

— Странно. У тебя наверняка куча постоянных клиентов, и у всех есть твой телефон.

— Боятся связываться после случившегося.

Он решил больше на эту тему с ней не разговаривать. К тому же они уже дошли до стоянки такси.

— Командир, нам бы водочки еще, — обратился к водителю Егор после того, как они забрались в салон.

Тот кивнул. И за всю дорогу не сказал ни слова. Егор обожал таких таксистов.

До дома доехали быстро — дороги в это время были пустыми, а светофоры мигали желтым. Расплатившись и взяв водку, Егор вылез из машины и повел Матильду к себе. Рассмотрев ее при свете, он не разочаровался. Хороша чертовски! Точно в приличном месте работала. Таким куколкам нечего на улице делать.

— Ну и грязища у тебя! — возмутилась Матильда, войдя в прихожую. — Ты грязь годами копишь?

— Это глина.

— А есть разница?

— Я тебе покажу сейчас...

Он завел ее в комнату и включил свет. Скульптура, «сырая», еще не законченная, стояла в углу на столе. Стол был хозяйский (квартиру он снял с меблировкой), но Егору было плевать на то, что он его испортил. Главное, на нем работалось хорошо.

— Ого! — восхитилась Матильда. — Здорово... А что это? Человек вроде?

— Название скульптуры «Обитель зла».

— Фильм такой есть.

— Да вы сговорились все, что ли? — разозлился Егор. — Тело человека — вот она, обитель зла. А не какая-то там многоэтажка, напичканная зомби. Специально посмотрел эту дурацкую киноху! — И без перехода: — Пошли водку пить!

И повел ее в кухню. Там он первым делом включил телевизор, врубив звук так, чтоб до соседей доходил. Они в восемь утра сверлить начинают, будят его, а он поздними вечерами им «алаверды».

— Может, убавить? — поморщившись, спросила Матильда.

— Еще чего!

Он достал из допотопного холодильника «Свияга» два огурца и банку консервированных вишен. Соль на столе имелась. Стаканы тоже. Только их помыть не мешало. А с другой стороны... Там та же водка была раньше. Так какого черта? И так сойдет.

— Ты почему не раздеваешься? — спросил у Матильды Егор, хлопнув полстакана.

— Прохладно.

— Капюшон хоть сними.

Она сделала, как он просил.

— Стриженая, — разочарованно протянул Егор.

— Не нравится?

— Нет.

— Ну, извини...

— Ладно, платочек тебе на голову повяжу. Буду Аленушкой представлять. — Он подтолкнул к ней стакан. — Пей.

— Что-то расхотелось мне... — И бросила взгляд на наручные часы. Очень миленькие, позолоченные.

— Время пошло, да? Бабок вперед дать, чтоб ты расслабилась? — Он засунул руку в карман и достал оттуда три тысячные купюры. — Вот тебе аванс. Остальное после. Я еще не знаю, на что ты способна.

— Это полтора часа работы по двойному тарифу.

— Я считать умею, детка. Понравишься, продлю. — Он налил себе еще, выпил. — Раздевайся!

— Могу я в ванную сходить?

— Только быстро.

Она кивнула и выскользнула за дверь. Если б деньги не остались на столе, Егор бы проследил за ней. Но раз гонорар не перекочевал в карман Матильды, она не сбежит, вернется.

И он не ошибся. Через пару минут девушка показалась на пороге кухни.

— А теперь раздевайся! — повторил свой приказ Егор.

Матильда медленно развязала пояс, расстегнула пуговицы и...

Распахнула плащ.

Егор аж зажмурился, когда увидел, что под ним.

Он угадал, Матильда надела плащ на голое тело. И чулки на ней были. Только не с резинками, а на подвязках. Сами черные, а подвязки алые, с бантами.

— Нагибайся, — хрипло прошептал Егор.

Он сам не ожидал, что так быстро возбудится. Думал заставить эту куклу поработать, но решил сначала отыметь ее традиционно, а уж потом.

О-о-о... Что он будет вытворять с этой сучкой!

Картинки, замелькавшие в голове, усилили эрекцию. Егор рванулся вперед, схватил Матильду за шею и грубо развернул к себе спиной. Она вскрикнула:

— Осторожнее!

— Молчи, сука, — прорычал Егор.

Он обожал грубый секс. Насилие над женщиной его возбуждало. Наматывать ее волосы на кулак (ему поэтому нравились длинные). Лупить по ягодицам. Кусать грудь. Таранить беспощадно...

И это только для начала!

Матильда вырвалась, отшвырнув руку Егора с возгласом:

— Мне больно!

— А ты думала, двойной тариф за просто полежать получишь? Нет, детка, придется отработать по полной...

Он снова потянулся к ней, но Матильда бросилась вон из кухни. Егор за ней!

— Стоп! — вскричала она, остановившись и выставив вперед ладони, на которые Егор налетел грудной клеткой. — Давай по-хорошему!

— Да я по-плохому еще и не начинал...

— Могу я выпить?

— Нет. Тебе предлагали, ты отказалась. — Он толкнул ее в комнату. — Часики затикали. Время пошло. Так что начинаем!

Егор увидел на спинке стула платок. Он нашел его в закромах шкафа, когда искал тряпки, чтобы вытирать руки. В квартире, что он снял, до него жила старушка. Когда она слегла, дети забрали ее к себе, а однушку сдали в аренду. Егор много бабкиных вещей на тряпки перевел. Дошла очередь до очередной...

— Повяжи голову, — скомандовал он, швырнув платок Матильде. Он не успел его выпачкать. — Концы назад.

Девушка сделала, как велели. Она вся тряслась, но подчинялась. В темном с узорами платке она стала выглядеть старше, но Егору было плевать. Лучше так, чем видеть ее мальчишескую прическу. Она все желание отбивала.

— А теперь на стул сядь, — велел Егор. — Руки за спинку. Ноги раздвинь...

Она снова подчинилась. Такая крупная, сильная, роскошная... И такая податливая!

Вся в его власти!

Егор знал, что сделает с Матильдой в следующий миг. И что будет вытворять после того, как истечет оплаченное время.

О... У него были грандиозные планы на нее!

— Не бойся, — почти ласково проговорил он. — Твоя жертва того стоит.

Егор стоял перед Матильдой в паре метров от нее. Позади него находился стол с незаконченной скульптурой. На нем нож и отвертка — ими он отсекал крупные куски глины и те, что поменьше. Нащупав рукоятку (чего: ножа или отвертки, он не знал, обе были круглыми), Егор сжал ее в руке.

К нему вместе с желанием пришло вдохновение!

Сначала он удовлетворит свою похоть, затем жажду насилия, а потом, физически опустошенный и морально заряженный, посвятит себя творчеству...

У него впереди была волшебная ночь!

Часть третья

Глава 1

Открывать глаза не хотелось. Но Лиде пришлось это сделать. Потому что разрывался ее мобильный, а найти его на ощупь было проблематично. Разлепив веки, она свесила голову с кровати. Телефон лежал возле нее на полу. Быстро найдя его, она глянула на экран. На нем светилось — «Юрочка».

Это был последний «козлик» Лиды. Раньше она именно так своих мужиков в телефонную книгу и вбивала. Каких только парнокопытных в ней не было: и бывшие, и настоящие, и перспективные, и «Мерседес», и «контрольный пакет», и «автосалон», и «лысый», и «пузо», и «ушастик». Лида не запоминала имен. Отличительные черты только. Но чаще — кто чем владел, на чем ездил. За глаза всех называла козликами, в глаза — дарлингами. Но однажды один из них увидел, под каким именем он фигурирует в ее записной книжке — «козлик-бензин» (был владельцем заправки), и так обиделся, что бросил Лиду. С тех пор она стала записывать любовников по именам.

Трубку она брать не стала. Не хотелось ей с Юрочкой сейчас разговаривать. Вот проснется, примет контрастный душ, попьет кофе, тогда и перезвонит.

Состояние Лиды в данный момент было не самым лучшим. Виной тому — принятые вчера коктейли. Выпила она их немного. Но поди узнай, что бармены местного клуба смешивают. Уж если даже за границей в ночных заведениях поят посетителей контрафактом (у нее была интрижка с управляющим самого крутого клуба в Ницце), то что говорить о провинциальных «гадюшниках».

— Зайка, отключи музыку, плиз, — услышала она сонный мужской голос. — Спать мешает...

Лида недовольно воззрилась на того, кто лежал в ее кровати. Спать? Какое спать? Пусть спасибо скажет, что сразу после секса его не вытолкали.

— Подъем! — скомандовала она, хлопнув парня по ягодице.

Он был очень симпатичным, спортивным, с уложенными гелем рыжими волосами. Даже после сна они продолжали топорщиться надо лбом. В столицах давно уже никто не носил подобных причесок. А тут, в провинции, племенные козлики сплошь укладывают волосы гелем, взбивая их на макушке.

Лида не помнила, как звали парня. Впрочем, он тоже не помнил, как зовут ее — отсюда «зайка».

— Малыш, ты слышишь? — потормошила его Лида. — Вставать пора!

Он перевернулся на спину. Загорелое тело, татуировка на груди. На животе — кубики. Точно, племенной козлик! Из лучших. Впрочем, Лида других для утех не снимала.

— Иди ко мне, — прошептал парень, не открывая глаз. Ему не хотелось вставать. Поваляться, да. Еще разок заняться сексом. А потом и позавтракать. Но Лида собралась разрушить его планы.

Она встала, нашла на полу джинсы и рубашку и швырнула их своему недавнему сексуальному партнеру со словами:

— Одевайся и вали.

Он открыл глаза и недоуменно воззрился на Лиду:

— Зай, ты чего?

— А не ясно? Зая желает, чтобы лисенок покинул норку. И немедленно.

— Ну ты и сука!

— Я знаю, — криво усмехнулась Лида.

— Могу я хотя бы душ принять?

— У тебя десять минут.

Парень встал с кровати и пошлепал в ванную. Попочка была у него упругая, и Лида подумала было, а не оставить ли ей «лисенка» на часок. Но отбросила эту мысль. Потом точно не выгонишь!

Пока парень мылся, она готовила кофе. Она любила круто сваренный, с ложкой сахара и долькой лимона. Обычно Лида сначала шла под душ, а уж потом на кухню, но раз ванная занята... Что ж теперь?

Паренек помылся быстро. Так же скоренько оделся и ушел, не сказав Лиде ни слова. Она только хмыкнула, когда за ним захлопнулась дверь.

Сколько их было до него... Не счесть! Пожалуй, ее можно назвать шлюхой, потому что на руках и ногах пальцев не хватит, чтобы сосчитать всех ее мужиков. От секса с ними она обычно получала удовольствие в восьмидесяти процентах из ста. Потому что была темпераментной и знала, чего хочет от самого процесса. А вот когда он заканчивался... Все происходило не так, как Лида жаждала. Мужчины не обнимали ее крепко, не целовали нежно, не говорили, какая она замечательная и что они наполнены эмоциями после фантастического секса с ней. Они лежали рядом, отдыхая, в лучшем случае лениво поглаживая ее бедро, и думали о чем-то своем. Возможно, о том, как им повезло, что такая клевая телка дала им. Теперь можно поставить себе плюсик, а друзьям похвалиться.

А Лида думала о том, что больше не даст ни одному из них. Потому что кроме оргазма существует такое понятие, как эмоциональное удовлетворение. А вот его она и не получала. Но и без физического долго жить не могла. Поэтому снимала тех, кто удовлетворил бы ее потребности, и чувствовала себя... даже не сукой — кобелем. Эдак у меня скоро яйца вырастут, мрачно думала Лида, уводя из ночного клуба очередного смазливого и накачанного паренька.

Попив кофе, Лида отправилась в душ. Скинув с себя халат, встала перед зеркалом. Свет в ванной комнате был яркий, он никого не щадил. Все изъяны сразу в глаза бросались. Но к телу своему у Лиды претензий не было. Идеально! А вот лицо немного поплыло. Подбородок не такой четкий и под глазами небольшая отечность. После контрастного душа, тонизирующей маски и легкого массажа лицо станет намного свежее. А когда Лида нанесет макияж, засияет. Это если и успокаивало, то не сильно. Еще не так давно Лида выглядела безупречно и по утрам: не накрашенная, порой с перепоя. Но годы идут...

Ей уже за тридцать!

Скоро никакие маски помогать не будут. Придется подкалывать ботокс и рестилайн. А дальше что? Круговая подтяжка?

При мысли об операции Лиду передернуло. Она боялась больниц, пусть и косметологических.

Впрочем, как и просто уколов. На простейшие инъекции красоты тоже нужно решиться.

Она встала под душ. Включила сначала теплую воду, чтобы немного расслабиться. Пока водяные струи ласкали ее тело, Лида думала о Паше. Он ей нравился... Чертовски, надо сказать, нравился!

В нем чувствовался мужчина. И это привлекало.

Плохо то, что Паша на нее не среагировал. А положил глаз на ничем не примечательную Дину. Пожалел! Ей было хуже, чем остальным. Некоторые мужики через жалость влюбляются, Лида это знала. Но никогда не пыталась казаться слабее или несчастнее. Даже ради достижения своих целей. Таков был ее принцип.

Вчера Паша так и не позвонил ей! Потому она и напилась, и сняла первого, кто показался ей привлекательным...

Она повернула кран и врубила ледяную воду. Затем — горячую. К контрастному душу она себя долго приучала. Первое время ничего, кроме муки, принимая его, не испытывала. Но потом поняла, в чем кайф. Душ ее не просто бодрил, он привносил дополнительный драйв в ее жизнь. Как стопка абсента или прыжок с тарзанкой. Как мультиоргазм. Как дорожка кокаина...

Вот только контрастный душ и для здоровья не опасен, и в отличие от мультиоргазма гарантирован ежедневно!

Приняв его, Лида выбралась из ванны. Квартиру, в которой она сейчас находилась, сняла через Интернет. Думала, на неделю, а получилось на гораздо больший срок. Причем на какой именно — неведомо. Хата (а как ее еще назвать, если сдавалась в основном по часам) Лиде не нравилась. Один дизайн — дешевая подделка под «ампир» — чего стоил! Плюс санузел совмещенный и балкон не застеклен. А она так любила выйти поутру на лоджию, сделать зарядочку. Да обязательно обнаженной, чтобы ничто не сковывало движений...

В большом городе она жила в шикарной квартире на набережной. С балкона такой вид открывался, что дух захватывало! Еще у Лиды был домик в Греции. Она туда очень редко наведывалась, но в скором времени собиралась перебраться на ПМЖ. Денег она отложила достаточно, чтобы не беспокоиться о завтрашнем дне. Нет, у нее не было миллионов. Но на сносную жизнь процентов с вклада вполне хватит. Лида еще в прошлом году перебралась бы в Грецию, да не с кем было. Одной не хотелось. Домик находится на чудесном острове Кос, в тихой деревушке. Природа потрясающая. Воздух чистейший. Море рядом. Кругом оливковые и гранатовые деревья. Но скука... Даже летом, в сезон. Одна таверна, магазин, в десяти километрах спортзал и кинотеатр. В двадцати километрах центр курортной жизни, но и там все зимой замирает.

Когда Лида покупала домик, думала переехать в него с мужчиной. На тот момент был у нее сердечный друг. Не козлик очередной, а именно мужчина для души. Моложе ее, красивый, спортивный, невероятно обаятельный. Она «поплыла» сразу, как только с ним познакомилась. И случилось это в банке. Он там служил, а она пришла открывать счет в конце рабочего дня. И Лида дождалась, когда красавчик закончит, предложила его подвезти. Но он сам был на машине — скромненькой корейской малолитражке. Однако от совместного ужина не отказался. В тот же вечер они уже сидели в рыбном ресторане на набережной и ели кальмары и креветки, приготовленные на гриле. По счету платил он, хотя Лида пыталась протестовать.

Ночь они провели в ее квартире. А утром она приготовила завтрак. Редкий мужчина удостаивался такой чести!

Лиде было с ним очень хорошо. Так хорошо, что она собиралась послать всех своих козликов, бывших, настоящего, будущих (в разработке было аж трое), и уехать на Кос со своим сердечным другом. Она предложила ему это, но...

Но он отказался. Ему для полного счастья одной ее оказалось недостаточно. Хотелось состояться в карьере. Лида его поняла. И зауважала еще больше. Только потом выяснилось, что не только работа его держала. Еще и девушка, на которой он собирался жениться. Они встречались со школы. И своей женой красавчик видел только ее. А Лида... Она фантастическая. Она драйв. Как стопка абсента, прыжок с тарзанкой или дорожка кокаина. Она — множественный оргазм, диковинка, неведомая мужчине. Она для тела и души...

Но не для брака!

Она порвала с ним. Но ее не сразу оставили в покое. Банковский клерк, уже женатый, донимал Лиду звонками, желая возобновить отношения. Хотел видеть ее в качестве своей любовницы. Подсел на нее, как на кокаин. А она-то хотела, чтобы ее просто любили.

В то время экс-любимый получил повышение, стал управляющим. С него можно было что-то поиметь. Но Лида не согласилась бы с ним встречаться даже за миллион! И она пригрозила: если он не отстанет, расскажет жене. На этом все закончилось. А чтобы не терзать себе душу, Лида сняла все деньги и положила их в другой банк.

* * *

Яичница с беконом, два куска ржаного хлеба с отрубями, йогурт и чашка кофе — таков был ее завтрак. Лида любила поесть. Особенно утром. Знала, что завтрак «сгорит», и позволяла себе любые вольности. Ужин ее обычно был гораздо скуднее.

Поев, она взялась за телефон. Первым делом позвонила «козлику». Разговаривала недолго. Он сразу наезжать стал, почему не отвечала и вообще, чего так надолго зависла, и она бросила трубку. Следующий звонок сделала не по обязанности — по желанию.

— Доброе утро, — поприветствовала она мужчину, чей голос ей так приятно было слышать.

— Доброе, — откликнулся он.

— Не разбудила?

— Нет, что ты! Я рано встаю.

У него был очень красивый баритон. Лида всегда обращала на голос внимание. Ей не нравились ни высокие, ни низкие. Хрипловатые, как у Высоцкого, тоже казались не сексуальными. Шею таких мужчин ей хотелось обмотать шарфом, усадить их на диван, укрыть пледом и дать в руки чашку горячего чая с медом.

С Пашиным голосом он вполне мог стать радиоведущим...

Именно ему, Паше, Лида и звонила.

— У меня возникла мысль! — выпалила она.

— Поделись.

— Обязательно, но при личной встрече. Я коечто вспомнила. Мне кажется, это важно. Надо проверить.

— А ты хотя бы намекнуть не можешь?

— Я знаю, где искать след.

— Даже так?

— Не поручусь, что он найдется, но...

— Хорошо, давай во второй половине дня встретимся? Или это очень срочное дело?

— Нет, оно подождет, — улыбнулась Лида. Она хотела встретиться с Пашей ближе к вечеру. Ничего она не вспомнила, про след, который знает, выдумала, но надеялась сочинить что-нибудь в течение дня. — Поэтому предлагаю созвониться часа в четыре. Хорошо?

— Договорились.

На этом они распрощались.

Лида в прекрасном расположении духа направилась к шкафу. Хотела выбрать наряд на вечер: и сексуальный, и не вызывающий. Вещей Лида взяла с собой немного. Всего один чемодан. Не думала, что здесь задержится.

А главное, что встретит мужчину, который западет ей в душу.

Затрезвонил телефон. Лида, скорчив гримасу, глянула на экран. Неизвестный номер. Отвечать не хотела, но подумала: а что, если из полиции?

— Алло.

— Не соскучилась еще по мне?

— Кто это?

— Дэни.

— Кто?

— Мы с тобой провели вместе умопомрачительную ночь, а ты даже не помнишь моего имени?

— Секс — не повод для знакомства, — пробормотала Лида. И уже громко спросила: — А ты помнишь мое имя?

— Конечно. Анжелика.

Да, Лида обычно именно так и представлялась мужчинам, с которыми не собиралась затягивать отношения дольше, чем на ночь. Остальным говорила свое настоящее имя. С возрастом она его полюбила и решила, что оно ей больше подходит, нежели Анжелика.

— Ты чего звонишь? — сурово спросила она.

— Встретимся еще?

— Я подумаю...

— Давай сегодня?

— Нет.

И отключилась. Однако номер удалять не стала. Мальчик ладный, сексуальный, авось пригодится.

Едва замолкли гудки, телефон вновь зазвонил. Козлик-Юрочка никак не угомонится? Но нет, номер не его.

Брать — не брать?

Не брать, решила Лида. И вернулась к вещам.

Но тут в дверь позвонили.

— Да что ж такое-то! — простонала она. — Кто там еще? — крикнула Лида, натянув на себя джинсы. До этого она была в одной майке.

— Полиция, — услышала она. — Откройте, пожалуйста.

И Лида, на ходу застегивая «молнию», потрусила в прихожую.

Глава 2

Наташа проснулась, когда еще солнце не встало. Нащупав телефон, поднесла его к лицу, чтобы посмотреть, который час. Пять! Как же рано...

Она полежала минут двадцать, надеясь, что дрема вновь окутает ее, но этого не случилось. Пришлось вставать и брести на кухню, чтобы поставить чайник. Кофе Наташа не пила — ей был отвратителен его вкус, хотя запах нравился — и бодрила себя «Ахматом». Покупала только его. Другие, пусть и более дорогие чаи, не признавала.

Когда вода закипела, Наташа заварила чай прямо в чашке. Пока он настаивался, листала каналы. Везде шла какая-то ерунда. Пришлось идти в комнату, включать проигрыватель, ставить диск. «Тельма и Луиза» — любимый фильм Наташи. Она смотрела его раз пятнадцать, и он ей не надоедал. Прихлебывая чай, она следила за действиями героинь. Когда в кадре появился молодой Брэд Питт, она прилегла и не заметила, как уснула.

...И снова кошмары! Из-за них она спала урывками.

Однако когда пробудилась, оказалось, что прошло много времени. Уже не только рассвело, солнце успело высоко подняться и светило в окно, озаряя комнату.

Наташа отправилась на кухню и заварила себе еще чаю. Надо бы поесть, но не хотелось. Она вообще ела немного, а в последние дни перешла на рацион Дюймовочки. Только вместо зернышка — булочка. Она любила мягкий белый хлеб. Предпочитала его любому изысканному лакомству. Кто-то ел его с колбасой, сыром, маслом, джемом, икрой, наконец, а она обожала сам хлеб. Только он должен быть свежим. Наташа покупала его по утрам. И порой еще теплый. Тогда она съедала его по дороге домой или на работу...

Мысли о свежей булочке пробудили Наташин аппетит. Но топать за ней не хотелось. И она достала из хлебницы батон, нарезала его и стала делать гренки. Молоко, немного сахара и яйцо. Все взболтать, обмакнуть куски хлеба и поджарить на сливочном масле. Этому рецепту Наташу научила бабушка. Она считала, что если на гренку еще и сгущенку намазать или варенье, то получится пирожное не хуже, чем магазинное.

Наташа поела, без особого, правда, удовольствия. Выпила чашку чая. Потом позвонила дочери. Она безумно по ней скучала. Не хотела расставаться с ней. Но так как желала своей девочке только лучшего, отвозила ее к отцу. У ребенка должны быть оба родителя!

Поговорив с Дашей, Наташа не убрала телефон. Открыла папку с фотографиями и посмотрела на последнюю. На ней был запечатлен рисунок, вырезанный на шее Егора. Квадрат, внутри которого помещен круг, а в нем еще один круг, но крохотный.

Бессмыслица!

Хотя...

Смысл можно вложить во что угодно. Она-то это точно знает.

У их секты, например, эмблема была и того глупее. Круг, в который заключена перевернутая буква «Т». Но все ее члены знали, что это означает. Вертикальная полоса — символизирует пенис, горизонтальная — острое лезвие, а вместе — кастрацию.

Наташа была членом секты мужененавистниц.

Попала она в нее случайно. Как, наверное, это обычно и бывает.

Ненавидеть сильный пол она начала, еще будучи замужем. Хотя, возможно, и раньше, просто об этом не думала. Но когда узнала, что ее муж, похотливая скотина, продолжает шастать на оргии, в ней все всколыхнулось. Был мир, нормальный, привычный. В нем небо находилось сверху, почва снизу, из нее росли деревья, тянущиеся своими верхушками к солнцу, а дождь и снег падали вниз. И вдруг...

Мир перевернулся! Она смотреда на него и ничегошеньки не понимала. Как так? Почему все стало иным? Встало с ног на голову?

Если бы не беременность и рождение дочери, Наташа, наверное, сошла бы с ума. Она замечала за собой странности. Не только дождь теперь не падал, а уносился в коричнево-зеленые небеса, люди ей виделись то похожими на животных, то на предметы, то на... овощи! Например, вместо своего мужа она видела репу. Корнеплод, затянутый в костюм, с коротко остриженной ботвой и длинным хвостиком-пенисом. Наташа обратилась к психологу. Но он, а это был мужчина, напомнил ей детскую пирамидку. Маленькая голова, узкие плечи и очень тучный низ. Возможно, доктор был умен и смог бы ей помочь, но она не решалась доверить свои тайны ребячьей игрушке.

Материнство почти излечило ее. Отвлекло уж точно. Наташа, получив от мужа главное — ребенка, — перестала думать не только о нем, но и обо всех мужчинах в целом. Они перестали ее интересовать. Но только до поры...

Когда дочка пошла в детский сад, а Наташа вернулась на работу, с мужчинами пришлось сталкиваться каждодневно. Она старалась держаться от них на расстоянии, но однажды...

Бывает, что видишь человека и понимаешь — твое!

Наташа выбежала из своего кабинета (ее назначили начальником склада) и нос к носу столкнулась с мужчиной. Нос к носу получилось потому, что он присел у двери — уронил накладную и за ней наклонился. Но едва он разогнул колени, как стало ясно, что он очень высок. Метр девяносто — минимум. А тут Наташа, ростом сто пятьдесят семь.

— Вы ко мне? — спросила она строго.

— Если вы Наталья Петровна, то да.

— Это я. Только я на обед убегаю.

— На минуточку не задержитесь?

Наташа сурово покачала головой.

— А я вас потом отвезу, куда скажете.

И так обезоруживающе улыбнулся, что Наташино сердце дрогнуло.

— Хорошо, пойдемте.

Она взяла его бумаги, пробежала по ним глазами.

— Лаврентьев? Ваша фамилия Лаврентьев?

— Совершенно верно.

— А зовут? Только инициалы?

— Георгий.

— Надо же, Жорка! — И она рассмеялась. — Я Натуся. Не помнишь меня? Мы же в одном дворе выросли.

В его голубых глазах вспыхнула радость узнавания.

— Туся! — просиял Георгий. — Надо же, как ты изменилась! Вроде высокая была. И упитанная! А сейчас как воробушек...

— Не называй меня так.

— Мать, на воробушка не обижалась даже Эдит Пиаф!

Он обнял ее. Наташа угодила Жоре как раз под мышку.

В детстве она ему очень нравилась. А вот он ей — не особенно. Наташа тогда рассматривала других мальчишек на роль своего будущего мужа. То отличников, то хулиганов, а Георгий был середнячком. Ни плохим, ни хорошим — обычным. И внешне не выделялся. Это сейчас он обращал на себя внимание. Высоченный, с копной светлых волос и широкой белозубой улыбкой, он наверняка нравился женщинам. А вот в детстве был невзрачным и ростом с Наташу. Но ее подкупало то, что Жора был от нее без ума. И она ходила с ним за ручку, если никто не видел, и даже позволяла целовать себя на прощание в щеку. Во дворе их все дразнили женихом и невестой. Жора, услышав это, густо краснел. А Наташа гордо поднимала подбородок. Невестой быть, пусть и при неподходящем женихе, ей нравилось.

— Ты где пропадал все это время? — полюбопытствовала она. — Вы как с семьей переехали, так я больше тебя не видела.

— И я тебя. Хотя городок-то у нас маленький...

— Как твои дела?

— Все хорошо.

— Семья, дети?

— Есть сын. Жена... Бывшая. А у тебя как?

— Есть дочь. Муж... бывший, — в тон ему ответила Наташа.

— Так, Туся, давай подписывай мою бумагу, и поедем обедать. Я обещал, это раз. Два, я тоже хочу есть. Три, сгораю от желания поболтать с тобой в более приятной обстановке.

Она не глядя подмахнула документы. И отправилась с Жорой в кафе.

То, что это ее мужчина, она почувствовала, едва столкнулась с ним нос к носу, а когда узнала его, уверилась в этом. Случайных встреч с бывшими не бывает!

Они съели по бизнес-ланчу и о многом поговорили. Час пролетел незаметно. Не хотелось расставаться. Договорились встретиться завтра в том же кафе.

Утром следующего дня Наташа впервые подкрасилась. И долго думала, что надеть на работу. Оказалось, что совершенно нечего. Да и косметика почти вся негодная — просроченная. Совсем Наташа в последнее время забыла о том, что она женщина.

Они встретились перед обедом, как и вчера. Потом поехали в ресторан. И болтали, и смеялись.

Так продолжалось неделю, пока Жора не решился пригласить Наташу и на ужин.

Это была суббота. Дочка ночевала у отца. И после ужина Наташа позвала Жору к себе. У нее давно не было секса. После развода она им не занималась. Да и до... То, что происходило в постели между ней и мужем последнее время, сексом назвать язык не поворачивался. Случка скорее. Никаких эмоций, а желание лишь одно — забеременеть.

С Жорой все было иначе. И эмоции присутствовали. И желание получать и доставлять удовольствие.

Они стали встречаться, но тайно. Жора официально был не разведен, они просто с супругой не жили совместно, но он не хотел давать повод для сплетен. К тому же ребенок жил с ним. В общем, они с Наташей обычно обедали, иногда ужинали и одну ночь в неделю проводили вместе. Когда у Наташи, когда на квартире Жориного друга, порой в гостинице. К себе он ни разу ее не водил. Что неудивительно, там был сын. Уже довольно большой, десятилетний.

Еще они часто встречались на Наташиной работе. У Жоры была крупная торговая точка на строительном рынке, где он продавал сантехнику, и затаривался он именно на их складе.

Когда их отношениям исполнилось три месяца, Наташа стала мечтать о совместном проживании. Замуж она уже не хотела, но иметь рядом с собой любящего и любимого мужчину — да. Она расцвела рядом с Жорой. И все это заметили. Даже бывший муж. Спросил, что она сделала с собой, не на уколы ли красоты разорилась, уж очень свежей и молодой стала. Наташа только улыбалась в ответ. Где ему понять, что делает женщину прекрасной? Он-то только на похоть способен, не на любовь...

Наташа уже продумывала, как сделать Жоре предложение, когда грянул гром!

Вскрылась огромная недостача. Когда стали выяснять, откуда появилась такая «дыра», оказалось, что есть злостный неплательщик, которому каким-то чудом товар отпускался даже без частичной предоплаты. Долги его все росли и практически не погашались. И, главное, все документы оказались в порядке. С подписью начальника склада и печатью.

Не стоит и говорить, что злостным неплательщиком был Жора. Наташа подмахивала ему документы не глядя. Доверяла. За что и получила!

Георгий объявил себя банкротом, и его долги повисли. Конечно, суд обязал его выплатить их, но все понимали, что никаких денег их склад не увидит. Они будут поступать такими малыми партиями, что львиную долю сожрет инфляция. Наташу тоже оштрафовали. Серьезно. И она понимала, что за дело. Ее вина была неоспорима...

А горе...

Горе безгранично!

Даже бывший муж, тот еще гад, так низко с ней не поступал. Изменял, врал по малости, недоговаривал... Но не лгал беспринципно. Не кидал. И не говорил, что любит, когда ею пресытился.

Наташа попыталась встретиться с Гошей, чтобы поговорить, но он где-то отсиживался. Жена, как оказалось, проживающая вместе с ним, не знала, где он. А скорее, делала вид.

Как Наташа переживала эту историю, никто не знает. Даже руки на себя наложить хотела. Не было бы дочери, так бы и сделала. Но она жила ради своей девочки, поэтому превозмогла себя.

Хорошо, что свои отношения с Жорой она скрывала. Так было хотя бы менее позорно. Все решили, что Наташа просто лоханулась, причем не единожды. Но что ослепла от любви, никто не думал.

Как-то Наташа, вся погруженная в переживания, шла по улице и налетела на женщину. Извинилась, конечно. Собралась двинуться дальше, да та ее задержала.

— Вам плохо? — спросила она.

— Нет, со мной все в порядке...

— Не в порядке, — уверенно возразила незнакомка.

Наташа пригляделась к ней. Пожилая стройная брюнетка. Прямые волосы затянуты в хвост. На глазах тонкая угольно-черная подводка. Губы бледные, морщинистые, но красивой формы. Их бы накрасить умело, но женщина только бальзамом их мазала, чтоб не сохли.

— Вас как зовут? — спросила незнакомка.

— Наташа.

— А я Дельфия.

— Как-как?

— Дельфия, — повторила женщина. — Это греческое имя. У меня отец грек. Но друзья меня называют Фи-фи.

— Очень приятно.

— Вы торопитесь?

— Не очень.

— Тогда, может быть, чаю попьем? Я тут магазин держу неподалеку. Если обернетесь, то увидите его вывеску...

Наташа глянула через плечо и нашла глазами вывеску «Чаша».

— Это винный? — спросила она.

— Винный? — Дельфия рассмеялась. — Что вы, нет!

Она взяла Наташу под руку и повела к «Чаше». Ладонь у нее была горячей. Возможно, даже слишком. Как будто у Фи-фи температура. Но ее жар казался приятным. Ласковым.

Они зашли в магазин. Некогда это была обычная двухкомнатная квартира. Ее переделали под торговую точку. Наташа не посмотрела на ассортимент товара, только на продавца — очень крупную красивую девушку, ростом не меньше метра восьмидесяти. Размера, наверное, пятидесятого. Но никто бы не назвал ее толстой. Жира — минимум. Широкая кость, прекрасные пропорции. А лицо... Лицо точно другой женщине принадлежит, более хрупкой, утонченной. Узенькое, скуластое, с огромными глазами и маленьким ртом. Лицо как у девушки-эльфа, тело как у воинственной амазонки.

— Это Дарья, — представила продавщицу Фифи. — Чудесная девушка...

— О, мою дочь так же зовут! — воскликнула Наташа и сразу прониклась к продавщице еще большей симпатией.

— А вас?

— Наталья.

— Очень приятно.

Они обменялись улыбками. Дельфия обратилась к Даше с просьбой:

— Заваришь нам своего фирменного?

Гренадерша кивнула. Дельфия провела Наташу в свой кабинет. Он оказался крохотным, полтора метра на полтора. Наверняка когда-то это была кладовка. Фи-фи усадила Наташу на стул, сама опустилась рядом с ней на корточки, взяла ее ладони в свои. Заглянув ей в глаза, попросила:

— Расскажи мне все...

И Наташа, к своему удивлению, начала перед Дельфией исповедоваться. Она выложила ей все. Раскрыла все свои тайны. Даже о том, где познакомилась с бывшим мужем, рассказала.

От всех этот позор скрывала, а Дельфии призналась. Было в ней что-то такое... Наташа даже не знала, как объяснить... Мягко-властное, что ли? Она не давила, а скорее поощряла. Поглаживаниями, кивками, ласковой улыбкой. Однако взгляд ее был пристален, глубок, подавляющ, как у гипнотизера. Под ним Наташа теряла волю. Но это не страшно, даже приятно, оказаться под властью такой удивительной, сильной, мудрой и все понимающей женщины.

Когда Наташа закончила, открылась дверь, и в кабинет вошла Дарья с подносом. Двигалась она на удивление грациозно. Как танцовщица. Мягко ступая, она поставила поднос на маленький табурет и тут же удалилась.

— Выпей, — предложила Дельфия Наташе. — Это имбирный напиток. Очень вкусный. И нервы успокаивает.

Наташа взяла чашку, сделала осторожный глоток — напиток был горячим.

— Потрясающе, — выдохнула она.

— Даша научилась его заваривать в Таиланде. Она в Бангкоке жила целый год.

— Что она там делала?

— Работала.

Позже, когда Наташа лучше узнала и Дельфию, и Дашу, выяснилось, что работала девушка стриптизершей, иногда отдаваясь самым денежным посетителям клуба. В Бангкок она уехала за любимым, но тот обманул ее и бросил. Да еще свой карточный долг на нее повесил. Пришлось отрабатывать. За год сумела расплатиться и вернуться в Россию.

В секте много было таких, пострадавших от мужского вероломства. Но не все. Некоторые оказались просто неудачницами, не нашедшими своего женского счастья и ополчившимися из-за этого на весь сильный пол. Таких Дельфия, основательница секты и верховная жрица, редко принимала в члены. Только если они были особенно ей полезны. Например, одна из женщин, дочь ювелира, который не так давно скончался и оставил ей приличное состояние, очень помогала деньгами. Другая владела просторным загородным домом, где они проводили обряды. Третья работала в кадастровой палате, а такие люди всегда пригодиться могут. Если не секте, то самой Дельфии.

Про нее же саму Наташа ничего не знала. Вообще! Как и никто из сектанток. Возможно, Дарья владела какой-то информацией, но она ее не разглашала. Была очень Фи-фи предана. Наташа не сомневалась, что Даша может даже убить за нее. Порвать своими могучими руками, затоптать ногами сорок третьего размера...

Она была больше чем правая рука Дельфии. Больше чем подруга. Раба! Но раба любви...

Кто-то из сектанток как-то предположил, что Фи-фи и Даша состоят в интимных отношениях. Наташа сомневалась в этом. Но не в чувствах молодой женщины к зрелой.

...Зазвонил телефон. Наташа вздрогнула и едва его не выронила из рук. Погрузившись в думы, она совсем выпала из реальности.

Звонила Дельфия. Она как будто чувствовала, что о ней вспомнили.

— Здравствуй, дорогая, — поприветствовала она Наташу.

— Здравствуй.

— Как ты?

— Нормально.

— Не собираешься сегодня в «Чашу»?

— Нет, а что?

— Нужно обсудить кое-что. Я бы сказала, жизненно важное.

— Что такое?

— У нас проблемы.

— Хорошо, я буду, — обеспокоенно выпалила Наташа.

— Тогда до встречи, дорогая.

— Пока, — прошептала она, нажимая на кнопку отбоя. Затем сказала самой себе: — Началось...

Глава 3

Кактус, подаренный Пашей, стоял у компьютера и радовал уставшие Динины глаза. Она просидела за монитором несколько часов и чувствовала себя совершенно разбитой. Болела спина, шея, а под веки будто песок забился — стало больно моргать. Дина потерла глаза подушечками пальцев, но это не помогло. Нужно выключить компьютер и идти спать, однако она осталась за монитором, чтобы закончить начатое...

Она составляла картину преступления.

Вернее, преступлений. Похищения, лишение свободы, нанесение вреда здоровью и в конечном итоге убийство. Дина записывала все, что могла вспомнить. Каждую деталь. Строила схемы. Чертила графики. В итоге так ничего для себя и не выяснила. Но надеялась на озарение. Главное, не отступать...

Разве что сделать небольшую паузу. Дине очень хотелось чаю. С шоколадом — он для мозга полезен. Да и просто вкусный. Дина не была сластеной, но от молочного шоколада с орехами никогда не отказывалась. Можно попить чай на балконе. Подышать воздухом и дать глазам отдохнуть.

Она решила так сделать. Поставив чайник, начала рыться в подвесном шкафчике, надеясь найти шоколад. Но отыскала только халву и печенье. Дина приуныла, но тут вспомнила, что покупала большую плитку шоколада в тот день. А точнее, утром. Хотела вечером полакомиться. Но не успела...

У Дины, как у большинства девушек, было несколько сумок. Она не сразу вспомнила, с какой тогда покидала квартиру.

— Это было утром, — вслух рассуждала Дина, роясь в шкафу-купе, что стоял в прихожей. — Я вышла из дому, дошла до остановки, купила воды и шоколадку в палатке, а потом поехала в центр... Зачем?

И тут она вспомнила!

Сиреневая сумка. Под кеды и серую ветровку. Дина редко по-спортивному одевалась. Ей нравился офисный стиль. Но в тот день, а вернее, утром эта одежда оказалась как нельзя кстати.

Дина открыла сумку и обнаружила в ней шоколадку. А еще сложенную вчетверо бумажку. На ней четким почерком был записан адрес: «Проспект Революции. Дом 64. Магазин «Чаша».

С шоколадкой и листком Дина прошла в кухню. Рассеянно заварила чай. Она думала...

Через пару минут она встрепенулась, взяла с холодильника телефон, который почему-то всегда бросала именно на него, и набрала номер Паши. Он ответил мгновенно.

— Не поверишь, — засмеялся он, — но я только что собирался звонить тебе.

— Привет.

— Здравствуй.

— Ты ничем сейчас не занят?

— Нет пока.

— Давай увидимся. Я хочу рассказать тебе кое-что. Возможно, это важно.

— Хорошо. Где тебе удобно? И когда?

— Давай в центре через час?

— Хорошо, где именно?

— На проспекте Революции. У памятника. Знаешь, где это?

— Конечно.

— Тогда до встречи.

Отсоединившись, Дина отключила компьютер, оделась и вышла из квартиры. Ни о чае, ни о шоколадке она и не вспомнила.

* * *

Она ждала Пашу у памятника. Как всегда, приехала раньше назначенного часа. У остановки купила слоеный пирожок и кофе и сейчас завтракала, сидя на лавочке.

Паша оказался таким же пунктуальным, как и она. За пять минут до назначенного времени он появился на дорожке, ведущей к памятнику революционерам. Он был одет в ту же куртку. На глазах темные очки. Волосы стали короче, видно, сходил с утра в парикмахерскую. В детстве, насколько Дина помнила, он носил челку...

О да, она его помнила!

Дина не призналась в этом. Но она на протяжении половины своей жизни следила за Пашей. Заметила его, когда еще в детский сад ходила, в младшую группу. Он частенько проезжал на велосипеде мимо ее дома (они с родителями жили тогда в старом двухэтажном доме на рабочей окраине). Он несся всегда на бешеной скорости. Волосы его трепал ветер. Серо-зеленые глаза сверкали восторгом и любопытством. Дина, как и все девочки ее возраста, игравшая сама с собой в принцесс и королей, решила, что велосипедист будет ее рыцарем. Вон у него и конь есть!

Когда он перестал ездить мимо ее дома, Дина захандрила. Она почти полюбила Пашу (тогда она, конечно, не знала, как зовут мальчика, поэтому дала ему имя — Филипп, оно казалось ей красивым), и ей нравилось ждать его у калитки, встречать, провожать глазами...

Когда Дина пошла в школу, надеялась, что там учится ее Филипп. Но нет. Сколько бы она ни носилась в перемены по коридорам, так его и не увидела. Дина стала его забывать, когда судьба (конечно же она!) столкнула их вновь. Дина простыла, и мама возила ее на прогревание. Вот в поликлинике она его и встретила. Рыцарь ее передвигался с трудом, опираясь на костыли. Дина плакала дома, вспоминая об этом. Ах, если б она не была такой забитой, то обязательно подошла бы к Филиппу и утешила его. Но она не решилась. И опять потеряла его из виду на долгое время.

Третья встреча состоялась спустя годы. Паша уже вернулся из армии. Дина доучивалась в школе. Подруга пригласила ее на гонки, в которых участвовал ее парень. Они проходили за городом, на специальной трассе. Дина не очень хотела ехать, она не любила подобные мероприятия, но погода радовала, и она решила просто прогуляться. Не обязательно же на гонки смотреть, можно просто побродить по лесу.

Но едва Дина оказалась на месте, как желание бродить испарилось. У одной из машин она увидела его. Своего рыцаря... Филиппа.

— Ты знаешь этого парня? — спросила она у подруги.

— Видела пару раз. Он очень экстремальный гонщик. Безбашенный.

— Как его зовут?

— Паша.

Дина издала вздох разочарования. Паша? Всего-навсего? Какое обычное имя! Не Филипп? Ни даже, что более привычно уху, Эдуард?

Паша...

Но Дина, произнеся про себя это имя несколько раз, распробовала его вкус и поняла — оно ей нравится.

Паша...

Мягко звучащее, плавное... Зефирное.

Она ассоциировала имена с пищей. Даже свое. Оно было как фруктовый лед.

Все имена она проговаривала по пять, десять раз. Будто жевала их, дабы понять, каковы они на вкус. Многие она не принимала, как ненавистную перловку или ливер. Вполне себе хорошее имя Алексей ассоциировалось у нее с киселем, что давали на поминках. Таня — с плохо проваренным гороховым пюре. Элеонора — с лимоном. Поэтому когда Дина обращалась к своей классной руководительнице, Элеоноре Сергеевне, она постоянно морщилась. За это учительница Дину не любила.

В той гонке Паша не выиграл. Сошел с дистанции из-за поломки автомобиля. Он был расстроен, и Дина не смогла с ним познакомиться, хотя планировала. Но он, злой как черт, ушел с механиками бухать. И снова исчез из Дининой жизни.

В следующий, и предпоследний, раз (последний был в плену) он возник спустя шесть лет. Дина уже окончила институт и устроилась работать на завод. Паша тоже там трудился. Она обрадовалась, но... Паша был уже женат. Имел дочку. И Дина решила его забыть. Чтобы это легче произошло, уехала из родного города, в котором ее ничто не держало, в Москву. Но о том, что Паша «учудил», она узнала. Дина регулярно созванивалась с родителями, и мама рассказала ей о ненормальном, бросившем работу и семью ради тяги к приключениям. Еще до того, как мать назвала его фамилию, Дина поняла, что это о Паше. Ей всегда казалось, что он не на своем месте и проживает чью-то чужую жизнь. Ведь когда в детстве он несся на своем велосипеде, его глаза горели, а у взрослого — нет...

— Салют, — приветствовал Дину Павел, подойдя к ней и сняв солнечные очки.

— Салют, — в тон ему ответила она.

Он опустился на лавочку рядом с ней. Взял ее ладонь в свою руку, после чего кивнул:

— Так я и думал, ты замерзла. Пойдем в кафе, погреемся.

— Да я не озябла. У меня всегда руки холодные.

— И все равно пойдем, я не позавтракал, есть хочу.

Они зашли в бистро, что находилось через дорогу. Паша взял салат, омлет с сыром, сочень[1]. Попить — горячего шоколада. Дине, хоть она и протестовала, его же. Когда они уселись с подносом за стол, Паша скомандовал:

— А теперь рассказывай.

— В день похищения я должна была кое с кем встретиться...

— Стоп! — перебил ее Паша. — Давай все сразу конкретизировать. «Кое с кем», это с кем?

— Я издалека тогда начну, ладно?

---

[1] Сочень — пресная лепешка с творогом, кашей, ягодами и т. д.

— Отлично.

Паша поощрительно кивнул. Но Дина заговорила не сразу — собиралась с духом.

— Я была очень сильно влюблена, — выпалила она и облегченно выдохнула — у нее получилось. — Но мой избранник плохо со мной обошелся. Поэтому я обозлилась на весь мужской пол. Решила, что все вы козлы!

И виновато посмотрела на Пашу. Тот подмигнул ей и стал с аппетитом уплетать омлет — с салатом он уже расправился.

— Мое состояние последние два месяца было перманентно ужасным, — продолжала Дина. — Никаких просветов. Я понимала, что с этим надо что-то делать. Как-то себя вытаскивать из болота депрессии. Хотела к психологу обратиться, да мало я им верю. И вот, уже здесь, в городе, встречаю свою бывшую одноклассницу. Мы с ней дружили в школе и очень друг другу обрадовались. Решили посидеть где-нибудь, отметить встречу. Думали сначала в кафе, но в итоге оказались у нее дома. Она одна живет. Мы, естественно, хорошо поддали. И, пьяненькие, стали друг другу душу изливать. Я рассказала ей о своей драме. Поплакалась. И подруга вдруг говорит мне: «А хочешь к нам?» Я спросила, к кому, к ним? Она: «В секту мужененавистниц». Я решила, что это прикол какой-то. Но подруга не шутила. В городе действительно существует такая секта. Ее основала некая Дельфия.

— Кто-кто? — переспросил Паша, оторвав взгляд от тарелки.

— Дельфия, — повторила Дина. — Она якобы гречанка. Потому такое имя. Хотя, я думаю, оно вымышленное.

— Скорее всего.

— Так вот эта Дельфия — у них верховная жрица. И попасть в секту можно только через нее. Но исключительно по рекомендации одной из сектанток. Моя подруга обещала мне протекцию.

— То есть ты изъявила желание вступить в секту? — удивленно поднял брови Паша.

— Не совсем... — Дина помялась. — Просто я подумала, что общение с такими же, как я, будет чем-то вроде терапии. Алкоголики ведь собираются на свои собрания, чтобы поддержать друг друга.

— Но это не клуб анонимных мужененавистниц, а секта! Звучит серьезно... И пугающе.

— Меня слово «секта» не напугало. Я решила, что это всего лишь громкое название для, как ты выразился, клуба анонимных мужененавистниц. Уж коль его основательница себе такой звучный псевдоним выбрала, то и сообщество свое назвала... опять же употреблю твои слова, серьезно и пугающе.

— Я понял ход твоих мыслей. И что дальше было?

— На следующий день подруга позвонила и сообщила, что Дельфия готова встретиться со мной завтра. Продиктовала мне адрес, я записала его... Вот! — Дина полезла в сумку и достала из нее сложенный лист. — Этот магазин находится неподалеку, метрах в ста пятидесяти отсюда. Подруга сказала мне, чтоб я оделась по-спортивному, потому что если меня примут, то, возможно, обряд посвящения пройдет в тот же день, у них там месса назначена. Проводят они эти мероприятия за городом. Иногда в доме у одной из сектанток, иногда в лесу.

— Ты встретилась с Дельфией?

— Нет, ее не оказалось на месте. Со мной говорила девушка по имени Николь.

— Какие имена-то у всех! — цокнул языком Паша.

— Да уж... Так вот, Николь извинилась за Дельфию. Сказала, что той срочно потребовалось уехать. Но вечером к закрытию магазина она обязательно приедет, и меня попросила явиться позже.

— И ты явилась?

— Я не хотела. Но подруга меня замучила звонками. Мол, она за меня поручилась, а я некрасиво с ней поступаю, отказываясь от встречи. Пришлось, чтобы не подставлять бывшую одноклассницу, тащиться в магазин еще раз. Но ни на какие мессы я уже не собиралась. Оделась привычно, взяла другую сумку. Хорошо, адрес запомнила, смогла найти магазин.

— Его надо искать?

— Да, он в подворотне. Туда, как я понимаю, случайные люди не ходят. Так вот, когда я в подворотню свернула, меня ударили по шее. Я потеряла сознание... Очнулась уже пленницей.

— В полиции об этом знают?

— Не обо всем. Предысторию я скрыла. Просто сказала, что направилась в магазин «Чаша». И по дороге...

— Почему?

— Стыдно стало.

— Какие глупости, Дина!

— А главное, я не думала, что это имеет какое-то отношение к делу. Но поразмыслив...

— Ладно! — Он решительно встал. — Пошли в магазин.

— Может, мне лучше одной? А ты меня тут подождешь.

— Это еще почему?

— Я же говорила, кто его хозяйка...

— Но в «Чаше» ведь не мужские скальпы продаются. И не приспособления для кастрации. Правильно? Значит, посетители обоих полов там бывают.

— Не знаю, — неуверенно произнесла Дина.

А Паша уже шагал к выходу. В бистро было жарковато, и его лицо порозовело. Стало моложе. Если б не посеребренные сединой виски, ему можно было бы дать лет двадцать пять.

— Но что там продают? — спросил он, толкнув дверь.

— Да ерунду какую-то. Аромалампы и палочки, приспособление для массажа, статуэтки божков. Когда я зашла в магазин, там ни одного покупателя не было. Не думаю, что он приносит какую-то ощутимую прибыль...

— Это просто ширма, — закончил за нее Паша.

Они вышли на улицу. Погода испортилась. Если до этого было хоть и прохладно, но ясно, то теперь небо набрякло тучами. Ветер усилился. Дина зябко поежилась. Она не любила осень. Даже золотую. Сейчас же на деревьях почти не осталось листвы. Глаз радовали только вечно зеленые ели. А если еще дождь пойдет, то станет совсем уныло.

— Любишь путешествовать? — спросил Паша.

— Очень. Но не часто такая возможность выпадает.

— Была в Европе?

— Да. В Испании и Италии.

— Здорово! Я тоже очень хочу и туда, и туда... Особенно в Мадрид, если об Испании говорить, и в итальянскую Флоренцию. Но объеду я, конечно, обе эти страны.

— Ты знаешь языки?

— Немного английский. Но, поверь, язык жестов интернационален. Ни в одной стране я не испытывал каких-то особых трудностей.

— Мы почти пришли, — сообщила Дина. — Вот переулок, куда надо свернуть...

Через пару минут они были у магазина «Чаша».

— Да, местечко непрезентабельное, — вынес свой вердикт Паша, осмотрев фасад. Он был крайне обшарпан. Да и вывеска оставляла желать лучшего.

— Внутри гораздо приличнее, — заверила его Дина.

— Давай сделаем так. Я поднимусь один, — он указал на маленькую железную лесенку, ведущую к двери, — а ты зайдешь в «Чашу» минут через пять-семь. Как будто мы пришли по отдельности и не знакомы друг с другом.

— А что мне сказать, когда приду?

— Просись в секту. Умоляй. Грози суицидом. В общем, сделай все, чтоб тебя приняли.

— Зачем? — испуганно прошептала Дина.

— Есть у меня одна мысль, я позже ее озвучу, хорошо?

— Ладно, — растерянно протянула она.

— Через пять-семь минут, — напомнил Паша и поставил ногу на первую ступеньку.

Глава 4

Он поднялся по лестнице и вошел в «Чашу».

Помещение было небольшое. Прилавок, несколько витрин с товаром и два квадратных метра пустого пространства. Вот и все. Но это было только торговое помещение. За спиной продавца находилась приоткрытая дверь. За ней — коробки. Видимо, склад. И еще две двери — в туалет и... кабинет?

— Здравствуйте, — поприветствовал продавщицу Паша. За прилавком находилась Николь, как и тогда, когда сюда явилась Дина. По крайней мере, на ее бейдже было написано именно это имя.

Он дал бы ей лет тридцать. И назвал бы ее красавицей, если не огромный шрам на щеке.

Когда Паша только увидел девушку, она стояла в профиль — смотрела телевизор, прикрепленный к стене. Алебастровая кожа, точеный носик, длинные ресницы, спускающиеся на чистый лоб медные локоны. Как же она прекрасна, эта барышня! Но услышав звонок колокольчика, помещенного над дверью, она повернулась и...

Волшебство рассеялось. Ту щеку, которая была вначале не видна, пересекал кривой бугристый шрам. Он тянулся от глаза к подбородку, оттягивая лицо вниз, деформируя его. Даже если над шрамом поработать лазером, совсем убрать его вряд ли получится. Он станет только глаже и светлее, но не исчезнет. Но это на непрофессиональный взгляд Паши. Наверное, все еще можно исправить...

— Добрый день, — откликнулась на приветствие Николь. — Я могу вам чем-то помочь?

— Я хотел бы видеть директора магазина.

— Зачем он вам?

— Есть деловое предложение.

— Не думаю, что ее оно заинтересует...

— А почему вы думаете за своего директора?

Тут одна из дверей, что находилась за спиной продавщицы, распахнулась, и из нее показалась худая черноволосая женщина. На первый взгляд она тоже была красива. Но, присмотревшись, Паша свое мнение изменил. Слишком сухая морщинистая кожа и тяжелый взгляд. Хотя черты лица, безусловно, хороши. Как и смоляные волосы.

— Что тут происходит? — спросила она, подойдя и встав рядом с Николь.

— Вы директор магазина? — обратился к ней Паша.

— Совершенно верно.

— Меня зовут Павел Андреевич Ульянов. А вас?

— Дельфия Дионисовна Сифакис.

— Гречанка?

— Совершенно верно. Так что вы хотели?

— Предложить сотрудничество. Я бываю в Африке и...

— Нет, спасибо.

— Я мог бы поставлять вам чудесные фигуры, маски, снадобья...

— Еще раз говорю — нет.

— Не тот ширпотреб, что выставлен у вас, а реальные вещи.

— Вы вообще слышите меня? — чуть повысила голос Дельфия. — Я же сказала, что не желаю сотрудничать с вами.

— Вы слишком категоричны.

— У меня есть поставщики, и я ими довольна. Прощайте.

Но Паша не мог уйти, он хотел увидеть, как среагируют эти две фурии на появление Дины.

— Это же все китайское, да? — Он ткнул пальцем в стеллаж, где были выставлены денежные лягушки и фигурки Шивы и Будды. — Барахло, что продается в любом месте. Даже в переходах подземных. Почему вы не хотите выйти на иной уровень?

Лицо госпожи Сифакис стало злым. Скулы обострились, глаза сузились. Паша не удивился бы, если б Дельфия высунула раздвоенный язык, зашипела и раздула капюшон. Настоящая кобра!

Тут звякнул колокольчик. Дина!

Паша впился в лица женщин, стоящих за прилавком. Благо они находились близко друг к другу.

Николь растерялась. Заморгала часто-часто. Один глаз при этом закрывался хорошо, а второй не очень.

А Дельфия, напротив, сразу подобралась. Паше показалось, что даже ее тело напряглось и сквозь тонкую водолазку проступили мышцы.

— Девушка, вот вам нравятся эти поделки? — обратился к Дине Паша.

— Да, они милые, — ответила она.

— Никакого вкуса ни у хозяйки, ни у посетителей! — хлопнул себя по коленям Павел и решительно направился к двери.

Покинув «Чашу», он завернул за угол дома, в котором располагался магазин, и уселся на врытое в землю колесо. Он ждал Дину, предполагая, что она совсем скоро появится. Тут он услышал торопливые женские шаги — каблучки цокали по асфальту. Явно не Дина, она была в кожаных кедах.

Паша выглянул из-за угла...

И тут же отпрянул. По дорожке шла Наташа. Пашу она не заметила, потому что ее внимание было отвлечено на тренькающий сотовый, который она искала в сумке. Найдя его, Наташа поднесла мобильный к уху.

— Да, — немного задохнувшись, выпалила она. Шла слишком быстро, вот и запыхалась. — Да, да... Уже подхожу. Что? Не заходить? Почему? — Наташа слушала и хмурилась. — Да, поняла. Ладно, я пока в аптеку зайду. Наберешь, когда будет можно.

И, развернувшись, зашагала прочь от «Чаши».

— Ничего себе! — пробормотал Паша и присвистнул.

Совсем скоро он услышал звяканье колокольчика. Это вышла из магазина Дина.

— Ой, ты тут! — вздрогнула она, увидев показавшегося из-за угла Пашу. — Напугал меня.

— Иди сюда, — поманил он ее. — Садись и рассказывай.

— А почему тут?

— Надо. Итак?

— Я ничего не поняла...

— В смысле?

— Они очень странно себя вели. Будто не знают меня. И ладно Дельфия, мы с ней не знакомы, но Николь... Мы же общались. А она смотрит на меня, как будто впервые видит.

— Может, забыла тебя?

— Да уж конечно! — фыркнула Дина. — Я одета так же, как в прошлый раз. А куртка эта... — Она хлопнула себя по груди. — Она очень Николь понравилась. Спросила, где я ее купила. Я ответила — в Италии. Женщина может многое забыть, но не вещь своей мечты.

— То есть барышни разыграли склеротичек?

— Можно и так сказать.

— Я так и думал.

— Серьезно?

— Ага. Они чуют опасность. Потому и ведут себя крайне осторожно.

— И почему они ее чуют?

— Возможно, кто-то из сектанток причастен к нашему делу. Это может быть как одна женщина, так и вся их группа. В любом случае мы должны связаться с полицией и все рассказать кому-то из следственной бригады.

— Да, я позвоню. А лучше схожу! Здание полиции тут неподалеку.

— Иди. А я посижу здесь.

— Зачем?

— Хочу проследить кое за кем...

— Будь осторожен.

— Буду, — улыбнулся Паша.

Она легонько обняла его. Но сразу отпрянула. На лице смущение, на щечках румянец.

— Все, ушла! — выпалила Дина и торопливо зашагала в сторону проспекта.

А Паша остался сидеть на колесе, хотя больше всего ему хотелось улечься в кровать, накрыться одеялом и погрузиться в безмятежный сон. Он очень устал. Давно он не ощущал ничего подобного. Даже после того, как пешком преодолевал расстояние в десять километров, чувствовал себя бодрее. А все потому, что физическая усталость ничто по сравнению с психологической. В последние дни нагрузка на мозг была колоссальной. Не говоря уже о нервной системе. И тело реагировало на это. Ныло, в каких-то местах болело.

Очень хотелось отдохнуть, но...

Как говорится, покой нам только снится!

Глава 5

Дельфия заперла дверь магазина и повесила на нее табличку «Закрыто» сразу, как только Наташа зашла внутрь. Спустя десять минут они сидели на складе, взгромоздившись на коробки, и пили имбирный напиток. Он отличался от привычного тем, что в каждую чашку было добавлено по стопке белого рома.

Их было четверо. Наташа, Дельфия, Дарья и Николь. Последняя влилась в ряды мужененавистниц не так давно. Чуть раньше, чем Наташа.

Ее история была известна всем. Николь ее не скрывала.

В юности она занималась модельным бизнесом. О карьере Адрианы Лимы и Жизель Бундхен не мечтала, но имела постоянный доход, участвуя в фотосессиях и показах. Параллельно училась в мединституте. Собиралась стать косметологом. Именно там, в вузе, и познакомилась с будущим мужем. Это была любовь с первого взгляда. Взаимная!

И это при том, что Николь была невероятно хороша, а ее Андрюшка...

Посредственен, право слово. Ничем особенно не выделялся. Но бывает такое... Вроде обычный человек, без каких-то явных талантов и изюминки, а тебя к нему тянет!

Они стали встречаться, затем жить вместе. И вроде бы хорошо все было. И разговоры о свадьбе постоянно заходили. Только Андрюша сильно ревновал свою избранницу. Сцены устраивал такие, что Николь, не выдерживая их, уходила. Но всегда возвращалась. Потому что любила его и понимала. Не всякий мужчина потерпит рядом с собой женщину, пропадающую ночами. А Николь пропадала. Поздние презентации, показы в ночных клубах, затягивающиеся съемки. Кто поверит в то, что девушка, возвращающаяся домой под утро и зачастую в нетрезвом виде, ничего такого себе не позволяла...

Они сходились и расходились раз пять. Когда Николь устала от вечных скандалов, она дала Андрею слово уйти из модельного бизнеса. Тем более работа мешала не только личной жизни, но и учебе. Да, деньги она получала неплохие, но что они значат, если отношения рушатся? И Николь слово сдержала. Ушла, разорвав все контракты.

Вскоре они поженились. Оба уже работали. Андрей в хирургии, она в косметологии. Бывшая ее коллега-модель, ставшая женой очень богатого человека, открыла свой кабинет. И позвала туда Николь. Вроде удачно все складывалось...

Но не было спокойствия в семье. Андрей продолжал ревновать супругу. Теперь не только к мужчинам. У него дела не очень ладились. А у нее прекрасно. Николь вывела кабинет на новый уровень, превратив его в маленькую, но известную клинику. Она ездила на семинары, получала дипломы, а Андрей вскрывал людям фурункулы и удалял мозоли...

Николь опять приносила в дом больше денег, чем он. И жила интереснее...

А еще она оставалась такой же прекрасной, как раньше. Ах, если бы она хотя бы подурнела, Андрею стало бы легче. Но Николь не утратила своей модельной стройности и привлекательности и продолжала нравиться мужчинам. Однажды Андрей увидел, как ее подвозит к дому работодатель (бизнес был оформлен не на подругу, а на ее мужа), и напридумывал себе невесть чего. Обвинил жену в адюльтере и потребовал сменить место работы. Тут уж Николь не пошла на поводу у Андрея. Сказала: не нравится тебе, давай разводиться.

Но он не хотел расставаться. Он любил жену (так говорил, так думал... но чувствовал ли?), поэтому оставался с ней рядом, изводя себя и ее. Как-то Николь вернулась домой поздно. Ездила на конференцию в другой город. Там немного задержалась. И приехала не днем, как планировала, а вечером. Дома ее встретил пьяный и заведенный Андрей. С порога начал обвинять:

— Совсем обнаглела! Мало того, что к любовникам уезжаешь, так еще домой не спешишь!

Это было чудовищно несправедливо, и Николь не посчитала нужным оправдываться. Молча отправилась в ванную. Хотелось принять душ и упасть в кровать. Но Андрей был настроен на скандал. Он копил в себе злость целых полдня, а то и больше. Как он мог проглотить ее? Только выплеснуть.

Николь едва успела снять с себя несвежую одежду, как в ванную ворвался муж. Он требовал объяснений. Она попросила оставить ее в покое.

— Нет, я не уйду, пока ты не признаешься!

— В чем?

— В измене.

— Если для того, чтобы я осталась одна, требуется это, хорошо... Признаю!

Он вылетел за дверь с такой скоростью, будто за ним черти гнались.

Николь надеялась, что Андрей не только покинет квартиру, но уйдет от нее навсегда. У нее не было сил терпеть его

Она потянулась к задвижке, чтобы запереть дверь, но не успела. Андрей ворвался в ванную с ножом в руке.

— Убью! — заорал он. — Чтобы никому не досталась! — И замахнулся...

Николь попыталась увернуться от ножа, но лезвие настигло ее. Оно врезалось в грудную клетку. От боли Николь едва не потеряла сознание, но чудовищным усилием заставила себя вцепиться в косяк и остаться на ногах. Падать без чувств нельзя. Андрей убьет ее!

Перед глазами плыл туман, но Николь рассмотрела алюминиевый таз, в котором стирала белье. Она схватила его и прикрылась им как щитом. А муж занес нож для второго удара...

Лезвие звякнуло по металлу. Но, увы, не сломалось. И нож не выпал из руки Андрея. Спустя несколько секунд он опять взмахнул им...

Николь не сразу поняла, что произошло. Почему перед глазами нет ничего, кроме красной пелены? А это кровь заливала ей лицо.

Силы покинули ее. Уронив таз, Николь сползла на пол.

Очнулась она уже в комнате на кровати. Над ней склонился заплаканный муж.

— Прости меня, девочка моя, — шептал он. — Прости, прости, прости...

Заметив, что Николь открыла глаза, он зарыдал еще горше. Его горячие слезы капали на ее лицо.

— Больно, милая? Потерпи чуточку, хорошо? — В руке Андрей держал шприц. — Я сейчас укольчик тебе... И все пройдет...

Он сделал жене инъекцию. Она уснула. Как потом выяснили следователи, он держал ее на обезболивающих и снотворном почти неделю. Пока Николь спала, он лечил ее. Наложил швы на раны, обрабатывал их. Неизвестно, сколько бы еще времени Николь провела в состоянии овоща, если бы Андрей не попал в небольшое ДТП. Пока ждал инспекторов ГИБДД, пока оформлял протокол, прошло несколько часов. Снотворное перестало действовать, и Николь проснулась. Шатаясь, прошла в ванную, глянула на себя в зеркало и заорала бы от ужаса, если б у нее не пропал голос...

Андрей зашил ее раны. Но как! Даже она... Да что там... Обычный человек, не имеющий медицинского образования, сделал бы лучше. А Андрей — хирург! Но он заштопал ее, как полуслепая бабка старый носок.

Рыдая, Николь подошла к телефону и вызвала полицию. Благо хрипеть она уже могла.

Андрея осудили на пять лет. На суде он плакал и просил у Николь прощения. Она подошла к решетке и плюнула ему в лицо. Что его слезы? Что его просьбы? Что в конце концов наказание в виде пяти лет заключения? Ничего этим не исправишь!

Возможно, в будущем, когда появятся новые технологии, ее лицо и станет прежним. Но в ближайшее время — нет. Кому, как не Николь, это знать...

Из клиники пришлось уволиться. В индустрии красоты людям с дефектами внешности не место. В городе оставаться Николь тоже не могла. Ее история так активно освещалась в прессе, что о покое и не мечталось. И она уехала к своей подруге Даше в маленький городок в области и стала работать продавцом в магазине...

— Как ты думаешь, — обратилась Николь к Дельфии, — тот тип, что пришел перед девушкой, засланный казачок?

— На сто процентов уверена.

— Из полиции?

— А есть еще варианты?

— Что за тип? — всполошилась Наташа.

— Да зашел тут один, никак выгнать не могли, — ответила Николь. — Я принюхалась, думаю, может, пьяный, но нет, трезвехонький.

— Полиция у нас утром была, — покачала головой Даша. — Зачем ей какого-то казачка засылать?

— «Жучки»! — воскликнула Наташа, вскочив. — Ордера не получили, а о чем мы тут говорим, узнать решили...

Женщины переглянулись.

— Может, она права? — нахмурилась Фи-фи. Затем, понизив голос до шепота, продолжила: — Под нас явно копают. Даша сегодня спрятала все архивы и инвентарь. Я обзвонила каждую из сестер... — Они называли друг друга сестрами. — Нам нужно залечь на дно, пока все не утрясется...

— Пойдемте поищем «жучок»? — предложила Николь так же тихо, как Дельфия. — Тип находился под моим визуальным контролем все время. Если он что-то прицепил, то к прилавку или витрине с фигурками.

Они поднялись и направились в торговый зал.

— Как «жучки» выглядят? — спросила Наташа, присев возле прилавка.

Ей не успели ответить. В дверь заколотили. Да так настойчиво и грубо!

Дельфия, нахмурившись, крикнула:

— Не видите, что ли, закрыто?

— Открывайте, полиция!

Даша выронила из рук толстую книгу, которую подняла, чтобы посмотреть, не засунули ли что-то под нее. Она упала с таким звуком, будто здание провалилось под землю...

Или это Наташе только показалось?

Побледневшая Дельфия шагнула к двери и повернула ключ.

В «Чашу» ввалилось трое мужчин. Все в гражданском. Но сомнений в том, чем они занимаются, у Наташи, встреть она их на улице, не возникло бы.

— Старший оперуполномоченный Казиев, — представился самый высокий из них, сверкнув черными очами и «ксивой». — Представьтесь, пожалуйста.

— Дельфия Дионисовна Сифакис, хозяйка магазина.

— Предъявите документы, пожалуйста. — Он обвел женщин взором. — Остальных я тоже попрошу достать паспорта или водительские удостоверения.

— Что происходит, господин Казиев?

— Обыск.

— Даже так? У вас и ордер есть?

— А как же, — хмыкнул он. Из планшета показался лист бумаги с печатями и подписями. — Убедились? Теперь прошу удовлетворить мою просьбу.

Дельфия сходила в свой кабинет и вернулась оттуда с сумочкой. В ней находились ее документы. Достав их, она протянула паспорт оперу.

— Дельфия Дионисовна Сифакис, — прочитал Казиев.

«Надо же, — подумала Наташа. — Она на самом деле Дельфия. Хотя, возможно, имя это она получила не при рождении. Его поменять можно легко. И стоит это недорого...»

— Так вы реально гречанка? — последовал вопрос опера, ответ на который интересовал и Наташу.

— По отцу. Мама у меня русская.

— У вас не наша прописка.

— Совершенно верно. Я зарегистрирована в другом городе.

— В каком?

— А вы разве не видите?

— Так в каком?

— В подмосковных Люберцах.

— Родились там?

— Родилась я в Салониках. И этот город как место рождения указан в паспорте. Из Люберец моя мама. Когда она ушла от отца, вернулась домой...

— Я ведь пробью ваш паспорт, — уж очень сурово проговорил Казиев. Он был молод и невероятно хорош собой. Эдакий душка, с бархатными глазами, картинными кудрями и румянцем во всю щеку. Наверняка, когда он бывал не при исполнении и ходил с друзьями в какие-нибудь заведения, девушки на него гроздями вешались. Сейчас же это был именно служитель закона, строгий, непримиримый, и от него хотелось держаться подальше.

— Что вам в моем паспорте не понравилось? — устало спросила Дельфия.

— Дата рождения. Судя по ней, вам тридцать один год.

Дельфия шумно выдохнула, закатив глаза, затем достала из сумки лист, сложенный вдвое, и протянула его оперу.

— Что это?

— Медицинское заключение. Читайте.

Казиев развернул его и пробежал глазами текст.

— Прогерия? — нахмурился он. — Что это?

— Синдром преждевременного старения. Редчайшее генетическое заболевание.

— Я что-то слышал о таком...

— Вы слышали, а я им страдаю.

— И давно у вас... это?

— С двух лет. Когда «это», как вы выразились, началось, отец бросил нас.

— Ненависть к мужчинам у вас из-за болезни?

— И из-за нее тоже, — спокойно ответила она.

— Значит, вы не отрицаете, что являетесь основательницей секты мужененавистниц?

Ни один мускул не дрогнул на морщинистом лице Дельфии.

— Ни разу о такой не слышала, — проговорила она тем же ровным голосом, каким вела весь диалог.

— Бросьте! Все вы, — он обвел взглядом лица женщин, задержав его на Наташином чуть дольше, — являетесь членами этой секты. А вы, Дельфия Дионисовна, ее верховная жрица.

— У вас есть доказательства?

— Найдем.

— Что ж... Ищите! — Она сделала приглашающий жест рукой. Будто дорогих гостей в дом звала.

— Я одного не пойму, — встряла Даша. — С какой стати вы тут шарить будете? Даже если мы мужиков и ненавидим. Что с того? Это противозаконно?

Дельфия метнула на свою помощницу грозный взгляд, и та сразу замолчала.

— Противозаконно все, что наносит моральный или физический вред человеку. А ваша секта наносит и тот, и другой. — Он подошел к Дельфии вплотную. Они чуть ли носами не стукнулись. — Если я найду хоть одну крохотную и незначительную улику, подтверждающую, что вы причастны к похищению людей, я тут же надену на вас наручники...

— Не надо меня пугать, — и, отойдя на шаг, Дельфия сказала: — Делайте свою работу.

— Позвольте ключи от вашего минивэна?

Даша, которая приехала на нем, кинула их на прилавок.

— Пока вы тут хозяйничаете, мы можем сходить покушать? — спросила Дельфия. — У нас перерыв на обед, между прочим.

— Нет, — отрезал он. — С вами у нас еще разговор будет. А вы, — обратился он к Наталье, — можете идти.

Она не поверила своим ушам:

— Правда?

— Вы же тут не работаете, так?

— Так.

— Значит, вы свободны. Но не забывайте, у вас завтра утром встреча со следователем...

Наташа метнулась к двери и вылетела за порог. Три ступеньки преодолела в один прыжок.

Бежать, бежать скорее отсюда...

Попасть домой, зарыться в одеяло и поплакать.

Это не избавит от проблем, наслаивающихся одна на другую, но принесет временное облегчение. Потом нужно будет подумать, что делать дальше, но сначала поплакать, зарывшись в одеяло.

Наташа так глубоко погрузилась в свои переживания и набрала такую крейсерскую скорость, что не заметила человека, возникшего у нее на пути, и едва его не снесла. Ноги точно отдавила!

— Простите, пожалуйста, — выпалила Наташа.

— Куда ты несешься? — услышала она знакомый голос и подняла глаза на прохожего. Им оказался Паша.

— Ой, привет. Прости еще раз. Я домой тороплюсь...

— Могу я тебя проводить?

— Нет, не стоит.

— Наташ, я поговорить с тобой хочу.

— Не сейчас!

— В этом разговоре больше ты заинтересована.

— И все равно... — Она начала раздражаться. Да что он привязался к ней?

— Полиции уже известно о твоих отношениях с Георгием. Завтра тебя так прижмут на допросе, что ты птахой запоешь. Я хочу тебе помочь, понимаешь?

Наташа покачнулась. Упала бы, но Паша поддержал ее под локоть.

— Давай присядем? — предложил он.

— Я хочу пить...

— Тут неподалеку бистро есть. Пошли туда, кофе попьем.

Он, как держал ее под руку, так и повел по тротуару в направлении памятника революционерам. Наташа послушно шла за ним. Ее мозг разрывался от роящихся в нем мыслей.

— Пришли, — сказал Паша, открыв перед ней дверь бистро. — Заходи.

Она переступила порог и опустилась на первый попавшийся стул.

— Что будешь? Кофе, чай? Поесть что-нибудь хочешь?

— Просто попить.

Что Паша сказал? В полиции знают о ее романе с Георгием? Будут прижимать ее...

Что ж, этого следовало ожидать. Хотя они не афишировали своих отношений. О том, что Георгий «нагнул» их склад, она сообщила. Это выплыло бы в любом случае. Но без полной картины его действия казались не столь отвратительными. Кинуть фирму — одно, кинуть женщину, с которой спишь, — другое.

— Вот вода! — Перед Наташей возникла бутылка «Аква-минерале». — А еще я взял чай на всякий случай. Ромашковый. Он успокаивает.

— Спасибо. — Она открутила крышку с бутылки и сделала несколько жадных глотков.

— Расскажи мне, — мягко попросил Паша. — Тебе легче станет. Ты и выговоришься, и совет получишь. Я не считаю себя каким-то невероятным мудрецом, но простой взгляд со стороны иногда может здорово помочь.

— Я не знаю, с чего начать. Да и стоит ли это делать...

— А если я поклянусь, что все, что ты скажешь, останется между нами?

— Я тебе не поверю, — кисло улыбнулась Наташа. И допила остатки воды.

— Ладно. Тогда, если меня спросят, считаю ли я тебя причастной к произошедшему с нами, я скажу — да. Потому что уверен: ты заодно с этими ненормальными сектантками. И ты ненавидела Георгия. Как и всех мужчин в целом, ты сама говорила...

Он, сделав глоток кофе, начал подниматься, но Наташа удержала его. Ей на самом деле хотелось выговориться.

— Я действительно состою в секте, — выпалила она. — И Георгия ненавидела. И посылала на его голову страшные проклятия. И, возможно, виновна в его смерти, но не напрямую...

— Давай с самого начала, — попросил Паша, опускаясь на стул и взяв в руки чашку.

— О том, как я попала в секту, тебе знать незачем. Попала и попала. Была потребность. Могу сказать, что мне было очень комфортно среди сестер...

— А чем вы занимались, встречаясь?

— Обычно просто болтали. Это напоминало клуб по интересам. Собирались, пили чай или еще что-то безалкогольное, например, имбирный напиток, который замечательно готовит Даша, выслушивали друг друга, поддерживали, давали советы, ругали мужиков. В общем, наши сборища мало чем отличались от обычным бабьих посиделок. Но раз в две-три недели мы выезжали на «шабаш».

— Даже так?

— Назывались эти мероприятия иначе — мессы, или «посвящения», если новая сестра вливалась в наши ряды. Или «единения», чтобы сплотиться еще больше. Или «прозрения», дабы наметить путь. А один раз Дельфия провела мессу под названием «мщение».

— То есть?

— В секте есть колдунья. Она называет себя Пустотой. Женщина, на мой взгляд, совершенно ненормальная. Ей лет сорок. Хотя выглядит на пятьдесят с хвостиком. Ее муж, как они считала, стал одержимым. То есть подвергся нападению каких-то демонов. Они поработили его разум и тело, и под их воздействием он убил своих детей. Пустота нашла их мертвыми, когда пришла с работы. А мужа — болтающимся в петле. Увидев, это, она тронулась умом. Напридумывала себе всякого. Хотя все соседи знали, что ее супруг если и одержим, то тягой к алкоголю. Бухал по-черному.

— И что Пустота?

— Конечно, она не колдунья, но какая-то сила в ней есть. Сумасшедшие вообще чувствительные, а она особенно. Боль чуяла, а кто из нас без нее? Никто. Да еще этот гипнотический взгляд... Дельфия на обычные посиделки Пустоту не пускала. Считала, та только помешает. Зато «шабаши» без нее не обходились.

— И что это такое?

— Наверное, для людей со стороны полная фигня. Но для нас это было очень значимо. Мы готовились... Прежде всего морально. Такое волнение посещало нас, что руки ходуном ходили. А еще плащи стирали и гладили. Эмблемы начищали...

— Плащи, эмблемы?

— Как без этого? Шелковые плащи с капюшоном и эмблемы из дешевого металла, они висели на цепочках у каждой на шее.

— Где все это сейчас?

— Что-то уничтожено, что-то надежно спрятано по требованию Дельфии.

— Извини, я увожу тебя от основной темы. Так что там с актом под названием «мщение»?

— Одна из сестер его потребовала. Ее зовут Манечка. Именно так. Не Мария, Маша, а именно Манечка. Так ее мама величала (отец не принимал участия в воспитании дочери). Не девушка, а нежный цветок. Едва двадцать два исполнилось, когда в наши ряды влилась. Жила прекрасно под крылом у матушки. Та бизнес имела. И сожителя молодого. Манечка на четвертом курсе института училась, когда мать ее умерла. Газом отравилась, бывает. Вот только почему завещание странное оставила? В нем половина движимого и недвижимого имущества сожителю отходит. Да и не очень ясно, зачем женщина, едва достигшая возраста «ягодки», его оформила. Манечка оспаривать ничего не стала. У нее и мыслей таких не возникло. Мало ли что матушке на ум пришло. Слышала она, что взрослые женщины порой голову от своих молодых любовников теряют и не то еще отчебучить могут. Бывало, что и детей обделяли. А тут — поровну. И на том спасибо. И все же что-то беспокоило ее. Начала следить за «отчимом», который всего на шесть лет ее старше был. И выяснила, что в любовницах у него давно дочка нотариуса ходит. Причем она у мамы секретарем работала.

— Это он ее... Да?

— Да.

— А как Манечка это узнала?

— Так он и ее убить пытался. Она просила его тормоза у машины проверить. Тот так проверил, что она чудом жива осталась.

— Он получил по заслугам?

— Вот именно что нет. Доказать ничего не получилось. Убийца Манечкиной матери жил припеваючи с молодой любовницей в квартире, купленной на деньги любовницы, которую он отравил.

— И Манечка захотела отомстить?

— Она захотела справедливости, — с нажимом проговорила Наташа. — Тогда-то Дельфия и устроила мессу мщения. На алтаре...

— О, даже так?

— Так называли обычный столик, на который ставили свечи и кое-какие предметы.

— Например?

— Когда что. Если месса посвящения проходила, то какую-то вещь женщины, вливающейся в наши ряды. В случае же, о котором я рассказываю, на алтаре стояла фотография Манечкиного «отчима» и лежал клок его волос. Над всем этим колдовала Пустота. А мы стоял кругом, пели и помогали энергетически...

Паша вопросительно поднял бровь.

— Сливали наше сознание воедино и направляли ненависть на мужчину, запечатленного на фото...

— Боже, какая чушь! — не смог сдержать эмоций Павел.

— Чушь, не чушь, а он умер вскоре.

— От чего?

— Упал с девятого этажа. Ни с того ни с сего у него закружилась голова, когда он курил на балконе. И... фьють! — Присвистнув, Наташа продемонстрировала жест, которым в Древнем Риме публика требовала добить гладиатора, — опустила большой палец вниз.

— Может, его молодая любовница столкнула?

— Нет. Все произошло на глазах у соседа. Мужчине, не достигшему тридцатилетия, стало плохо, он покачнулся и...

— Совпадение.

— Возможно. Но на меня это произвело огромное впечатление. Я хотела, чтобы провели еще одну мессу отмщения, но на сей раз на алтаре стояло бы фото Георгия.

— Ты настолько его ненавидела?

— Да. Потому что когда-то любила. А он меня предал.

— И?

— Пустоте нужны были его волосы. Или ногти. Обязательно. На крайний случай сгодилась бы ношеная одежда, пропахшая потом. В общем, требовался, как выразилась Пустота, природный материал объекта. Я не знала, где Георгий находится. Он скрывался. И я стала искать его...

— Нашла?

— Узнала о его местонахождении. Мне здорово в этом помогла Даша. Мы с ней целое расследование провели и вычислили-таки Жору. Потом на машине Дельфии поехали в деревню, где он обитал. Но его там не оказалось. Хотя вещи его остались. В том числе ноутбук и телефон. Сам Жора нам был не нужен. Я взяла его грязные носки. И мы уехали. Мессу назначили на послезавтра, а на следующий день меня похитили.

Сказав это, Наташа схватила чашку с ромашковым чаем и начала пить, потупив глаза. Взгляд ее при этом был опущен. Она не хотела смотреть в лицо Паше. Боялась выдать себя...

Но он и так понял, что она сказала ему не всю правду:

— Вы провели мессу, да? — спросил Паша, и Наталья едва не поперхнулась чаем.

— Нет, я же...

— Недоговариваешь. Я вижу.

— Это я виновата в его смерти! — вскричала она и, выпустив чашку, закрыла лицо руками. Рыдания сдавили горло. Нечем стало дышать.

— Тшшш... — Паша подсел к ней, обнял за плечи. — Успокойся, пожалуйста.

Наташа замотала головой. Она не могла успокоиться! Теплый чай из разбитой чашки стекал ей на колени, но она этого не замечала...

— Вы чего тут посуду бьете? — услышала Наташа злой женский голос. К столику подошла буфетчица.

— Я оплачу, — ответил Паша, — только уйдите, пожалуйста.

— Сначала доведут бабу, а потом успокаивают, — проворчала та. Но удалилась.

Наташа, справившись с рыданиями, вытерла глаза рукавом куртки.

— Взять тебе чаю? — участливо спросил Паша.

Она покачала головой.

— Меня похитили на следующий день после мессы, — заговорила она полушепотом. — Я возвращалась от родителей — отводила к ним дочку. Нервы мои были на пределе, и, чтобы не срываться на ребенка, я решила, что лучше ей побыть у бабушки с дедушкой, пока я не успокоюсь. Я почти дошла до дома (видела дверь своего подъезда), как мне на голову накинули мешок или что-то вроде. Я стала вырываться, но почувствовала укол. А потом мое сознание помутилось, и я провалилась в черноту. Когда я пришла в себя, то не поняла, где я. Кругом темно. Рот заклеен пластырем. Я ни видеть не могу, ни говорить. Это было так страшно... — Паша снова обнял ее, потрепал по плечу. — А когда зажегся свет, стало еще страшнее... Потому что я увидела Жору.

— И что ты подумала в тот момент?

— В голове был полный сумбур. Я решила, что попала в ад. Сначала Гошу туда отправила, а потом за грех свой сама там оказалась. В общем, у меня мозги немного поехали от стресса.

— А что ты почувствовала, когда Георгия убили?

— Так тебе и надо, тварь!

Пашины глаза округлились. Он не ожидал услышать такое.

— Да, — кивнула Наташа. — Первой мыслью была именно эта. Я испугалась саму себя...

— А что потом?

— Раскаяние, боль, ужас... И невероятное чувство вины! Это я... я... — Она стукнула себя в грудь кулаком. — Я его убила, пусть и не своими руками! Если бы мы не провели той мессы, Жора был бы жив! Он спасся бы, как и мы. — Паша хотел возразить, но Наталья не дала ему рта раскрыть. — Почему маньяк убил именно его? Да потому что на Георгии лежала печать смерти. И именно мы, сектантки, поставили ее на его ауру.

— А может, вы, сектантки, поставили ее не на ауру?

— Что ты имеешь в виду?

— Вы приговорили его к физической смерти и привели приговор в исполнение!

— Ты что такое говоришь? — в ужасе прошептала Наташа. — Ты думаешь, это мы?..

— Кто-то из ваших.

— Нет!

— А ты с ними заодно. Притворилась пленницей, чтобы не попасть под подозрение. — Она замотала головой. — Надоело вам порчу через фотографии нагонять, и вы решили действовать радикальнее. Мстить нам, мужикам, и мочить нас, тварей. А ведь каждого есть за что, наверняка.

И остальные девушки-пленницы тоже из вашего братства — такие же, как ты, мнимые жертвы.

— Пожалуйста... — Ее губы задрожали. — Пожалуйста, прекрати... Это чудовищное обвинение. Мне больно слышать его.

— Скажешь, я не прав?

— Паша, я никогда не пошла бы на это. И ни одна из сестер. Да и возможностей у нас нет. И денег. Взносов хватает на насущные нужды, не более... — Она схватила его за руку. — Ты обещал мне, помнишь? Клялся, что разговор останется между нами. Так вот я требую этого.

— Полиция все равно раскопает.

— Нет! Ни одна из сестер меня не выдаст. А больше некому.

— Ты так в них уверена?

— Да, — твердо сказала Наташа. — И я могу поручиться, что никто из нас не причастен к похищению и физической смерти Георгия.

Наташа взяла бумажную салфетку и вытерла лицо.

— А вообще спасибо тебе. Вот я и выговорилась. Легче стало. — Она скомкала бумажку и кинула ее на стол. — Я ведь даже от сестер свои чувства скрывала.

— Почему?

— Сначала сама в них пыталась разбираться, потом... Потом проблемы у нас начались. Полиция сектой заинтересовалась. Сейчас вот обыск в «Чаше» провели...

Паша не сказал ей, что знает об этом. Он с Казиевым разговаривал.

— Кстати, почему «Чаша»? — поинтересовался Паша.

— Символ женского начала, — ответила она и встала из-за стола. — Пойду я. Домой хочу. Поплакать от души в одиночестве. И подумать, что завтра следователю говорить. Я не дам им до сути докопаться...

Она сдержанно улыбнулась Паше и сделала шаг к двери, но вдруг остановилась и обернулась:

— Да, забыла сказать! Я нашла тот знак, что был вырезан на шее Егора, в одной из своих книг.

— И что он означает?

— Если грубо — кровь за кровь.

— А если нежно? — усмехнулся Паша.

Наташа вернулась за стол. Села, сложила руки перед собой, как будто она школьница за партой.

— Это не оккультный символ.

— Нет?

— Нет. Он применялся в арабском мире на протяжении нескольких веков, но, если можно так сказать, на бытовом уровне. Кружочек в центре (вообще это жирная точка скорее) означает каплю крови. Сам круг — бесконечность. Квадрат — обрамление. Как рамка, в которую заключена картина мира. То есть, пролив чью-то кровь однажды, готовься к тому, что прольется и твоя.

— Вендетта?

— Нет, для нее есть другой символ. Смысл этого глубже. Не факт, что с тобой расплатится кто-то из родственников того, кому ты причинил горе, или тебя покарает за это служитель закона. Сама судьба сделает это. И необязательно с тобой. Коль в детях твоих или внуках течет та же кровь, что и в тебе, они, невинные, могут расплатиться по твоим долгам. Этот символ изображался на дверях тюрем, например. Но он мог появиться на окне или стене дома. Это значило, что его хозяин пролил чью-то кровь, и пусть все об этом знают. И наемных убийц, перед тем как казнить, клеймили этим знаком, показывая тем самым, что они получают по заслугам.

— Егора, выходит, заклеймили?

— Он урка, ведь так? А за что сидел?

— Не за убийство точно. Разбойное нападение или что-то вроде того.

— Разве они обходятся без крови?

— Да, ты права. Это тоже считается, да? — Паша нахмурился. Затем достал сотовый и набрал какой-то номер. — Опять абонент не абонент, — пробормотал он.

— У кого?

— У Егора. Весь день так.

— Тебя это беспокоит?

— Наташа, его заклеймили, как наемного убийцу перед казнью!

— И что это значит?

— Быть может, он следующий?

Глава 6

Кен ввалился в квартиру и, шумно выдохнув, бросил на пол сумки. Еле дотащил!

Передохнув на табурете, что стоял под вешалкой, он поднял пакеты и понес их в кухню. Затарился он сегодня прилично. Как любила бабушка, впрок.

Дойдя до холодильника, Кен стал выгружать продукты. Сыр, колбаса, икра (минтая, а не какая-нибудь буржуйская зернистая), мясо, печень куриная, к которой он питал слабость, масло, сок и бутылка хорошей водки. Остальное — в подвесной шкафчик. Макароны, рис, гречу, печенье, хлебцы, чай, черный и зеленый, разложил по полкам. Пакеты свернул и сунул в трехлитровую банку, стоящую на подоконнике. К этому его тоже приучила бабушка. Не выкидывать, а складывать в определенное место. Пригодятся же!

С чувством исполненного долга Кен уселся на стул и закурил. Вообще-то он давно избавился от этой дурной привычки, но сейчас его вновь потянуло к никотину. Купил пачку дамских сигарет, легких и ароматных, и решил, что завяжет сразу, как только ее выкурит.

Телевизора на кухне не было, Кен взял планшет, включил его и стал перечитывать то, что написал вчера. Оказалось, очень хорошо получилось, не придерешься. Ни одного слова заменить не хотелось. Можно, конечно, добавить несколько прилагательных, но ни к чему. Кен не любил пышности, в том числе словесной. Фразы он сравнивал с букетами. Слова — с цветами. Если в букете шикарные розы, то они не нуждаются ни в папоротниках, ни в гипсофилах, ни в фольге. Кен, к примеру, дарил женщинам розы охапками. Считал, именно так красивее всего...

Он докурил сигарету, затушил ее в импровизированной пепельнице — крышке от банки. После этого приготовил себе пару бутербродов и чай. Он намеревался провести весь день за компьютером и решил подкрепиться.

Писательский талант Кен унаследовал, как и другие свои особенности, от того же дяди, папиного брата. Тот с детства сочинял всевозможные истории. Бабушка хранила их, и Кен имел возможность ознакомиться с творчеством своего родственника. Оно было почти гениально!

Почти, потому что уж очень странное. Существует мнение, что гениальное от сумасшедшего отделяет тонкая грань. Так вот, в произведениях дяди она была зачастую стерта. Ему бы чуточку меры. Способности сдерживать свои порывы. И вышли бы шедевры.

Кен в этом от дяди отличался. Знал, когда нужно остановиться, чтобы все не испортить. По крайней мере, он верил в то, что у него это получается. И гордился собой.

Дядю Кена звали Валерой. Его фотография в траурной рамке до сих пор стояла в стенке. Бабушка, когда жива была, часто плакала, глядя на нее. Внук, жалея ее, подбегал, обнимал. Старушка гладила его по голове и успокаивалась. Волосы у Кена были такими же, как у Валеры. Мягкие, густые, чуть волнистые. Только у дяди светлые, а у племянника темные.

Когда бабушка скончалась, Кен нашел ее дневники. Оказалось, она вела их на протяжении многих лет. Девичьих переживаний и восторгов молодой жены и матери записи не содержали. Бабушка начала записывать свои мысли после смерти мужа. Хотелось поделиться своим горем, а с людьми у нее не получалось. Родственников и подруг у нее не было, только дети. А им и так тяжело. Им своего горя хватает. И вдова стала изливать душу неодушевленному предмету, а именно толстой общей тетради в обложке из коричневого дерматина. Исписав ее, бабушка завела другую. Эта уже была синей. Самая последняя — красная. Цвета крови, которой истек ее сын Валера...

Кену говорили, что дядя погиб трагически, но и только. Но когда он прочел записи в бабушкином дневнике, многое узнал. Оказалось, Валеру убили с особой жестокостью. Но виновников преступления так и не наказали. Против них не нашлось достаточного количества улик. От этого бабушка и страдала больше всего. Мало того, что она потеряла сына, так еще те, кто отнял его у нее, остались на свободе.

При мысли о том, как мучилась его бабушка, Кен помрачнел. Настроение резко ухудшилось. Расхотелось писать. Он выбил из пачки сигарету и вновь закурил. Не успел сделать две затяжки, как зазвонил сотовый. Аппарат был новый. Кен купил его взамен того, который исчез вместе с другими вещами пленников. Ранее он имел классический «Верту». Роскошный, но малофункциональный. Кен был равнодушен к техническим наворотам. Он все равно не пользовался ни одной из дополнительных функций. Только звонил и набирал смс. Даже почту с мобильного не проверял. Но в городке купить новый «Верту» не было возможности, а ждать доставки из интернет-магазина не хотелось. Поэтому он приобрел последний айфон. Теперь мучился, потому что ничего в нем не понимал.

Но отвечать на вызов Кен научился и, мазнув пальцем по экрану, сказал:

— Алло.

— Привет, Кен.

— Здравствуй, Паш.

— Тебе Егор не звонил?

— Нет. А что?

— Мне ночью звонил, да я спал, не взял трубку. Набираю весь день, а у него абонент не абонент.

— Наверное, погрузился в творчество и не заметил, как разрядился его телефон.

— Наверное... Только беспокойно мне как-то. Ты помнишь, где он живет?

— Где-то на Строителей. Кажется, в начале улицы.

— Давай съездим?

— Хорошо, давай.

— Заберешь меня с Революции, я тут в бистро сижу?

— Через двадцать минут.

— Отлично. Буду ждать.

Закончив разговор, Кен быстро докурил сигарету, сунул айфон в карман, взял ключи от машины и покинул квартиру.

* * *

— Я помню этот район, — сказал Паша, выбравшись из машины. — Когда его строили, я ребенком бегал сюда, чтобы забраться на подъемный кран и посмотреть на город с высоты.

— Я даже не знал, что тут что-то строится. Не бывал на окраинах, — сказал Кен.

— Тут болота были. Потом их осушили. Я здесь головастиков ловил, потом стал по стройкам лазить. Это очень увлекательно, скажу тебе...

Кен пожал плечами. Возможно, Паша прав, и пацану интересно взбираться на краны, нырять в траншеи, носиться по лестницам, но он ничем таким не занимался. Даже в голову не приходило.

— Как мы найдем дом и квартиру Егора? — спросил он у Паши.

— Да спросим у кого-нибудь. — Он указал на лавочку, на которой рядком сидели три бабули.

Они приблизились к ним. Паша, поздоровавшись, обратился к самой старшей:

— Не подскажете, где скульптор живет? Егором его зовут. Высокий, худощавый, с залысинами?

— Не знаю, сынок, — покачала головой бабка. Она была худая, морщинистая, в старом-престаром пальто из простеганной плащевки и в мохеровом берете с гигантским цветком на боку.

— Как не знаешь? — ткнула ее в бок товарка. — Сама же говорила, что напротив тебя.

— Напротив какой-то чудак живет. Грязь домой таскает. Весь подъезд изгадил.

— Не грязь, а глину, сам же тебе сказал.

— А какая разница?

— Большая! Из глины лепить можно, не знаешь, что ли? — Она перевела взгляд на Пашу. — Идите вот в этот дом... — Она указала на пятиэтажку, стоящую торцом к дороге. — Первый подъезд, нажмите на восьмерку, там дед живет, он всегда дома, пустит вас. Третий этаж, квартира справа.

— Спасибо большое.

— Да не похож он на скульптора, — фыркнула соседка Егора. — Морда уркаганская... А на руке наколка! Скульптор! Не смешите...

И продолжила в том же духе, но Паша с Кеном ее уже не слушали.

Они зашли в подъезд (дед и правда впустил их), поднялись на третий этаж. Паша позвонил. Затем постучал. Ему никто не открыл.

— Дома нет, — сделал вывод Кен.

— Ты слышишь телевизор? — спросил Паша, прислонившись к двери.

Кен последовал его примеру и прислушался.

— Да, он работает, — сказал он. — И что из того?

— Ушел, не выключив телевизора?

— Творческие люди очень рассеянны.

Но Паша пропустил его реплику мимо ушей. С задумчивым видом он принялся рассматривать замок.

— Ты что задумал?

— Дверь выломать.

— С ума сошел?

— Что-то здесь произошло. Я чую.

Тут пиликнул замок, открытый магнитным ключом. Хлопнула подъездная дверь. Кен свесил голову в пролет и увидел бабульку, с которой они беседовали пару минут назад.

— Ну, чего? — крикнула она, увидев лицо Кена. — На месте ваш друг?

— Не открывает что-то. Не видели его сегодня?

— Нет. Вчера только. — Она довольно резво для своего возраста зашагала по ступенькам вверх. — Проститутку какую-то привел, в глазок видела. Потом телик врубил. И громко, как всегда! Ладно сначала новости передавали, так потом он канал переключил, и музыка заорала. Да ужасная такая...

— Какая? — спросил Паша.

— Не разбираюсь я в этом. Металл, что ли? Орут как ненормальные и инструменты ба-ба-бах! По мозгам прямо. — Старушка дошла до своей двери, вынула ключи. — Хорошо, вырубил через полчаса. Но телевизор не выключил. Не так громко, а ночью-то все равно слышно. Я-то ладно, глуховатая. И живу через квартиру, а те, кто через стенку, наверное, вешались.

— У вас балконы на одну сторону выходят?

— Да. Соседние. Окна двух других квартир на другую смотрят.

— Можно, я с вашего балкона на соседний перелезу?

— Это еще зачем? — подозрительно сощурилась бабка.

— Понимаете... У нашего приятеля слабое сердце. Он не берет трубку, и мы беспокоимся.

— Сердце? Слабое? Да брось! Пьет как конь. Разве больной человек будет так себя вести?

И все же она их впустила. Велев разуться, провела мужчин в зал. К удивлению Кена, обстановка в комнате была современная. Никаких тебе югославских стенок, совдеповских диванов, ковров на стене, плюшевых скатертей и люстр с «висюльками». Натяжной потолок, лаконичные обои, горка цвета «венге», тахта, два кожаных кресла и большой плоский телевизор.

Бабка, заметив удивленный взгляд Кена, хмыкнула:

— Что, не ожидал у старухи такую красоту увидеть? Думаете, мы свой век должны в рухляди доживать?

Она отдернула штору и открыла дверь на балкон. Естественно, створка была пластиковая.

— Полтора года половину пенсии откладывала, чтобы ремонт сделать. И то не хватило, окна и потолок в кредит взяла. А вот на мебель и технику не дали. Типа, пенсионерка, вдруг помру...

У Кена сложилось впечатление, что бабуля впустила их в квартиру только затем, чтобы похвалиться своим ремонтом.

— Как расплачусь по кредиту, буду балкон стеклить, — сообщила она. — И начну на нем помидоры выращивать...

Дальше речь пошла об овощах Михалны, которые она на своей лоджии взращивает. Под баб-кину зудение Паша перелез на соседний балкон. Сделал он это легко, играючи, как будто находился не на третьем этаже, а в метре от земли.

Кен заглянул за перегородку, проследил, как Паша подходит к окну, прилипает к стеклу носом, чтобы увидеть, что за ним.

— Ну, что? — спросила бабка, отодвинув Кена. Ее бледно-голубые глаза светились любопытством.

Паша отмахнулся от нее.

— Так что ты видишь? — Это уже Кен поинтересовался.

— В комнате человек, сидит на стуле. Не пойму, кто.

— Не Егор?

— Не похоже. Вроде волосы длинные...

— Полицию вызываем?

— Да, надо. — Павел повернулся. — Бабуль, звони ноль два. А я в квартиру проберусь пока.

— Как?

— Окно разобью. Тут только одна балконная дверь закрыта, вторая распахнута. Будет нетрудно.

— Но зачем?

— Вдруг человеку помощь нужна...

Он сорвал с веревки, натянутой на балконе, сохнувший на ней свитер. Обмотав им руку, размахнулся и долбанул по стеклу. Раздался звон.

— Бабуль, звони! — поторопил Кен хозяйку квартиры. Но та никак не желала покидать балкон. Как же! Такое действо перед ее глазами разворачивается.

Паша тем временем просунул руку в окно, взялся за ручку, повернул ее. Но дверь не поддалась. Видно, закрыта еще на щеколду. Недолго думая, Паша пнул по ней ногой. После этого путь оказался свободным.

— Надо было сразу так! — воскликнула боевая бабка и заторопилась к телефону.

Кен наблюдал за тем, как Паша прошел в квартиру. Ему самому была видно лишь часть комнаты, но стул с сидящим на нем человеком он рассмотрел. То, что Паша принял за волосы, оказалось платком. Он покрывал голову мужчины...

В том, что на стуле сидел именно мужчина, не осталось никаких сомнений. Руки, сцепленные за спинкой стула наручниками, были жилистыми, хоть и худыми. На правой — наколка.

— Это Егор? — спросил Кен у Павла.

— Да, — хрипло ответил тот.

— Мертвый?

Паша кивнул.

— Посмотри, сколько крови... — Он указал на линолеум. По нему растеклась огромная лужа, но она уже застыла. — Ему перерезали горло...

— Открой мне, я отсюда не вижу, — попросил Кен.

— Сейчас...

И Кен пошел в прихожую.

— Сынок, ну чего там? — обратилась к нему бабка, убрав трубку от уха.

— Убийство.

— Ах, батюшки! — выдохнула она и закричала в телефон: — Слыхали, ироды? Убийство! А вы мне тут балаболите, что сейчас выехать к нам некому!

Кен вышел из квартиры и прошел к соседней двери. Ее уже открывал Павел.

— Наверное, не стоит нам тут шастать, — сказал он, впуская Кена.

— Главное, ничего не трогать...

Кен не стал проходить в комнату. Квартира была маленькой и из прихожей просматривалась целиком.

Егор сидел на стуле, свесившись всем телом вперед. Держался на нем только благодаря сцепленным наручниками рукам. Кровь, брызнувшая из раны на шее, заляпала ворот свитера, но в основном вылилась на пол.

— Ты видишь это? — спросил Паша, указав на живот покойника. Свитер был разрезан от горла донизу. Под ним ничего — ни майки, ни футболки, голое тело. И на нем вырезан знак...

— Не пойму, что там, — присмотревшись, пробормотал Кен. — Но вроде не то, что в прошлый раз.

— Тот символ мы с Наташей расшифровали. Он означает, что Егор пролил чью-то кровь и получит за это по заслугам. То есть умрет. И вот он умер!

— Тогда что у него на животе?

— Круг, в который заключена перевернутая буква «Т».

— Хм... А что это значит?

Паша пожал плечами. А Кен, заметив в углу комнаты разбитый телефон, сказал:

— А вот и сотовый Егора.

— Он пытался позвать на помощь... Звонил мне... А я... я спал! — И шарахнул кулаком по стене.

— Сынки, вы чего тут? — послышался испуганный голос старухи-соседки.

— Бабуль, не входи сюда! — Кен попытался преградить ей путь, но она оказалась очень проворной. Поднырнув под его руку, скользнула в квартиру.

— Свят, свят! — прошептала она и истово закрестилась. — Что ж творится-то?

— Пойдемте отсюда! — Паша взял бабулю под руку и хотел вывести ее, но она уперлась. — А это что такое? — И ткнула в скульптуру, стоящую на столе. Она была не закончена. Или же у Егора был такой, чуть грубоватый, «шероховатый» стиль.

— Это «Обитель зла», — ответил ей Паша. — Последнее творение Егора.

— «Обитель зла» — это фильм, — проявила чудеса осведомленности бабка. И поразила мужчин своим самообладанием, граничащим с полным равнодушием к чужой смерти. — А тут какое-то уродство. Не поймешь, человек, животное или вообще кусок скалы.

— Таков замысел автора.

— У Родена замыслы, а у современных художников дурь одна! Вот зачем, спрашивается, в этом куске глины нож торчит?

Паша, заметивший его только сейчас, со значением посмотрел на Кена. Он кивнул. Нож был похож на тот, которым убили Георгия. Только ручка в виде разъяренного быка. Следствие уже пыталось установить, откуда и в какие магазины подобные ножи поставлялись.

— Пойду я, — заторопилась вдруг старуха. — Дела у меня...

— Бабуль, никому пока ни слова, хорошо? А то набегут зеваки, улики затопчут.

— Соображаю, — фыркнула та. И стремительно покинула квартиру.

Кен с Пашей следом. В подъезде они сели на ступеньки и закурили — Кен по дороге купил еще одну пачку сигарет.

Глава 7

Она постучала в дверь.

Сначала негромко, робко, затем настойчивее. И, наконец, так напористо, что костяшку указательного пальца заломило от боли...

Тра-та-та-та! Открывай, я все равно не уйду!

За дверью послышались шаги.

— Кто там еще? — Голос был нервный и очень усталый.

— Это я, Дина...

Дверь тут же распахнулась.

Паша выглядел изможденным. И дело не в том, что у него на лице вдруг обозначились морщины или мешки под глазами набрякли. Просто взгляд такой был... Свинцовый, что ли? Серые тусклые глаза, ничего не выражающие. И это у Паши, у которого они могли сверкать. Но даже не это главное... Заглянешь в них, и точно на дно идешь. Как будто гиря к ногам привязана...

Свинцовая.

— Привет, — поздоровалась с ним Дина.

— Здравствуй, — прошелестел он. Даже голос изменился. Стал слабым, сиплым.

— Могу войти?

— Конечно.

Паша посторонился, впуская гостью. Он был одет в джинсы штаны и майку. Штаны держались на бедрах и свисали, закрывая тапки. А вот майка сидела как влитая. Белоснежная, с небольшим логотипом на груди. Плечи Паши на ее фоне казались очень загорелыми. Дина залюбовалась кулоном, болтающимся на грубой серебряной цепочке. Квадрат, а внутри какой-то символ. Вроде простенько, а смотрится отлично. И очень идет к брутальному Пашиному образу...

Вот только у Дины возникло чувство, что где-то она этот символ видела.

Или он просто похож на какой-то другой?

— Хочешь выпить? — спросил Паша.

— Нет, спасибо.

— Пожалуйста, составь мне компанию.

Дина увидела на столике у зеркала бутылку джина. К нему она питала стойкое отвращение с тех пор, как в студенческие годы отравилась паленым «Гордонсом».

— А ничего другого нет?

— Чего бы ты хотела?

— Вина, возможно.

— Мартини подойдет?

— Вполне.

— У меня тут бутылка завалялась... — Он открыл чемодан и начал в нем шарить. — Купил в дьюти-фри, когда улетал из Скопье.

— Откуда?

— Это столица Македонии. — Отыскав бутылку, Паша достал ее. — Только льда у меня нет. Но ничего, сейчас попросим.

— Не стоит. Я не люблю холодный вермут.

— Как так?

— Знаю, это извращение, — улыбнулась Дина. — Но я даже иногда мартини в чай добавляю, как кто-то коньяк. Мне нравится теплый вермут или чай, отдающий им.

— Может, тебе тогда кипяточку? — усмехнулся Паша. — Могу организовать.

Она покачала головой. Павел налил мартини в стакан и протянул ей. Дина хотела чокнуться, но он сказал:

— За упокой, не чокаясь.

И выпил залпом свой джин. Дина же только пригубила вермут.

— Ты ведь в курсе, да? — спросил Паша, взяв с тарелки, что стояла на тумбочке, кусок сыра. Он был порезан грубо, впопыхах.

— Если ты об убийстве Егора, то да, — ответила Дина, сделав еще глоток мартини. На сей раз большой, и чуть не поперхнулась.

— Откуда?

— По телевизору показали.

— Телевизионщики пронюхали? Вот черт!

— Бабуля, что живет напротив, их вызвала. Получила свою минуту славы. Расскажешь, как это случилось?

— Егора убили ночью. Привязали к стулу и перерезали ему горло. При этом зачем-то накрыли голову платком. А на животе вырезали очередной символ.

— Такой же, как первый?

— Нет. Другой.

— Кстати, что за кулон у тебя на шее? Он чем-то похож...

— Мне его вождь одного африканского племени подарил. Это амулет. Отгоняет беду от того, кто его носит. — Паша взял цепочку в горсть, затем открыл ладонь и посмотрел на кулон с усмешкой. — От меня, как ты знаешь, он их не особенно успешно отгоняет. Видимо, африканские духи белым не очень охотно помогают.

— Давай выпьем еще? — предложила Дина. — Теперь чокнувшись. За то, чтобы твой амулет начал действовать.

— И не только на меня, но и на окружающих?

— Да.

— Давай! — Он улыбался, но глаза оставались грустными. — Я ведь мог спасти Егора, — произнес Паша, влив в себя джин. — Он звонил мне, но я спал, не слышал. Это мне не дает покоя...

— Ты не успел бы.

— А вдруг?

Дина подсела к нему, обняла за плечи.

— Соседка видела, как он поднимался в квартиру с какой-то женщиной, — сказал Паша. — Старуха назвала ее проституткой. Возможно, именно она и есть убийца. Наши полицейские не справляются, подмогу из района вызвали. Будут шерстить всех жриц любви. Но, сдается мне, та, что явилась к Егору ночью, не имела отношения к этой древнейшей профессии...

Он протянул руку к бутылке, плеснул себе еще джина.

— Как ты сходила в следственный отдел?

— Никого не застала, кроме стажера. А с ним не стала разговаривать.

— В «Чаше» провели обыск. Досмотрели машину Дельфии. Ничего. Я разговаривал с Казиевым.

— Успела замести следы?

— Что заметали — точно. Машина не просто вымыта — вылизана.

Она не убирала руку с его плеча. И чувствовала, как он скован.

— Ты очень напряжен, — заметила Дина, проведя по его спине ладонью.

— Жаль, я не умею снимать напряжение при помощи алкоголя, — поморщился Паша, отставив недопитую стопку.

— А что тебе обычно помогает?

— Скорость. Но у меня сейчас нет ни машины, ни мотоцикла. А тачки, взятые в аренду, не то. На них не разгонишься. — Он упал на кровать, раскинув руки. — Массаж бы, конечно, не помешал. Он здорово меня расслабляет, но боюсь, вызвав сюда массажистку, получу проститутку.

— Я могу тебя немного помассировать.

— Правда? — Он приподнял голову и с интересом посмотрел на Дину.

— Да, я училась на курсах. Правда, не закончила их. Но кое-что умею.

— Я буду тебе несказанно благодарен, если ты меня хоть немного разомнешь. От нервного напряжения шея одеревенела.

С этими словами Паша перевернулся на живот.

— Майку снимай, — велела Дина.

— Точно! — Он стянул с себя ее, швырнул на стул.

— Масла нет никакого?

— Откуда?

— А крем хотя бы есть?

— Какое-то молочко в ванной имеется.

Дина отправилась туда. Сначала вымыла руки, затем взяла пузырек с надписью «Для тела» с кремообразным веществом. Открутив крышку, понюхала. Пахло вполне приятно, кокосом.

Вернувшись в комнату, она разулась и забралась на Пашу верхом. Конечно, это против всяких правил, но так ей было удобнее. К тому же...

К тому же ей хотелось быть поближе к Паше.

А тут такой тесный контакт.

У него были широкие плечи, сужающиеся к бедрам. Мускулы не ярко выражены, как у культуристов или профессиональных гимнастов, однако хорошо развиты. Кожа загорелая, в некоторых местах неравномерно. Видимо, здорово обгорел когда-то, и цвет так и не сровнялся. Из-под джинсов, чуть сползших, виднелась тонкая белая полоса. Под ней резинка трусов.

— Какой ты черный! — не смогла смолчать Дина, полив спину Паши молочком и принявшись его втирать.

— О, ты не видела, каким я был в Африке. Почти как местные.

— Врешь!

— Конечно, вру. Но за мулата мог сойти.

— А я плохо солнце переношу. Чуть что — крапивница. Поэтому с курортов приезжаю бледненькой.

— Тебе это идет. Белизна кожи подчеркивает твою нежность.

— Почему все мужчины думают, что я нежная и романтичная?

— А разве нет?

— Нет.

— Не верю. А знаешь, почему? Все женщины в глубине своей души такие. Остальное — налет. Цинизм, свойственный многим, — это ваша броня. Вы себя в нее заковали, когда поняли, что «голенькими» уязвимы.

— Даже мужененавистницы нежные и романтичные?

— Они в первую очередь. Но у них броня слишком толстая. Там закаленная сталь, а в придачу куча оружия: кинжалы, сабли, булавы. Это мужчин пугает и держит на расстоянии, что только усугубляет агрессивность барышень. Замкнутый круг.

— Возможно, ты и прав. Каждая, даже самая сильная и независимая женщина, хочет побыть слабой и беспомощной.

— Но не может себе этого позволить.

— Потому что обжигалась, когда была, как ты выразился, голенькой.

Они замолчали. Дина массировала плечи Паши, затем шею, доходя до ямки на ней, и снова спускалась ниже. Позвоночник она трогать опасалась. Боялась навредить.

— Нормально тебе? — поинтересовалась она. — Не больно?

— Хорошо, — выдохнул он довольно.

Она продолжила массировать его. Но чувствовала, что долго не выдержит. С непривычки пальцы быстро устали. Паша как будто это почувствовал:

— А можешь теперь просто погладить?

Дина встряхнула ладонями и стала нежно пробегать подушечками пальцев по его спине. Вверх-вниз, вверх-вниз.

— Как будто бабочка порхает, — улыбнулся в подушку Паша. Похоже, массаж расслабил его. — Ты хочешь есть?

— Не особенно.

— А я очень. Давай закажем пиццу? Как ты к ней относишься?

— Отлично! — Про то, что после настоящей итальянской та, которую готовят здесь, ей кажется бумажной стелькой под сыром и, что самое страшное, майонезом, она умолчала.

Паша потянулся к сотовому телефону, набрал номер.

— Занято, — сообщил он, потом перевернулся и, закинув руки за голову, уставился на Дину. Именно уставился, а не посмотрел. Прожег взглядом. Дина засмущалась.

— Не смотри на меня так, — пробормотала она.

— Как — так?

— Пристально.

— Я рассматриваю тебя. И делаю это с удовольствием.

— Не нужно... — Она утопила лицо в сложенных ковшиком ладонях. Наверное, опьянела, поэтому и вела себя по-детски. — Мне не по себе.

Она ждала, что он что-то скажет. Подколет ее беззлобно...

Уколет побольнее.

Или сделает очередной комплимент.

Но вместо этого Паша положил свои ладони поверх ее, погладил их, а затем сжал. И с силой отвел от лица.

Дина вынуждена была посмотреть ему в глаза.

— Я не Вий, мне можно, — прошептал Паша и приблизил свое лицо к ее.

Она вспомнила кино (книгу Гоголя не читала). В нем Вий после того, как ему подняли веки, что-то страшное сотворил с главным героем...

Мысль Дина не успела закончить, потому что Паша прижался губами к ее рту.

От него пахло джином...

И тропиками. Дина подумала было, что все дело в том, что он прожил в Азии долгое время и запах въелся в его кожу. Но потом поняла, что это аромат молочка для тела, которым она смазывала его спину.

— У тебя сладкие губы, — прошептал Паша.

— Это мартини...

— Нет, это ты...

И снова они слились в поцелуе. Паша гладил ее грудь через трикотаж кофты и кружево лифчика. Она его голую...

Ладонь наткнулась на кулон...

— На удачу! — прошептала она.

— На удачу, — вторил ей он.

И он вновь принялся целовать ее. Только теперь губы Паши скользили по шее, по ключицам, ложбинке между грудей. Дойдя до места, где заканчивался У-образный вырез, он замер на секунду, а затем сорвал с Дины кофту. Следом лифчик. Он жаждал ее.

— Ты бархатная, — пробормотал он. — Как персик...

Дина смутилась. Ее тело действительно покрывал светлый пушок. Она удаляла волосы только в тех местах, где они росли особенно густо. Хотелось, чтоб и руки, и живот, и спина были абсолютно гладкими.

— Опять я что-то не то сказал?

Она тряхнула волосами. Все то. Просто она закомплексованная дура!

Джинсы полетели вслед за кофтой. Дина не отстала от Паши и тоже сорвала с него брюки.

Они остались в одних трусах.

На ней — стринги бледно-серого цвета с нежным розовым кружевом. Пепел розы...

На нем — брутальные синие боксеры.

Первой в костюме Евы оказалась Дина. Паша стянул с нее «пепел розы» за секунду.

Отстранившись, посмотрел на нее, обнаженную, и уверенно сказал:

— Да, настоящий персик! — После навис над Диной и выдохнул в ухо: — Это мой самый любимый фрукт...

* * *

Она лежала, уткнув вспотевшее лицо в подушку, и тяжело дышала. Они только закончили заниматься любовью, и Дина пыталась прийти в себя. Давно ей не было так хорошо...

Нет, не так!

Ей никогда не было так хорошо.

— Какой же я дурак, — услышала она голос Паши.

— Да? — рассеянно спросила она. — Почему?

— Я не заказал пиццу.

Слабая улыбка тронула губы Дины. И тут же она ощутила вкус поцелуя.

— Я хочу есть... Нет, жрать! — Паша рванул к телефону и набрал номер. — Девушка, — обратился он к оператору, — пиццу хочу. Большую-пребольшую. А лучше две. Мясную и... — Он закрыл микрофон рукой: — Дина, ты какую хочешь?

— Я все еще не голодна.

— Тогда одной хватит. Девушка, мясную. Но чтоб там и грибочки были, хорошо? А пиво можно? Отлично. Четыре бутылки...

Паша еще что-то говорил в трубку, но Дина не слышала. Она пребывала в нирване. Это она всегда представляла следующим образом: ты лежишь на облаке, и тебе так хорошо, что ничего больше не хочется. В данный момент она, хоть и покоилась на кровати, ощущала себя на облаке. И ничего ей не хотелось — всем была довольна.

— Через пятнадцать минут пицца прибудет, — сообщил Паша, прыгнув в кровать и сграбастав Дину по-медвежьи.

Она охнула. Но Паша не ослабил хватки. Еще сильнее прижал ее к себе и зарылся носом в растрепанные волосы Дины.

— Пахнут яблочком...

— Я мою голову детским шампунем, — проговорила она сдавленно. — На него у меня точно аллергии нет.

— Повернись ко мне, пожалуйста.

Дина хотела встать и посмотреться в зеркало (наверняка тушь размазалась), но Паша так настойчиво теребил ее, что пришлось повернуться к нему:

— Я страшная, наверное, сейчас...

— Красивая, — возразил он. — Нежная и удивительная...

— Как Зося Синицкая? — улыбнулась Дина.

— Лучше. — Он поцеловал ее в нос.

— Я в душ.

Дина потянулась за своими вещами, но Паша остановил ее:

— Иди так. Я хоть на твою попу полюбуюсь.

— Но я замерзну после душа.

— Накинешь мою рубашку. — Он указал на шкаф. — На вешалке есть одна. Специально для тебя...

Она открыла дверцу и сорвала с «плечиков» белую рубашку в тонкую синюю полоску.

— Скоро вернусь! — бросила она через плечо и скрылась в ванной.

Включив воду, Дина забралась в поддон. Номер был очень скромный, без евроремонта, и вместо душевой кабины — уголок со шторкой. На стене — лейка. На полу — поддон.

Стоя под теплыми струями, Дина напевала. Она не помнила уже, когда делала это в последний раз...

Очень, очень, очень давно!

Голос у Дины был приятного тембра, но слабенький. На публике она никогда не пела. Стеснялась. Но в детстве мечтала о сцене. И кривлялась, как многие девочки, перед зеркалом с расческой-микрофоном.

Помывшись, она насухо вытерлась и облачилась в рубашку Павла. К сожалению, от нее ничем не пахло: ни одеколоном, ни лосьоном, ни самим Пашей. Он ни разу ее не надевал.

Перед тем как выйти из ванной, Дина постояла у зеркала, пытаясь привести в порядок волосы. Не тут-то было! Растрепанные, сзади всклокоченные. И, главное, нечем их привести в пристойный вид. С собой Дина не взяла расчески, а у Паши ее не было — он стригся коротко.

Кое-как расчесав космы пальцами, Дина покинула-таки ванную.

Паша ждал ее в кровати. Увидев, расплылся в улыбке:

— Эта рубашка тебе идет больше, чем мне.

— Ты ее не носил.

— Я не люблю рубашки.

— Зачем тогда покупал?

— Как чувствовал, что ко мне придет очаровательная барышня, которой будет нечего накинуть после душа... — Он похлопал ладонью по кровати. — Иди ко мне.

Дина юркнула под бочок к Паше, обняла его.

— Об одном жалею, — вздохнул он. — Что поменял свой люкс на эту келью. Кровать для нас двоих явно маловата.

— Нормально, умещаемся.

— Останешься со мной? — спросил он, приподнявшись на локте.

— Да я пока вроде не собираюсь никуда.

— На ночь, я имею в виду.

— Ой... Прямо не знаю.

— Что останавливает?

— Я даже расчески с собой не взяла! — ляпнула Дина первое, что пришло на ум.

— Аргумент! — расхохотался он. — А если я тебе ее предоставлю, останешься?

Она собиралась ответить, но тут раздался телефонный звонок — аппарат висел на стене возле кровати.

— Пицца! — воскликнул Паша и схватил телефонную трубку. — Алло.

Лицо его немного вытянулось. Дина поняла, что это не пицца.

— Да, да, конечно, поднимайся...

— Кто там?

— Лида.

— Вот черт! — Дина спрыгнула с кровати, схватила свои вещи и бросилась в ванную.

— Я не могу сказать ей — приди попозже! А лучше завтра! Тем более что мы с ней договаривались сегодня встретиться... — крикнул ей вслед Паша и принялся лихорадочно натягивать на себя брюки. — Понимаешь?

— Понимаю! — ответила она и захлопнула дверь.

Глава 8

Пахло сексом!

Лида, как вошла, уловила аромат, который ни с чем не спутаешь...

Он был легкий, но явственный. То есть здесь занимались сексом от силы пару раз. А скорее один. После ночей любви, изнурительных и жарких, воздух обычно пропитан потом, спермой, женским, чуть отдающим рыбкой, секретом, иногда табаком или гашишем...

Лида знала и его.

— Ты один? — спросила она у Паши.

— Нет, у меня Дина. Она в ванной.

Дина!

Вот, значит, с кем он кувыркался. Постель вздыблена, подушка на полу...

Помешала?

Дверь ванной комнаты открылась, и на пороге показалась Дина. Физиономия красная, смущенная. Волосы растрепаны. На затылке — «хохол». С ударением на первый слог. Именно так мать Лиды называла пук, образовывавшийся после того, как женщина ерзала по подушке затылком во время занятий любовью.

«Сука!» — мысленно обозвала Дину Лидия. А вслух сказала:

— Привет.

— Здравствуй, — смущенно пробормотала та, кинув взгляд на кровать. Сообразила, что Лида все поняла.

— Надеюсь, не помешала? — спросила та.

— Конечно, нет... — Дина покраснела. Да не просто щечки порозовели, а все лицо до корней волос вспыхнуло.

Боже, как можно в ее далеко не юные годы (бабе-то под тридцать) оставаться такой целочкой? И ведь не придуривается. Реально менжуется. А Паша...

Паша находит это привлекательным.

— Я звонила, звонила, а ты трубку не брал, — со вздохом проговорила Лида. — Я забеспокоилась и решила приехать...

— Как видишь, со мной все в порядке...

О, более чем! Это и злит.

— Ты смотрела региональные новости? — спросил он, украдкой застегнув «молнию».

— Нет, а что?

— Егора убили.

— Когда?

— Этой ночью. Мы с Кеном обнаружили его труп три часа назад.

— Репортаж наверняка уже есть в Интернете, — сказала Дина. — Давай покажем его Лиде.

— Да, точно. Заодно и сам посмотрю.

Паша взял ноутбук, подключился к Интернету и быстро нашел искомое. Репортаж был десятиминутным, и они просмотрели его со всем вниманием, не перебросившись и словом.

— Что за символ вырезан на груди Егора? — спросила Лида, когда картинка застыла. Об этом сообщила журналистам бабка. Труп Егора в кадр попал, накрытый простыней. — Тот же самый?

— Нет. Хотя из той же серии. Геометрическая фигура, но на сей раз круг, в который заключена перевернутая буква «Т».

Лида насупила брови.

— А ручка есть?

Паша взял с тумбочки карандаш, что лежал возле телефона вместе с мини-блокнотом, и протянул его Лиде.

— И бумагу.

Она получила и блокнот.

— Хочу видеть эту эмблему, — пояснила она. И стала рисовать круг, затем в нем перевернутую букву «Т». — Так выглядел символ?

— Да.

— Где-то я его уже видела.

— А ты не можешь вспомнить?..

— Шшш! — шикнула на Пашу Лида, да еще пальцем погрозила. — Мне сейчас, главное, не мешать... — Она прикусила костяшку согнутого указательного пальца. — Так, так, так... Где-то в окне... Или?

Она вскочила и стала расхаживать по комнате. Но так как места в ней было немного, Лида остановилась возле окна и выглянула на улицу. Там уже совсем стемнело. Только фонари горели — центр города, как-никак. Их свет отражался в лужах.

— Вспомнила! — вскричала Лида. — Как лужи увидела, сразу вспомнила! Этот символ я видела незадолго до похищения.

— А поподробнее? — Паша подошел к ней и встал рядом, не очень высокий, на каблуках Лида была с него ростом. И мышцы под одеждой не бугрились. А она любила, когда бицепсы, трицепсы, а главное, кубики на животе, ярко выражены. Атлеты являлись ее слабостью. Особенно волоокие. И бородатые. Лиду возбуждала растительность на лице. Но не всякая. Усы она терпеть не могла. Трехдневную щетину считала привлекательной, но знала, как та колется при личном контакте, поэтому велела своим козликам ее сбривать или отращивать мягкую бородку. Она приятно щекотала губы при поцелуях...

А вот Паша гладко брился. А так как кожа у него чувствительная, то на ней появлялось раздражение после бритья. Такие мелкие прыщики, при взгляде на которые в Лиде обычно просыпалась брезгливость. Но на Пашу она смотрела с удовольствием, несмотря ни на что.

— Я шла из спортзала, — начала рассказывать Лида. — В одиннадцатом часу — фитнес работает до десяти. Шла пешком до дома, в котором сняла квартиру. Далековато, но я люблю после занятий пройтись.

— А почему ты сразу не уехала домой, когда узнала, что тетка жива?

— Квартиру сняла на неделю, думала, оформление документов времени потребует, а хозяйка деньги возвращать не желала, вот я и решила остаться. От козлика своего, в смысле, от мужчины, — с улыбкой поправилась она, — отдохнуть... И вот иду я после занятий кикбоксингом (взяла пробный урок у местного супер-пупер-тренера) домой. Погода хорошая, но дождь недавно прошел — лужи. И тут машина едет. А дорожка узкая. Отошла я, чтоб не забрызгала меня. Потом вижу, крылечко. Дай, думаю, поднимусь на него. Так до меня точно брызги не долетят. Сделала это. Домик двухэтажный, старый, дореволюционный. Заброшенный. Окна ставнями закрыты. Но одна повисла. Я мельком бросила взгляд в окно. Фары машины светят, мне все хорошо видно. Комната запущенная, заставленная какой-то рухлядью и коробками. На стене зеркало в деревянной раме. И на нем... Вот этот символ! — Она ткнула в свой рисунок пальцем. — Нарисован чем-то черным. Маркером, скорее всего.

— И сразу после этого тебя похитили?

— Не сразу, через несколько минут. Машина проехала. Я спустилась со ступенек и пошла дальше. На соседней улице вновь увидела то авто. Оно встало, перегородив мне дорогу. Я начала обходить его, и тут... Острый укол в шею. Туман перед глазами. И чернота...

— А что за машина была?

— Развалюха мерзкого желтого цвета.

— Не минивэн?

— Нет. «Москвич»-каблук. Его нашли полицейские этой ночью, сегодня утром приехали ко мне, попросили последовать за ними. Я сначала перепугалась, а потом мне сказали, что обнаружена машина, салон которой весь в моих отпечатках (в твоих, Паша, между прочим, тоже). Предположили, что в ней нас везли до бомбоубежища. И оказались правы. Я развалюху опознала. Ее угнали у одного деда из гаража. Он узнал о краже только тогда, когда ему позвонили и сообщили об этом.

— Помнишь, где тот дом находится?

— Конечно.

— Поехали.

Лида кивнула.

— Малыш, ты с нами или здесь подождешь меня? — обратился Паша к Дине.

Малыш!

Вот, значит, как...

— С вами! — выпалил «малыш» и начал суетливо собираться.

А Паша уже был готов к выходу. Для этого ему потребовалось пять секунд. Сунув ноги в ботинки (не расшнуровав их) и сняв с вешалки куртку, он взялся за ручку двери.

— Выходим, девочки! — скомандовал он.

— Ой! — послышалось из-за двери. Это Паша, открыв ее, едва не зашиб парня с коробкой пиццы в одной руке и пакетом в другой.

— Пардон, — извинился перед ним Павел. — Сколько с меня?

Разносчик назвал сумму, которую тут же и получил, да еще и на чай.

— Парень, ты на скутере или на машине? — спросил Паша, положив пакет на кровать, а пиццу взяв с собой.

— На авто.

— Подбрось нас в одно место. Заплатим, как за такси.

— Лады.

Вчетвером они покинули гостиницу. В какую машину садиться, Лида поняла сразу. На ее дверках была изображена дымящаяся пицца.

Они забрались в салон. Все сели на заднее сиденье. Паша в середине. Открыв коробку, он втянул носом воздух и с наслаждением протянул:

— Обалденный запах!

— Да, пахнет приятно, — согласилась с ним Лида. Аджикой. Итальянский повар, узнай он, что ее положили в пиццу, упал бы в обморок. Как и при взгляде на толстый слой теста.

— Налетайте, девочки!

Пицца была порезана, и все взяли по куску.

Лида ела без аппетита. Во-первых, была не очень голодна, во-вторых, не любила блюда итальянской кухни, а особенно сделанные в России. Ей нравилась азиатская. Легкая, кисло-сладко-острая. Или традиционная русская. Да не какие-нибудь там перепела в сметане, а котлетки да студень с хреном. А вот Паша уминал пиццу, аж за ушами трещало (так говорили в их деревне). Да и Дина ела с удовольствием. Откусывала пиццу своими мелкими зубками и быстро-быстро пережевывала. Лиде она напоминала хомячка...

И что только Паша в ней нашел?

Лида съела один кусок. От добавки отказалась. Побоялась, что изжога потом замучает. Дина сжевала два куска. Паша остальные. Что ж, понятно. Все мужчины голодны после секса...

— Куда ехать? — спросил водитель, глянув в зеркало. Он все дорогу только и делал, что в него пялился. Естественно, объектом его внимания была Лида. Но сейчас он посмотрел на Пашу.

— Начало старого рабочего поселка, — ответила за него Лида.

Через десять минут они были на месте. Когда выбрались из машины, Паша сунул парню деньги, затем швырнул в урну пустую коробку.

— Куда идти? — спросил он у Лиды.

— Прямо. Потом свернем. Тут лучше пешком. — Она махнула рукой, приглашая следовать за собой.

— Ты совсем не боишься? — спросила Дина, опасливо оглядевшись.

— Практически.

— Я бы ни за что не стала ходить тут вечером. Трущобы какие-то. Причем заброшенные. Мало ли кто обитает в этих заколоченных домах... — И поежилась.

— Мой опыт говорит о том, что опасность таится как раз там, где мы не ожидаем с ней столкнуться! — парировала Лида и решительно шагнула в темноту проулка.

У Лиды был секрет...

Нет, не так.

У Лиды был страшный секрет!

Страшный — это такой, который не доверишь никому и ничему, даже бумаге!

Лида хранила... нет, опять не так... хоронила его в себе на протяжении последних лет. Но секрет, что то привидение, все равно напоминал о себе то стоном и воем в закоулках души, то нервным скрежетом.

...Она была в себе уверена. Никого не боялась. Считала, что всех насквозь видит.

Переоценила себя.

Мужчина, на котором она «сломалась», показался ей самым адекватным на свете. Он был спокоен, интеллигентен, рассудителен и очень мил. Прекрасные манеры. Приятная внешность. Сдержанность в суждениях. Лида, познакомившись с ним, подумала: вот тот, с кем ей будет хорошо. Другие напряжные. А этот легкий и понятный.

Естественно, он был женат. И с супругой находился в чудесных отношениях. В отличие от многих, он никогда не говорил о ней плохо. Это тоже подкупало.

Они несколько раз ужинали, прежде чем Лида допустила его до тела. Секс оказался никаким, что ее только порадовало. Удовольствие она предпочитала получать с молодыми, накачанными, красивыми и безбашенными. А тут — взрослый дядя, владелец крупной фирмы, с брюшком и лысиной. Таких когда-то называли «папиками». Этому козлику сие прозвище подходило. Особенно если учесть, что у него было трое детей. Двоих ему родила законная жена, и старший уже женился, а последнего любовница, ему едва исполнилось пять.

Второе свидание тет-а-тет должно было состояться в его загородном доме (первое — в гостиничном номере класса «премиум»), но к «папику» приехали друзья с Севера. Лиду пригласили составить им компанию. Она не отказалась. Ей было приятно проводить время с лицами противоположного пола. И не потому, что она становилась объектом всеобщего внимания. Просто с мужчинами ей было интереснее. Лучше говорить о спорте, инвестициях и политике, чем о шмотках, артистах, косметике, а хуже того — о детях.

Лида приехала. Любовник ее встретил, провел в дом. Он был уже сильно пьян. Она никогда не видела его таким. Да что там, даже под хмельком ни разу. Он совсем не пил при ней. Ни стопки, ни фужера. Хотя его возил шофер. А тут — просто в хлам. И друзья ему под стать. Лида выпила с ними немного. Поболтала. Но вскоре засобиралась домой. Одно дело компания хмельных мужчин, другое — в дым пьяных. Вот только ее отпускать не хотели. «Папик» с силой усадил ее к себе на колени и стал тискать. Хватал за грудь, задирал юбку, демонстрируя друзьям ее ножки, сжимал ягодицы. Это было отвратительно!

Куда делся джентльмен, который виделся Лиде? Растворился в литре дорогого коньяка? Или его просто не существовало, а под благопристойной маской скрывался пошлый хамоватый мужлан?

Лида сначала шутливо била его по рукам, потом стала прикрикивать, но это не помогало. Более того, распаляло «папика» и его друзей. Вскоре к ней потянулись другие руки, и два разгоряченных мужика приблизились...

То, что произошло дальше, бывало со многими. Но Лида всегда считала, что с ней такого случиться не может. Ее, прожженную, боевую, хитрую, не изнасилуют. Потому что жертвами такого преступления становятся доверчивые, робкие, слабые духом и телом. Не способные дать отпор. Потенциальные жертвы. Но оказалось, она ошибалась. И ее, прожженную, боевую, хитрую, изнасиловали...

Что может женщина, пусть и сильная, против трех раздухарившихся мужиков? Справиться с ними нереально. А перехитрить... Да Лиду просто никто не слушал. С хохотом и скабрезными возгласами мужики схватили ее, повалили и отымели.

Хорошо хоть без извращений и издевательств.

Залив Лиду семенной жидкостью, мужики пошли играть в бильярд. А она, отмывшись, поехала домой. Хотя первой мыслью было снять со стены ружье, последовать за ними и расстрелять всех. Второй — поджечь дом. Третьей — отправиться в полицию и написать заявление...

Но Лида поехала домой. Полночи проплакала. Остальную половину продремала. Нормально уснуть не могла — будили кошмары.

«Папик» позвонил поздним утром. Извинился за себя и друзей. Да так обыденно, будто ей вчера во время танцев ноги оттоптали, а не изнасиловали. Пригласил на обед в ресторан. Лида поехала.

В костюме и при галстуке, чисто выбритый и пахнущий дорогим одеколоном, он сидел за лучшим столиком и пил воду с лимоном. Когда Лида подошла, «папик» встал из-за стола, следуя правилам этикета.

— Добрый день, прекрасно выглядишь, — сказал он с улыбкой. — Я заказал для тебя блюда по своему усмотрению, надеюсь, ты не против?

— Я вчера была против группового изнасилования, а что жрать, мне по хрену!

— Не употребляй, пожалуйста, грубых слов, — поморщился «папик».

— Я помню, что ты не любишь грубых выражений. Только не пойму, какое слово тебя покоробило сильнее — «жрать» или «хрен»?

— Ты понимаешь, о чем я.

— А... Так ты про изнасилование? Ну, и что тебя смущает? Я называю вещи своими именами!

— Я же попросил прощения.

— А я вас не простила.

— Возможно, это тебе поможет... — Он сунул руку в карман, достал из него конверт и подтолкнул к Лиде.

Она взяла, открыла. Пачка купюр по пятьдесят евро. В итоге — очень приличная сумма.

Лида убрала конверт в сумочку, хотя, если бы это был фильм, а она являлась его героиней, ей следовало швырнуть деньги в лицо «папику», но она этого не сделала. Какой смысл? Лучше ей не станет. В душу плюнули, над телом надругались, что изменится, если она еще от денег откажется?

— Надеюсь, вчерашний инцидент не помешает нашим отношениям? — услышала она голос «папика».

Он это серьезно???

— Что?

— Мне пить нельзя, я дурной становлюсь. Обещаю, что больше не буду принимать на грудь при встречах с тобой. Ты мне нравишься. Я хотел бы продолжать общение.

— Да пошел ты!

— Не строй из себя тургеневскую барышню. Мы оба знаем, кто ты есть.

— И кто я?

— Шлюха высшей пробы. Но я принимаю тебя такой. Прими и ты меня... Тем более я дал тебе слово вести себя по-джентльменски.

Она взяла его стакан и вылила воду с лимоном ему на лысину.

Жаль, что в стакане был не сок с мякотью! Желательно морковный.

Чтоб он сидел, будто в жидком дерьме!

После этого Лида покинула ресторан. И постаралась забыть, что случилось в загородном доме, но у нее не получилось. Она ругала себя, самонадеянную дуру, и проклинала «папика». Именно его, а не всех троих. С его подачи все произошло. Значит, вина на нем.

Чтобы выпустить пар, а также научиться защищаться, Лида наняла тренера по кикбоксингу. Это был пожилой, чуть оплывший мужчина. Совсем не Ван Дамм, сыгравший кикбоксера в одноименном фильме, так нравившийся Лиде-девочке. Но тренер оказался настоящим мастером, а не позером, как многие. В том числе голливудские звезды и звездочки. Он не прыгал, как козел, не демонстрировал растяжку, он просто сокрушал. Руками и ногами. Лида видела его в деле. Они шли поздним вечером по улице, направляясь из зала к стоянке, и к ней, такой блестящей, вызывающей, показушно шикарной, пристали гопники. На возрастного туфячка, что сопровождал барышню, даже не взглянули: один удар, и он в отрубе. А на бабе — цацки, шуба, в кармане явно дорогой телефон, а в кошельке куча бабок.

Когда гопники подкатили к Лиде, тренер спокойно, но сурово сказал: «Отвалите!» И добавил крепкое непечатное слово с предлогом «на». Крепко сбитые молодые парни посмеялись над ним, а один замахнулся, чтобы ударить. Тренер поставил блок. Он все еще хотел избежать драки. Не получилось! Гопники втроем налетели на него. Лида думала: все, конец. И ему, и ей. Не знала, что делать: кидаться на помощь или кричать: «Помогите!» Но не прошло и десяти секунд, как трое нападавших лежали на снегу. Два хука и один кик ногой. У тренера даже дыхание не сбилось. Утерев разбитый кулак о куртку одного из поверженных врагов, он взял Лиду под руку и повел дальше.

К сожалению, тренер не успел сделать из своей подопечной мастера. Он умер вскоре по-дурацки. Поехал в деревню к брату, выпил с ним, пошел в баню по-черному да угорел. Но Лида многому успела научиться. И не только кикбоксингу. Тренер виртуозно владел ножами, а метал их с фантастической точностью. После того как он увидел, насколько хорошо Лида играет в дартс, он стал показывать ей, как обращаться с ножами. Считал, что из нее отличная метальщица получится. «Сможешь в цирке выступать!» — смеясь, говорил он.

Лида продолжала тренироваться и после смерти своего наставника. В цирке, как он предрекал, выступать не собиралась, просто это занятие ее увлекло. А еще позволяло концентрировать злость и направлять ее в цель. Пусть и неодушевленную, тогда как воображение рисовало совсем другую...

Она никак не могла простить «папика», хотя знала, время лечит. Но как дождаться того момента, когда «пилюля» начнет действовать? Лиду разрывало от желания отомстить. Она справилась бы с ним, но однажды...

Шла по улице. И настроение было прекрасное. И тут навстречу он — «папик». Под руку с девушкой, хорошенькой и молоденькой. Лида сразу поняла, что между ними еще ничего нет. Клиент на стадии разработки. То есть барышню только охмуряют. Лиде не хотелось встречаться с «папиком» лицом к лицу, поэтому она отвернулась к витрине.

— А через неделю ко мне друзья приедут, — донесся до нее его журчащий голос. — Надеюсь, ты разбавишь нашу сугубо мужскую компанию.

— Я даже не знаю...

— Не беспокойся, мои друзья очень приятные люди. Ты отлично проведешь время.

В душе Лиды все всколыхнулось. Вспомнилось, как она разбавляла мужскую компанию и как «отлично» проводила время с «приятными» людьми. «Яйца бы тебе оторвать, козел! — рыкнула она мысленно. — Тебе в первую очередь, а уж потом твоим дружкам. Потому что ты бросаешь «на общак» женщин, которые к тебе прониклись. Тех, за кем ты ухаживал и говорил красивые слова. Пусть не о любви, но о доверии. И ведь денег у тебя море. Неужели трудно взять проститутку, двух, трех? Неинтересно? Куража нет? А без него не стоит у тебя, старого, пресыщенного? И у твоих потрепанных жизнью дружков...»

«Папик» и его спутница давно скрылись из виду, а Лида все вела внутренний диалог со своим обидчиком. Закончив его, зашагала к машине, злая-презлая. Забыла даже, куда направлялась. А она направлялась за сумкой «Шанель», цена на которую упала вдвое, и ее придержали всего на два часа по настоятельной Лидиной просьбе, подкрепленной денежной благодарностью.

Лида страстно желала ее заполучить. Совсем недавно, еще три часа назад.

Но ничего уже не хотелось... Только мстить!

Остаток дня в ее голове роилось множество мыслей. Лида большую половину гнала прочь, к остальным прислушивалась. Потому что они казались ей разумными.

В шесть вечера Лида вышла из дома. Она была одета по-спортивному: в утепленные джинсы, угги, пуховик с капюшоном. За плечами — рюкзак. В нем нож. Самый обычный, купленный за три копейки на развале. Но идеально заточенный и... «пристрелянный».

Она знала, где у «папика» офис. А также то, что он вечерами туда неизменно наведывается. Пунктик у него такой. Как у Мороза-воеводы из детского стихотворения, который «дозором обходит владенья свои».

Напротив офиса находилось заброшенное здание детского сада. Его собирались сносить, а на его месте строить торговый центр. Лида проникла за ограждение. Забралась по пожарной лестнице на второй этаж. Нашла глазами двери офиса. Вынула из рюкзака нож...

«Папик» вышел из офиса самым последним. На нем был лишь костюм. Чтобы дойти до машины, много времени не требуется. Меньше минуты. Замерзнуть не успеешь. Пиджак нараспашку. Брюшко свисает на ремень. А под пряжкой...

Мишень!

Лида прицелилась, размахнулась и...

Метнула нож.

Она знала, что попадет в цель. Шесть, семь метров для нее ерунда.

И все же дождалась момента, когда острие угодит куда надо.

Страшный крик, сменившийся воем. На светло-серых брюках — расплывающееся алое пятно.

Попала! Тренер мог бы гордиться своей подопечной. Большое расстояние, плохое освещение, мороз, сковывающий движения, а также перчатки, притупляющие ощущения, — надела их, чтобы не оставить на рукоятке отпечатков пальцев. Ничего не помешало Лиде поразить цель!

Когда она покидала место своей дислокации, «папик» корчился на покрытой инеем брусчатке, а к нему кто-то спешил на помощь.

Лида успела скрыться до приезда полиции.

На следующий день она узнала о том, что он умер. Сердце не выдержало болевого шока.

Расследование по этому делу велось, но преступление так и осталось нераскрытым, поскольку в ходе его вылезло столько нелицеприятных фактов об интимной жизни покойного, что вдова поспособствовала его закрытию. Во избежание позора!

Глава 9

Дом был именно таким, каким его описала Лида. Увидев его издали, Паша сразу понял: пришли. Деревянный, на каменном фундаменте, окна, закрытые ставнями. Вот только сейчас все они были плотно закрыты, ни одна не висела.

— А я знаю этот дом, — сказала Дина.

— Да? — с подозрением покосилась на нее Лида. Она все время смотрела на нее с нехорошим чувством.

— Мы жили тут, когда я маленькой была. Но когда мне исполнилось четыре, мы переехали.

— Я тоже неподалеку жил. На соседней улице. В таком же ветхом фонде. У бабушки была половина дома. И я у нее обитал, — заявил Павел.

Они подошли к крыльцу, встали возле него.

— Какая у вас квартира? — спросила у Дины Лида.

— Я не помню точно. Тут их вроде восемь. Мы жили на втором этаже. Мне врезалась в память крутая лестница с подгнившими ступеньками, с которой я боялась свалиться. Дом уже тогда был в полуаварийном состоянии. Хорошо хоть сейчас жильцов расселили.

Паша поднялся на крыльцо, подошел к двери, толкнул ее. Конечно же, заперта.

— Как попадем внутрь? — спросила у него Лида.

— Взламывать придется, — пожал он плечами.

— Нет, не надо, — остановила его Дина. — Я покажу, как попасть внутрь. Пойдемте.

И повела их на задворки. Там стояли сараи, а вернее, то, что от них осталось, имелись две лавки и столбы, на которые когда-то были натянуты веревки для сушки белья.

— Кроме лестницы, меня очень пугал подвал, — сказала Дина, подведя своих спутников к окошку возле самой земли, «зашитому» фанерой. — Все дети туда лазили, а я боялась. Смелости хватало лишь на то, чтобы заглянуть в окно — тогда оно было без стекла и фанеры. И я видела основание лестницы, которая меня страшила. То есть между подвалом и подъездом нет двери. Если мы оторвем фанеру, что легче, чем выбить дверь, то попадем внутрь дома.

Паша присел на корточки и взялся за углы деревянного листа, закрывающего окно. Одно усилие, и фанерный квадрат с хрустом отошел. Еще одно, и он остался у него в руках.

— У меня телефон с фонариком, — сказала Дина. — Посветить?

— Давай, — ответил Паша, отбросив лист фанеры с торчащими из него ржавыми гвоздями.

Дина достала свой сотовый, нажала на нужную клавишу, и пространство осветилось.

Паша тут же протиснулся в окно. Он бы и в полной темноте сделал это без опаски. Он знал, что главное — дать глазам привыкнуть к мраку, потом предметы различать будет несложно.

Спрыгнув на пол, он выставил руку, чтобы помочь девушкам забраться в подвал.

Первой нырнула в окно Лида с грациозностью пантеры. Дина оказалась более неуклюжей. Однако и ей удалось забраться, не повредив себе ничего и не испортив одежду.

— Смотрите, свеча! — воскликнула Лида. И указала на ящик, где стояла высокая железная банка с изображением коровы, а в ней свеча.

— Только мы не курим никто. У нас ни зажигалки, ни спичек, — вздохнула Дина.

— Вечно ты паникуешь! Найдем что-нибудь...

Лида присела на корточки и стала шарить руками по полу.

— Ну вот же! — И подняла сломанную спичку с серным наконечником.

— И обо что ты ее зажжешь?

— Учись, пока жива! — С этими словами Лида чиркнула спичкой по каменной стене. Та тут же вспыхнула.

Она зажгла свечу и первой проследовала к лестничному проему.

— Будь осторожна, — предупредил Паша. — На полу много всякого хлама, можно споткнуться.

— Да я уж вижу, — проворчала Лида, перешагнув через сломанный табурет.

Они поднялись из подвала на первый этаж. Дина покосилась на крутую лестницу, ведущую наверх, и поежилась. Детские страхи все еще жили в ней. Вот Лида, казалось, ничего не боялась. Где-то в конце темного коридора раздалось шуршание, и она заметила спокойно: «Крысы!», чем привела Дину в ужас.

У двери под номером «3» Лида остановилась.

— Нам сюда, — сказала она. — Только тут заперто... — И с озорной улыбкой добавила: — Но Паша умеет сокрушать двери, нам не страшно...

Однако Павел на сей раз был не уверен в своих силах. Дверь оказалась добротной, толстой, пусть и деревянной, на крепком замке.

— Ногой не выбью, — покачал головой он. — Нужен лом или что-то подобное...

— Топор подойдет? — спросила Дина.

— Да. А что, есть?

— Надеюсь... — И бросилась к лестнице. Взявшись за нижнюю ступеньку, потянула горизонтально лежащую доску вверх. Та отошла. — Надо же, все еще лежит! — И вытащила топор.

— Ничего себе! Откуда он там?

— Тут семья пьющая жила. Муж как надирался, так хватался за топор. Я боялась, что зарубит кого-нибудь. Вот и спрятала его.

— Какая ты умница. Давай сюда.

Взяв в руки топор, Паша просунул его лезвие в щель между дверью и косяком, поднажал...

Раздался хруст. Затем скрип — это заскрежетали проржавевшие петли, когда дверь открылась.

Первое, что увидел Паша, когда вошел, это зеркало. А на нем тот самый символ.

Лида поставила свечу на подоконник, подошла к зеркалу. Лизнув палец, провела им по поверхности стекла.

— Точно, маркер.

А вот Дину больше заинтересовали коробки, что стояли вдоль стены. Она подошла к ним, открыла одну из них.

— Что там?

— Барахло какое-то. — И достала кусок темной ткани. Повертев его в руках, сообщила: — Это мантия или что-то вроде того.

— Покажи-ка! — Паша взял у нее «барахло», рассмотрел его и согласился. — Да, мантия. Для ритуалов.

— Каких?

— Месс, которые проводят мужененавистницы. Тут и амулеты где-то должны быть...

— Как они выглядят?

— Не знаю. Не спросил.

— У кого? — поинтересовалась Лида.

— У Наташи. Она является членом этой секты.

Лида удивленно свистнула.

— Нашла и амулеты! — воскликнула Дина, раскрыв другую коробку. Через секунду она вытащила толстую цепочку, на конце которой болтался массивный кулон.

Круг.

А в нем — перевернутая буква «Т»,

— Вот, значит, как, — пробормотала Лида.

— Зато теперь все ясно, — сказал Паша.

— Что именно?

— Полицейские правы. Нас похитила секта. Георгия и Егора убили мужененавистницы под предводительством Дельфии.

— Стоп-стоп! — Лида замахала руками. — Не вяжется что-то! Если виной всему мужененавистницы, то почему среди жертв похищения оказались мы, женщины?

— Может, все это для отвода глаз? — предположила Дина. — Чтобы на них не подумали. Мы, девушки, все живы.

— Тогда объясни мне, зачем на теле жертвы оставлять эмблему секты? Как клеймо свое ставить! Нет, что-то тут не так...

Из коридора вновь раздался звук. На этот раз он был громче и... настойчивее, что ли? Как будто крысы желали привлечь внимание людей.

— Что в остальных коробках? — спросил Паша и начал рыться в одной из них. — Ага, тут диски. Кстати, Бах в том числе.

— Здесь книги, — сообщила Лида, присевшая возле соседней коробки. — «История ритуалов». «Секты». «Оккультные науки». И прочее, прочее...

— А тут смотрите что! — вскричала Дина. Паша и Лида подались к ней. — Ампулы. Но с чем, не написано.

И тут по дому разнесся грохот. Паша, вскочив на ноги, завертел головой. Найдя взглядом топор, он схватил его и бросился к двери.

— Это не крысы, — пробормотала Лида, снимая с подоконника банку со свечкой и кидаясь следом. — Откуда шел звук?

— Из дальнего коридора.

— Там тоже когда-то было жилое помещение? — спросил Паша у Дины.

— Да. Отдельная комнатушка, метров восемь квадратных. Ее из сеней переделали. Там дворник жил.

— Значит, так... — Он приостановился. — Девочки, остаетесь тут и вызываете полицию. А я пошел...

— Ну уж нет! — проявила несговорчивость Лида. — Я с тобой.

— Поперечная ты, как говорила моя бабушка.

И снова звук. Уже новый. Как будто постукивание. Глухое и ритмичное. Там-там-та-та-там!

Паша завернул за угол и увидел распахнутую дверь дворницкой.

— Посвети! — попросил он Лиду. Она вытянула руку со свечкой вперед.

Пламя уже угасало и света давало немного. Однако его хватило на то, чтобы увидеть человека, лежащего на полу. Он был привязан к стулу, который упал вместе с ним. Во рту у человека был кляп. Поэтому, увидев своих спасителей, он только замычал.

— Кен?

Пленник закивал.

Паша рухнул на колени, вытащил из его рта носовой платок.

— Слава богу, — выдохнул Кен. — Слава богу, вы меня услышали... Я уж думал, не найдете меня и она вернется...

— Дай я тебя освобожу. — Паша стал разматывать веревки. — Давно ты тут?

— Не знаю. А сколько сейчас времени?

— Десять вечера.

— Значит, часа три. Я домой ехал, решил срезать путь, чтоб без светофоров... И тут смотрю — женщина знакомая стоит.

— Что за женщина?

— Я не знаю, как ее зовут. Она хозяйка магазина «Чаша». Я туда захаживал несколько раз.

— Зачем?

— Их рекламу часто бросали в мой почтовый ящик. И когда мне понадобилось масло для аромалампы, я к ним заехал. Купил. И потом еще несколько раз какую-то мелочовку приобретал... — Паша тем временем справился с веревками. Отвязав ноги Кена, он помог ему встать, протащив его скованные руки через спинку стула. — И вот еду я и вижу ее. Притормозил, спросил, не подвезти ли. Она согласилась. Сказала, что у нее коробка тяжелая. Одна ее до машины не дотащит. Я зашел с ней в дом, она провела меня в эту каморку. И тут удар по шее. Я отключился, но ненадолго. Когда женщина застегивала на моих запястьях наручники, я очнулся.

— Что ей было нужно?

— Она не разговаривала со мной. Но я понял, что нужен для какого-то обряда. Она бормотала что-то про алтарь и свечи. А потом ей позвонили, и она, разговаривая, вышла. Я думал, вернется сейчас, но нет. Видно, покинула дом. Я, правда, не слышал этого. Только скрипы какие-то.

— Мы не видели твоей машины у дома.

— Да, она сказала, лучше ее оставить в соседнем дворе, не на виду. Тут шпаны много, не дай бог стекло разобьют или двери поцарапают. Я подумал, какая заботливая! — истерично рассмеялся Кен. — Какое же счастье, что вы меня освободили. Я, когда услышал ваши голоса, чуть с ума не сошел. Стал шаркать подошвами по полу, стараясь привлечь ваше внимание. Потом, когда веревки немного ослабли, топать начал. Но вы не шли! И я стал раскачиваться, чтобы упасть. Уж грохот вас точно должен был привлечь...

— Давай я расцеплю тебе руки, — предложила Лида.

— Как? Есть ключ?

— Есть топор. — Он уставился на нее с неподдельным ужасом. — Перерублю цепочку, и ты сможешь хотя бы руки развести.

— А ты попадешь?

— Да.

— Даже не поранив меня?

— Подумаешь, отрублю один пальчик. Что с того? У тебя еще девять останется...

— Шутишь?

— Конечно, шучу. Давай, клади руки на подоконник.

— Нет, я лучше подожду. Ведь вы наверняка вызвали полицию?

— Вызвали, — ответила Дина, зайдя в комнатушку. — Наряд прибудет в ближайшее время.

— Я умираю от жажды, — пожаловался Кен. — Ни у кого нет воды?

— Из-под крана не пойдет? — спросил Паша.

— В доме нет водопровода, — покачала головой Дина. — Как и туалета. Но неподалеку есть колонка. Давай схожу, наберу. Только емкость надо найти...

— В подвале валялись пустые бутылки, — припомнила Лида.

— Но они грязные! — возмутился Кен. — Нет, я лучше потерплю. — Но так шумно сглотнул, что всем стало ясно: он не преувеличивает и его жажда очень сильна.

— Я поищу что-нибудь... — выпалила Дина и покинула дворницкую.

* * *

Кухни в доме были общими. На первом этаже и на втором. Дина, включив фонарь на телефоне, двинулась по коридору в сторону кухни. Та оказалась просторной, но с очень низким потолком и без двери. На втором этаже была другая: узкая, длинная, зато рослому отцу Дины не приходилось съеживаться, заходя в нее. В нижней же потолок чуть ли не давил ему на макушку. Дом достраивался и перестраивался после революции, в него хотели заселить как можно больше людей, вот и получился совершенно невозможный проект.

Дина зашла в кухню, осветила ее фонариком. Две кошмарного вида старые газовые плиты, стол, на стене шкафчик без дверок. Вот и все, что осталось. Жильцы все вывезли, съезжая отсюда. В том числе и посуду.

Дина ушла из кухни ни с чем. Даже банки пустой не нашлось. Она собиралась вернуться в дворницкую, но остановилась возле лестницы. Сейчас та выглядела еще более зловеще. Облупившаяся краска, под которой скрывается потемневшее, похожее на запекшуюся кровь дерево, покореженные перила, крутые покосившиеся ступени, уходящие в темноту.

Б-р-р-р-р...

И все же Дина решила подняться по лестнице. Вдруг на их кухне найдется какая-нибудь посудина?

Перемахнув первую ступеньку, а заодно и вторую, она опустила ногу на третью. Та противно скрипнула под ее весом. Но не треснула, что уже хорошо.

Очень осторожно, с оглядкой, Дина стала подниматься.

Преодолев лестницу, облегченно выдохнула. Пусть моральных усилий было потрачено меньше, чем в детстве (порой она оставалась в комнате на весь день, лишь бы не спускаться, а потом не подниматься), а все равно хорошо, что все позади.

Кухня находилась в десяти детских шагах от лестницы. Маленькая Дина вбегала в нее и хватала что-нибудь вкусненькое, чтобы порадовать себя.

Взрослая Дина сделала всего четыре шага и оказалась у двери — в их кухне она имелась, потому что проем был стандартный. Она очень пригождалась, когда соседка запекала в духовке мойву. На вкус рыба была хороша, все ее ели, но воняла она преотвратно.

Дине на миг показалось, что этот дух не покинул дом, он по-прежнему витает в воздухе.

Она толкнула дверь и хотела уже войти, но отшатнулась. На полу лежал человек. Ногами к двери, головой к окну. Узкая и длинная, как кишка, кухня напоминала гигантский гроб, и человек лежал в нем, готовый к выносу.

Ногами вперед.

Дина, вытянув руку с фонариком, сделала шаг...

То, что перед ней женщина, было очевидным. Изящные ботинки на высоком каблуке не позволяли в этом сомневаться. Теперь Дина видела не только их, но и тело, и лицо...

Она узнала его.

Дельфия!

— Все сюда! — закричала Дина. — Наверх!

Послышались топот и крик:

— Что случилось?

— Здесь Дельфия! И она мертвая...

Скрип лестницы стал оглушительным, по ней поднимались сразу трое.

— Где ты? — услышала она голос Паши.

— Четыре шага направо. Открытая дверь.

Они подбежали к ней и столпились на пороге.

— Что с ней?

— Говорю же, мертва. — Дина успела прикоснуться к Дельфии, тело ее почти остыло.

— Вот почему я не слышал, как она покинула дом, — сказал Кен. Он не держал рук за спиной.

Значит, он доверился Лиде, и она перерубила цепочку топором.

— От чего она умерла? — выглянула из-за мужских плеч Лида.

— Не знаю. — Дина внимательно осмотрела труп. — Никаких видимых повреждений. Ни ран, ни синяков, ни ссадин.

— Так просто взяла и умерла?

— С людьми ее возраста такое бывает, наверное... ей же лет семьдесят.

— Нет, ей тридцать один, — сказал Паша. — Я узнал об этом от Казиева. У нее редкое генетическое заболевание...

— Синдром Хатчинсона-Гилфорда, — пробормотала Лида. — Я смотрела документальный фильм про это отклонение.

— А я художественный. Там еще играет Робин Уильямс. «Джек», кажется.

— Такие люди обычно не доживают и до двадцать пяти. Умирают совсем юными. Уйти в тридцать один — это не так уж и плохо... Не мучаясь, опять же.

— Да, всего лишь помучив других, — хмуро проговорил Кен.

— А это что? — Лида указала на бутылочку, валяющуюся подле тела. Дина протянула к ней руку, но Паша остановил ее:

— Ничего не трогай!

Тогда она нагнулась и понюхала горлышко.

— Какой-то имбирный напиток. Но с долей алкоголя. Пахнет спиртным.

— О нем она говорила с тем человеком, что ей звонил при мне! — вспомнил Кен. — Тот что-то спросил, а она ответила: «Да выпью я твое пойло, не переживай... И еще знаю, что оно успокаивает. Да, да, прямо сейчас...»

— Пойло отравленное? — предположил Паша.

— Не стоит этого исключать.

— Сестры убрали свою «маму»?

— О чем ты? — не понял Кен.

— Она верховная жрица секты мужененавистниц, — разъяснил Паша.

— Ах вот оно как... И что за обряд они хотели провести со мной? — Кена передернуло. — Кастрации?

— Боюсь, что тебя собирались умертвить. Хотя не исключаю, что сначала тебя бы кастрировали.

Кен с ужасом уставился на Пашу.

— Эй! — раздался Лидин возглас. — Что там у Дельфии в кармане брюк светится?

— Телефон, — определила Дина. — Он на беззвучном.

— Достань аккуратно, посмотри, кто звонит, — скомандовал Паша.

Дина так и сделала.

— Дарья, — сообщила она, посмотрев на экран. — От нее двенадцать неотвеченных вызовов. И последний тоже от нее.

— Странно, что другие сестры не звонят, — протянул Паша задумчиво. — Если у них месса была назначена...

Он хотел сказать еще что-то, но тут за окном раздался вой сирены. Это приехала полиция.

Часть четвертая

Глава 1

Дина опустила голову на Пашино плечо и закрыла глаза. Она очень хотела спать. Так сильно, что кружилась голова.

Им здорово досталось во время допроса. Всыпали словесных плетей за самодеятельность.

— Что вы из себя тут строите? — бушевал старший оперуполномоченный Казиев, усталый и злой как черт. Он сутки не уходил со службы. И спал за это время часа три от силы на диванчике в кабинете. — Частных сыщиков? Так вот, знайте, за такую самодеятельность я вас под домашний арест посажу! Чтоб следствию не мешали, и сами целее будете!

— Но мы спасли Кена! — возмутилась Лида.

— Кого?

— Петра Козловского, — подсказал Паша.

— А почему он Кен?

— Сам представляется этим именем.

Казиев усмехнулся, но тут же вернул на лицо грозное выражение.

— Вы должны были звонить нам и ждать приезда. Кена мы бы и без вас спасли.

Потом последовал обыск дома. Дина, как эксперт, водила по нему следственную бригаду. В одной из комнат полицией были обнаружены важные улики: костюм химзащиты, противогаз, набор ножей с рукоятками в виде туловищ животных.

На этом работа полицейских не закончилась, а только началась. Следовало выяснить личности сектанток, вычислить, кто из них был в сговоре с верховной жрицей, вывести на чистую воду Дарью и Дельфию, бесспорных сообщниц сумасшедшей мужененавистницы Пустоты.

— Но вы можете выдохнуть свободно, — сказал им Казиев, перед тем как отпустить. — Для вас все закончилось. Без своей королевы-матери они не опасны.

Дина, услышав его слова, обрадовалась. Даже сомнение, явно читающееся на Пашином лице, не заставило ее помрачнеть.

Все позади! Она в это верила.

— Я опять умираю с голоду, — услышала она голос Паши.

— Я тоже, — полусонно ответила она.

— Давай заедем куда-нибудь? Хочу супа. Или пельменей с бульоном. — Он застонал. — Я только сейчас вспомнил, что не ел их чуть ли не год. — Паша обнял Дину, и ей стало очень уютно в его объятиях. — Я был вегетарианцем в детстве. Не любил мяса, и даже запах его меня раздражал. Бабушка варила похлебку картофельную, макароны с сыром подавала, гречу с грибами. А когда она умерла и я вернулся к родителям, мне пришлось учиться есть то, что и остальные члены семьи. Не хочешь котлеты, жуй пустой рис. — Он усмехнулся. — А пустой рис, скажу я тебе, хуже котлеты. И я стал есть. Только не домашнее, где было мясо. Столовское или магазинное любил, состоящее в основном из хлеба или сои. Котлеты, зразы, голубцы, пельмени, все это я уплетал с большим удовольствием. Когда женился, супруга нарадоваться не могла, какой мужик у нее нетребовательный. Так бы продолжалось до сих пор, если б меня обманом не заставили попробовать настоящие пельмени. Я ем и не пойму — что за вкус такой странный? Потом оказалось, что друг, у которого я гостил, сам их налепил из кабанятины с лосятиной (охотник он) и в фирменный пакет засунул. Это была вкусовая революция! Я начисто поменял свои пристрастия в еде. К огромному разочарованию супруги.

— У меня дома есть пельмени... — Дина встряхнулась. Поспать все равно не получится, скоро приедут. — Домашние. Правда, из покупной говядины и свинины, но все равно вкусные. Хочешь, покормлю?

— Хочу. Но удобно ли будет заваливаться в такой час?

— Родителей нет. Они дачный сезон закрывают. Итак?

— С удовольствием принимаю твое приглашение.

— Отлично, значит, меняем курс. — И она перегнулась через спинку сиденья, чтобы сказать водителю адрес.

К дому они подъехали совсем скоро. Таксист свернул с основной дороги во дворы и домчал их за считаные секунды. Его смена заканчивалась, и он торопился сдать машину.

Семья Дины жила на первом этаже. Маме с отцом это не нравилось, а дочери очень. От двери тебя отделяют всего пять ступенек, а не крутая бесконечная лестница. Пусть в панельных пятиэтажках она и не такая страшная, как в старом деревянном доме, и все же...

Дина провела Пашу в кухню, усадила за стол.

— Уютно у вас, — похвалил он. — Мне нравится деревенский стиль.

О, знал бы он, сколько мама билась с отцом, чтобы изменить облик кухни, осовременить его. Но тот ни в какую. Хочу, чтоб будто в бабушкином доме находишься, только вместо печки — плита. И старый сервант для посуды выбросить не дал. Хотя тот занимал чуть ли не половину шестиметровой кухни. Единственное, на что согласился, так это на его реставрацию. И мама пригласила художника, который его под гжель расписал. Получилось очень красиво.

— Пельмени с чем будешь? — спросила Дина. — С майонезом, кетчупом, уксусом, горчицей?

— А зелени нет?

— Полно. У нас же дача.

— Тогда с бульоном и зеленью.

Дина стала возиться у плиты. Паша, глядя на нее, ловил себя на мысли, что хотел бы вот так каждый вечер смотреть, как она готовит ужин, а потом сидеть с ней в уютной кухне, ужинать, болтать... и он, так и быть, помоет посуду, хотя ненавидит это занятие.

После ужина они усядутся возле телевизора. Он обнимает ее. Она заберется с ногами на диван, свернется калачиком. И они станут смотреть какую-нибудь легкую комедию.

Что это со мной? Ведь именно от этого я бежал в далекие края...

От скуки и рутины обывательской жизни.

И пусть к Дине у меня возникло какое-то новое, неведомое доселе чувство, все равно рано или поздно я почувствую себя героем фильма «День сурка». И захочу убежать от Дины. И сделаю ее несчастной!

Она повернулась к нему, чтобы узнать, с какими специями варить бульон, и увидела его хмурое лицо.

— Что случилось? — спросила Дина.

— Ничего, — заверил ее Паша, вернув на лицо улыбку. — Просто устал.

— Давай водочки под пельмени?

— Давай.

Дина достала из холодильника запотевшую бутылку. В ней оставалось граммов триста.

— Папа у меня сердечник. Поэтому не пьет. Но под пельмени всегда пропустит рюмку-другую.

Она достала из посудного шкафа хрустальные рюмки на тонких ножках, поставила их на стол. Затем из холодильника извлекла банку огурчиков и какую-то самодельную закуску.

— Что это? — поинтересовался Паша, облизнувшись. Вспомнил бабушкины заготовки.

— Бакат. Закуска из баклажанов, болгарского перца, моркови и лука.

— Да я в раю!

Дина выложила бакат и огурчики на тарелки. А тут и пельмени поспели.

Выпив по рюмке водки, они начали есть. Все оказалось необыкновенно вкусным.

— А ты готовишь так же хорошо, как мама? — спросил Паша, намазав на кусок хлеба бакат и приготовившись отправить его в рот.

— Как папа, — поправила его Дина. — Это он все приготовил: и пельменей налепил, и овощей наконсервировал. Он вообще готовит отменно. И считает, что женщине не место на кухне.

— Поэтому ты не умеешь готовить?

— Пришлось научиться, я же живу отдельно.

Они выпили еще по рюмке, доели пельмени и бакат. Дина собрала тарелки, поставила их в раковину.

— Давай я помою? — предложил Паша.

— Любишь это занятие?

— Ненавижу, — честно ответил Паша.

— Тогда поставь чайник, я сама помою. Мне нравится... — Она включила теплую воду и принялась натирать тарелки пропитанной «Фейри» губкой. — Коль у нас папа — повар, то мы с мамой — кухонные рабочие. Я научилась получать удовольствие от мытья посуды.

Паша, поставив чайник, встал за спиной Дины и стал дуть ей в затылок. Сытый и чуточку хмельной, он настроился на игривый лад.

— Не мешай! — отмахнулась от него Дина.

— Можно мне у тебя остаться до утра?

— Конечно.

— Ура! — И обнял ее, обхватив за талию.

— Иди пока в комнату, посмотри телевизор. Я закончу и приду. — Тут, щелкнув, отключился электрический чайник. — С кофе. Нам надо взбодриться.

Паша чмокнул ее в щеку и ушел.

Комната, где он оказался, была просторной. С большущим диваном у стены, над которым висели колонки домашнего кинотеатра. Пара других стояла по бокам телевизионной тумбочки, забитой дисками. Паша пробежал глазами по названиям фильмов. Сплошные боевики. Значит, любитель кино в семье отец.

Он включил телевизор и хотел опуститься на диван, но тут его внимание привлекли фотографии, выставленные в стенке. Их было штук пятнадцать. Паша подошел, чтобы рассмотреть их. Почти на всех Дина. Совсем крохотная, поболше, первоклассница, выпускница, взрослая. Где-то с родителями, где-то одна. Паша взял одну в руки. На ней Дине было года четыре. Белобрысая, худющая, в коротком цветастом сарафанчике. Она стояла у калитки. Позади — тот самый дом, где они были сегодня.

И тут он ее вспомнил, эту белобрысую девочку! Она торчала у этой калитки с утра до вечера. По крайней мере, Паше, частенько проезжающему мимо, она попадалась на глаза в любое время дня.

Он вернул фото на место и взял другое. Черно-белое, групповое. На нем компания взрослых. Все сидят за накрытым столом и что-то отмечают.

— Это родители проставляются за новую квартиру, — услышал Паша голос Дины.

— А снято где?

— Во дворе старого дома. Было начало октября. Но погода стояла изумительная, вот столы на улицу и вынесли.

— А это кто, не знаешь? — спросил Паша, ткнув в изображенного на снимке мужчину. Худощавый, черноволосый, с высоким лбом, он очень напоминал ему одного человека.

— Друг родителей, я не помню фамилии. С ним рядом его жена. Когда-то они тоже жили в Рабочем поселке. На другой улице только. Но им гораздо раньше квартиру дали, и они переехали.

— Копия Егора!

— А ведь точно...

— Может, это отец его? — спросил Паша.

— Узнать?

— Если не трудно.

— Я позвоню маме, спрошу.

— Нет, поздно уже, не надо. Не к спеху.

Какая-то мысль крутилась в голове, а он никак не мог за нее ухватиться.

А перед глазами почему-то стояла картинка, вырезанная на шее Егора. Квадрат, в который заключен...

Паша отогнал ее. Мешает думать!

— А что за девочка на фото? — спросил он между прочим. Сначала подумал, что это Дина. Но потом понял, не она. Старше гораздо. Дина говорила, что они переехали в новую квартиру, когда ей было четыре, а девочке на снимке все десять. Она стояла позади взрослых и хмуро смотрела в камеру

— Это моя сестра.

— У тебя есть сестра?

— Была. Она умерла ребенком.

— От чего?

— Покончила с собой.

— Сколько же ей лет было?

— Не исполнилось и двенадцати. Она съела все таблетки, что нашла в доме.

— Что заставило ее так поступить?

— Не знаю... Она вообще была очень странной.

— Ее не Катей звали?

— Да. А откуда ты?..

— Она была тебя старше лет на пять?

— Шесть.

— Значит, моя ровесница. Я помню ее. Когда я жил у бабушки, мы с ней играли. Строили шалаши. А их постоянно разрушал тот хулиган... Как его звали, не помню. Кличку только — Бобер. У него зубы сильно выступали вперед... — Паша щелкнул по фото пальцами, нацелившись в брюнета с залысинам. — Это был наверняка Егор...

— Но у него были нормальные зубы!

— Свои он в тюрьме потерял, сам мне говорил.

И опять эта неуловимая мысль!

Паша закрыл глаза, пытаясь сосредоточиться на ней.

Почему он вспомнил о Кате только сейчас? Ведь они были дружны. Павел так плохо ладил со всеми, что должен был запомнить эту девочку...

А Егор-Бобер? Гроза всей детворы Рабочего поселка. Он не жил там, но постоянно ошивался. Говорил, что это его родина, мол, из роддома его привезли туда, и только через месяц семья переехала в другую квартиру. Как Паша мог не узнать в Егоре Бобра? С его-то памятью?

Как будто в мозгу какой-то блок стоял!

...И стоило только подумать об этом, как быстрая, мечущаяся, ускользающая мысль замедлилась и дала себя поймать.

— Неужели? — прошептал Паша.

— Что? — непонимающе заморгала Дина. — Что с тобой такое? Объясни?

— Я, кажется, понял! Не все, но главное...

— Что? Что ты понял?

— Придется нам потревожить твоих родителей!

— Да?

— Мы едем к ним!

— Зачем?

— Чтобы найти подтверждение моим догадкам. — Он вскочил с дивана. — Звони им, предупреди, что едем. Я вызываю такси!

Глава 2

Настроение было преотвратным. Лида ввалилась в квартиру и, не разуваясь, прошла в комнату. Там упала на кровать, зарылась лицом в подушку и разрыдалась. Она редко себе это позволяла. Уже не в том возрасте, чтобы плакать. Потом еще двенадцать часов глаза будут припухшими. Облегчение со слезами все равно не приходит. Разве опустошение, которое подгоняет сон. Но Лида намеревалась провести эту ночь в объятиях не Морфея, а...

Как там его?

Имя парня, с которым она кувыркалась последний раз, вспомнить так и не удалось. Но это и не важно. Номер телефона, главное, имеется.

Лида вытерла мокрое лицо о подушку. Перевернулась на спину. Опустив руку, нашарила на полу сумочку, открыла, достала мобильный. Пролистав список звонков, нашла нужный номер, набрала...

Ей никто не ответил. Малыш либо спал, либо находился там, где музыка заглушала звонок.

— Да и пошел ты! — рыкнула Лида, швырнув телефон. К счастью, упал он на ковер и не разбился. А то бы еще одна неприятность в общую копилку.

Лида вскочила. Она не знала, куда себя деть. Как выпустить пар. Чем себя успокоить...

Валяющийся на полу мобильный затренькал.

Козлик увидел пропущенный вызов от нее? Что ж... Пока она не передумала, пусть приезжает!

Подняв телефон, Лида поднесла его к уху:

— Слушаю.

Зазвучал голос, но не мужской.

— Это Лидия?

— Да.

— Я Нелли.

— Кто?

— Ну Нелли. Я жила у вашей тети. Мы с вами познакомились, когда вы к ней пришли...

Лида хорошо помнила тот день. После того как она явилась в нотариальную контору, вызов из которой получила, и узнала, что никакого завещания ей не оставлено, то сразу поехала к тетке. Решила, что это ее злая шутка. Сестра матери всегда была противной бабой, а уж с возрастом ее характер еще больше испортился.

Дверь ей открыла полная черноволосая девушка. Очень приятная, с добрым лицом Не та, которую Лида помнила. То есть тетка избавилась от предыдущей приживалки и завела новую. И теперь пила соки из нее.

Родственницы поцапались. Лида послал тетку по известному адресу и покинула квартиру, хлопнув дверью. Нелли выбежала за ней.

«Зачем вы так с ней? — с укором произнесла девушка. — Она же больной человек. Ей нельзя нервничать».

«Да она уже двадцать лет помирает, все помереть не может! — зло парировала Лида».

«А вам бы этого хотелось?»

«Мне все равно!»

«Ей жить осталось всего ничего...»

«Да она еще на моих похоронах простудится!»

Лида зашагала по ступенькам вниз.

«Оставьте телефон свой, пожалуйста», — крикнула ей вслед Нелли.

«Зачем?»

«Если что-то случится, я вам сообщу».

Она продиктовала свой номер, лишь бы Нелли отстала.

И вот она звонит ей.

— Я вспомнила вас, Нелли. Что вы хотите?

— Ваша тетя при смерти.

— Да ладно! Полежит пару часов, привлечет внимание, заставит попрыгать вокруг себя кучу народа и оживет.

— Нет, она правда умирает. Уж я-то знаю, пережила много ее постановочных приступов. Сейчас она в больнице, к ней пока пускают. Не желаете приехать, проститься?

— Нет.

— Пожалуйста... — В голосе девушки послышались слезы. Какая все-таки добрая... Бывают же такие! — У нее ведь близких в городе нет. А я не в счет. Я чужая...

Лида мысленно исторгла возмущенный рык, но вслух сказала:

— Ладно, приеду. На пять минут

— Спасибо...

Нелли что-то еще лепетала, но Лида не стала слушать. Отключилась.

«И зачем я согласилась? — ругала она себя, переодеваясь. — Что заставило меня сделать это? На тетку мне плевать, на эту Нелли — вообще с высокой колокольни! И добренькой или правильной я казаться не хочу...»

Так и не найдя ответа, Лида покинула квартиру.

До единственной в городе больницы ехать надо минут двадцать. Лида быстро поймала машину, назвала адрес. Обычно она ездила даром. Просто любезничала с водителем, и он не брал с нее денег. Но сегодня она была не в том настроении. Когда добрались до места, она сухо спросила, сколько. Ей назвали цену. Конечно, завышенную. Но Лида не стала «бодаться», отдала деньги и вышла.

Тетку она нашла в отдельной палате (та любила болеть с комфортом, уж если лежала в больнице, то в числе ВИПов). У ее кровати дежурила Нелли. Увидев Лиду, она просияла.

— Ваша тетя спит сейчас. Слабая очень. Но вы посидите, она проснется скоро. Пить постоянно хочет. Вода вот... — Нелли указала на тумбочку, на которой стояла большая бутылка воды и стакан. — А я пока схожу перекушу. Тут круглосуточный буфет.

И она удалилась, оставив Лиду наедине с умирающей теткой.

О да, теперь она не сомневалась, что той осталось немного. Сестра матери всегда выглядела изможденной и больной, но не такой опустошенной. Может, она работала на топливе, именуемом «злость», и теперь оно израсходовалось. Ее «бак» опустел. В нем ничего не осталось, даже злости...

— Пить... — прохрипела тетка, разлепив потрескавшиеся губы.

Лида взяла бутылку и налила воды в стакан. Руки почему-то подрагивали.

Она напоила умирающую, та с облегчением выдохнула:

— Хорошо... — И улыбнулась. Да так довольно, как никогда. — Лидка, ты это? — спросила потом.

— Я.

— И чего приперлась?

— Нелли позвала.

— Хорошая она.

— Очень. Надеюсь, ты не кинешь ее с завещанием? — Она подозревала, что тетка может.

— Нет, квартира ее. — И, ткнув морщинистым пальцем в Лиду, припечатала: — А не твоя!

— Да не нужна мне она, — устало отмахнулась та.

— А что нужно?

— От тебя? — фыркнула Лида.

— Да вообще... От жизни.

— Тебе правда интересно?

— Да. Я тебя никогда не понимала. Да и не пыталась, признаю. Но другие сами открываются. А ты нет. Знаешь, я тут фильм смотрела по телевизору. С большим таким мужиком! Челюсть у него еще выдвинута... Негер какой-то.

— Чернокожий?

— Да нет. Фамилия такая. Негер. А зовут как-то на букву «Ш». Шарль. Или Шульц.

— Шварценеггер? — выдала бредовое предположение Лида.

— Точно. Шварц Негер. И вот он там, чтоб мысли его не читали, бошку чем-то обматывал. — Лида вспомнила фильм. Назывался он «Вспомнить все». Недавно его пересняли с новыми актерами. — У тебя башка будто постоянно обмотана, понимаешь? Вот и спрашиваю. Чего ты хочешь?

— Любви, наверное, — задумчиво протянула Лида. — Не видела я ее ни от кого... Все, что угодно, только не любовь...

Неожиданно она почувствовала прикосновение. Это тетка сжала ее кисть.

— Я тебя понимаю, — проговорила она. Затем жестом показала, что опять желает попить. Когда утолила жажду, продолжила: — Думаешь, я всегда была такой?.. Кикиморой? Нет, цветочком нежным была. Одуванчиком пушистым...

И такие глаза у тетки сделались, когда она говорила об этом, что Лида ей поверила.

— Я из деревни уехала в пятнадцать. Поступила в училище при заводе. Отучилась, диплом получила. На работу меня взяли, дали комнату в общежитии, бараке в старом рабочем поселке. Ничего особенного, но мне там нравилось. На танцы мы ходили с девочками, хохотали до упаду с парнями. Но я ничего не позволяла себе. Никаких вольностей. В отличие от матери твоей скромной была. А наших заводских такие недотроги не интересовали. К тому же я красотой не блистала. Ни лицом, ни фигурой не вышла. Поэтому, кроме хохотунчиков, ничего и не было у меня с ребятами. А хотелось любви. И вот однажды знакомлюсь на улице с одним. Не чета нашим, спокойный, интеллигентный, обходительный. Не то что мата, грубого слова не слышала от него. И красавец. Вот прямо красавец! Рост, лицо, руки изящные, с ногтями аккуратными. Ухаживать за мной начал. Но мы не целовались даже. За ручку только он меня брал иногда. И все. И я считала, что хорошо это. Значит, намерения у него серьезные.

— И долго вы встречались?

— Да. Полтора года. Меня и мать его знала. Сначала недовольна была мной. Считала, не пара я ее умнице-сыну. А потом приняла.

— Так что же вас разлучило?

— Извращенцем он оказался. Педофилом.

— Да ты что?

— Вот так вот... Детки его возбуждали маленькие. Пять, семь, девять лет. Любого возраста. Он подглядывал за ними на пруду. Касался, если проходил мимо. За конфетку просил трусики снять...

— Тварь какая.

— Да... Но эту тварь вскоре перестали удовлетворять невинные шалости. Он напал на девочку, чтобы изнасиловать

— Не получилось? — с надеждой спросила Лида.

— Нет, ему помешали. Дети, которые стали свидетелями того, как он уводит ее, позвали взрослых. Те стащили его с ребенка. Потом избили сильно и привязали к стулу. Это все в заброшенном доме происходило. Там кое-что из мебели нашлось и веревки.

— Зачем привязали? — не поняла она.

— До приезда милиции. Чтоб не сбежал... — Тетка говорила все тише и тише, и Лиде пришлось склониться к ней, чтобы слышать.

— Но он сбежал?

— Нет, он умер.

— От побоев?

— Нет. Кое-кто перерезал ему глотку, когда все вышли на улицу, чтоб там ждать милиционеров.

— И кто же это сделал?

— Не догадываешься?

Лида отстранилась, с испугом посмотрела на тетку.

— Ты? — Это было скорее утверждение, чем вопрос.

И та кивнула.

— Я не могла простить его... — прошелестела тетка, прикрыв морщинистые веки.

— Но где ты взяла нож?

— Крики застали меня на кухне. Я шинковала капусту. Выбежала на улицу, держа нож в руке. Дом, куда этот урод, женишок мой, девочку затащил, неподалеку стоял. В нем тоже общага когда-то была. Я сначала не поняла ничего, а потом мальчишка соседский все мне объяснил. И про то, как дядя ко всем детям приставал, и про девочку... — Тетка закашлялась. Сухость в горле мешала ей говорить, и Лида вновь ее напоила. — Когда все высыпали на улицу, я пролезла в дом через разбитое окно. Встала напротив этого чудовища и посмотрела ему в глаза. И знаешь, что в них вспыхнуло при виде меня? Не боль или раскаяние, а надежда. Он решил, что я пришла, чтобы освободить его. Тогда я резанула ножом ему по горлу. После я выбралась на улицу, прошла в дом. Помыв и убрав нож, залила капусту готовым рассолом и вышла во двор встречать с соседями милицию.

— Что было дальше?

— Расследование. Но мы держались одной сплоченной группой. Друг за друга горой стояли. Все до единого говорили, что ни один из нас из поля зрения не выпадал. Доказать обратное у следователей не вышло. Как и то, что мы совершили групповое убийство. Оно так и осталось нераскрытым.

— Соседи покрывали тебя?

— Нет. Никто из них не видел в моих руках ножа, кроме того мальчика, что мне все рассказал. Но он молчал об этом на допросах. Не знаю уж, намеренно или чтобы защитить меня...

— А что за мальчик?

— Хороший такой пацан... С бабушкой жил. Не помню имени.

— А сколько вас было человек?

— Кроме меня и мальчика, еще один ребенок, но старше гораздо. Шпана местная. Плюс отец пострадавшей девочки. Еще две женщины соседские, у них у самих малые детки были, так что они как фурии на педофила налетели. А с ними один мужик. Но тому лишь бы кулаками помахать.

— В итоге вас было... — Лида начала загибать пыльцы. — Семь человек, так?

— Так.

— Как и нас...

— Кого вас? — не поняла тетка.

— Тех, кто должен ответить за ранее пролитую кровь, — пробормотала Лида и выхватила телефон.

Глава 3

Пошел дождь. Забарабанил по подоконнику. Да так яростно, что Наташа вздрогнула.

Она сидела на диване, завернувшись в плед, и смотрела на рыбок в аквариуме. Она завела их сразу после развода, чтобы успокаивать нервы. От многих слышала, что в качестве релаксанта аквариум особенно хорош. Смотришь, говорили

Наташе, как неспешно плавают эти рыбки, и так спокойно становится.

Но ей он не помог. Только лишняя забота появилась: воду менять, рыб кормить, чистить стекло аквариума. Она бы отдала питомцев вместе с емкостью, в которой они обитали, кому-нибудь, да дочка к ним привязалась. Всем рыбкам имена дала. А когда кто-то из них умирал, так сильно плакала, что Наташе приходилось покупать взамен другую. Поэтому в аквариуме всегда плавало не меньше десятка рыб.

Сейчас за их передвижениями Наташа и следила. И, как ни странно, это ее умиротворяло. Она так расслабилась, что чуть не задремала, но по подоконнику забарабанил дождь, и сердце заколотилось сильно-сильно...

Наташа отбросила одеяло, встала. Подойдя к окну, выглянула на улицу. Зарядил! Теперь до утра.

И снова тра-та-та. Только на сей раз барабанили в дверь. Наташа не понимала, зачем стучать, если есть звонок.

Она сунула ноги в тапки — в прихожей ковров не было, а отопление еще не включили — и пошла открывать. Но тот, кто явился с визитом, оказался очень нетерпелив. Он колотил в дверь уже не костяшкой пальца, а кулаком.

— Да что ж это такое? — возмутилась Наташа, бросаясь к двери. Сразу открывать она не собиралась. Мало ли кто там, на лестничной клетке. Но, посмотрев в глазок, поспешно отперла.

На пороге стояла Даша, правая рука Дельфии. Ее короткие волосы были мокрыми. Лицо тоже. Одежда влажной. Когда успела так промокнуть, ведь сильный дождь пошел только что?

Или она давно бродит по улицам под моросью?

— Ты вся мокрая, Даша! — Наталья втащила ее в прихожую за руку. — Ты бы хоть капюшон накинула! — Она начала стаскивать с нее мокрый плащ. — Раздевайся немедленно!

— Ее больше нет, ты знаешь? — прохрипела Даша. Голос у нее почти пропал.

Она позволила себя раздеть. Наташа положила перед ней тапки, намекая на то, что той нужно разуться, и переспросила:

— Кого?

— Дельфии.

У Даши подкосились ноги, и она рухнула вниз. Будто не человек с мощным скелетом, а надувная игрушка, из которой резко выпустили воздух.

Наташа опустилась рядом с ней на колени, заглянула в лицо:

— Еще раз объясни, я не поняла.

— Дельфии больше нет. Она мертва.

— Что с ней случилось?

— На первый взгляд смерть естественная. Так сказали полицейские.

— Но ты в это не веришь?

Даша замотала головой. И мелкие брызги полетели с ее волос на лицо Наташи. Та вскочила, бросилась в кухню и накапала в стакан валерьянки. Разбавив настойку водой, вернулась в прихожую.

— Пей, — сказала она Даше. И сунула стакан ей в руку. Та послушно выпила. — А теперь объясняй.

— Да, она могла умереть в любой момент, — заговорила Даша. — Люди с прогерией, как правило, не перешагивают порог тридцатилетия. У них же не только кожа и волосы стареют. Но и органы. Поэтому Дельфия так торопилась жить. И хотела оставить память о себе в сердцах многих... — Она всхлипнула и закрыла рот ладонью. Да еще и нос зажала. Как будто заперла рыдания. — Ее нашли сегодня мертвой, — произнесла она после затянувшейся паузы. — В том заброшенном доме, куда я отвезла все имущество секты (она дала мне ключ от двери). Дельфия часто бывала в нем. Ее тянуло туда будто магнитом.

— Чувствовала, что умрет там? — предположила Наташа.

— Нет, дело не в этом. Теперь я понимаю, она там встречалась со своим мужиком!

Наташа ушам своим не поверила. Дельфия, основательница секты мужененавистниц, встречалась не с Дашей?

А с мужиком?

— У нее был любимый, — кивнула Даша, отвечая на ее мысли. — Я не видела его никогда. Но слышала о нем. Естественно, только хорошее. Все мужики — козлы, а он — ангел небесный. Единственный, кто, заглядывая за рано состарившуюся грубую оболочку, видит ее настоящую. Молодую, озорную, нежную и прекрасную. И ценит ее душу. Тело для него вторично. Но при этом и не безобразно. То есть он хочет и его.

— Может, он тоже старый?

— Как раз нет. Молод и невероятно хорош собой.

— Бывают же такие замечательные мужчины...

— И ты туда же? — вскричала Даша. — Веришь одному из этих козлов? Да не бывает исключений! Я пыталась втолковать это Фи-фи, но она превращалась в фурию, едва я начинала разговор. Грозилась перестать со мной дружить, если я буду продолжать в том же духе. И я замолкала. Но ненадолго. У меня все клокотало внутри при мысли о том, что какой-то смазливый хитрец использует мою подругу. А он манипулировал ею, как марионеткой! И она делала все, о чем он ее просил.

— А о чем он просил?

— Я не знаю точно. Но втянул ее во что-то нехорошее. А она, в свою очередь, меня.

— О чем ты?

— Об убийстве скульптора слышала? В новостях о нем много говорили.

Наташа кивнула. О том, что о гибели Егора она узнала не из новостей, а от полицейских, и при каких обстоятельствах с ним познакомилась, Дарье знать не полагалось.

— Я причастна к его смерти! — выпалила та.

Наташа отшатнулась

— Нет, нет, не думай плохо... — Даша схватила ее за руку. — Я сейчас объясню. Понимаешь, Фи-фи попросила меня заманить этого скульптора в одно место. Я под видом проститутки подкатила к нему, предложила развлечься. Но он не согласился идти туда, куда я позвала его, только к себе. Я позвонила Дельфии, сообщила об этом. Она с кем-то минуту совещалась, а потом сказала: ладно, езжай с ним. Я приеду, сделай так, чтоб я смогла войти. Причем адреса не просила. Знала его, получается.

— И что было дальше?

— Мы приехали. Он чуть ли не сразу накинулся на меня. Зверь, а не мужик. Но я не могла позволить себя трахнуть. Тогда он угрожать мне стал. Ножом махать. А Дельфия все не ехала... — Даша откинулась и вытянула ноги. Наташа хотела предложить ей переместиться в комнату на диван, но Даша вновь заговорила, и она не стала ее перебивать. — Наконец дверь открылась. Я незаметно отперла замок. И вошла Фи-фи. Скульптор не слышал этого. Он врубил телевизор чуть ли не на полную. Она подошла к нему и рубанула по шее ребром ладони — владела кое-какими приемами. Когда он осел, она велела мне уйти. Я хотела остаться, но она не позволила.

— А как она вошла в подъезд? Там, наверное, домофон.

— У Дельфии имелся универсальный магнитный ключ. И много еще всяких штуковин из разряда шпионских штучек. Я не понимала никогда, зачем ей все это...

— Когда ты узнала, что скульптора убили, что ты сделала?

— Позвонила Дельфии. В магазине закончился обыск, с нас сняли показания и отпустили. Я предложила ей пойти в ресторан, пообедать и снять стресс коньячком. Николь меня поддержала, а Дельфия нет. Сказала, что у нее дела, и умчалась куда-то. Без нее мне в ресторан идти расхотелось, и я поехала домой. Через час увидела по телевизору новости. И сразу набрала Дельфию, но ее номер не отвечал. Я звонила и звонила... — Из глаз ее вновь покатились слезы. — Я как чувствовала беду и не могла усидеть на месте. Поэтому поехала к ней, но мне не открыли. Я в «Чашу», и там ее нет. Тогда я подумала, что она может быть в том старом доме.

— Но почему она встречалась с любовником там, а не в каком-то более пригодном для этого месте?

— Наверняка они встречались и в других. Но их местом был именно тот дом. Не знаю, почему.

— И что? Дельфия была там?

— Да. Когда я подъехала к дому, ее выносили. Мертвую, она лежала на носилках, накрытая чем-то. Но я знала, это она. Еще до того, как увидела руку, выскользнувшую из-под покрова, на которой был браслет, подаренный мной. Я просто почувствовала. А потом услышала, как полицейские говорят, что на теле Дельфии нет никаких следов насилия. И если она умерла не своей смертью, то только от отравления моим имбирным напитком. Но им она отравиться не могла. Я туда только рома добавила, но никак не яда. Я любила ее. Только я. По-настоящему...

— Я верю тебе, — Наташа сжала руку Даши.

— А он ее убил! — Даша вцепилась в нее. — Я должна узнать, кто это... Должна! — Она так сдавила ее запястье, что Наташе стало больно. — Но как? Подскажи мне...

Наташа с трудом высвободила руку из тисков Дашиных пальцев. Завтра выступят синяки.

— Как Дельфия его называла?

— Да никак. Я же говорю. Дурацким ласковым прозвищем.

— Типа, зайка или рыбка? — Она решительно не могла представить себе сюсюкающую Дельфию.

— Хуже — кукленок.

— Как-как?

— Я же говорю — дурацкое...

— Кукленок? — повысила голос Наташа.

— Ну да...

— Вот черт!

— Что?

— Если моя догадка верна, то я знаю этого кукленка. А сейчас разуйся и ступай в комнату. Мне надо подумать.

Даша без возражений стянула с ног ботинки и прошла в зал. Их секте нужна новая жрица, и она решила, что Наталья лучшая кандидатура на эту роль. А раз так, ее надо слушаться.

Глава 4

Деревня, где Динины родители имели дачу, находилась всего в пятнадцати километрах от города. По ночному шоссе добраться до нее за полчаса не составило труда. Когда таксист остановил машину у нужного дома, в его окнах горел свет.

— Ждут, — сказала Дина.

Паша помог ей выбраться из салона. Они оба смертельно устали. Но Дина держалась молодцом. Не ныла. Хотя вид имела замученный и постоянно прикрывала рот ладошкой, борясь с зевотой.

Дверь дома открылась еще до того, как Паша с Диной достигли крыльца.

— Доча? — послышался мужской голос, и через секунду дородный пожилой мужчина показался на пороге. Отец. Из-за его спины выглядывала ее мама. Такая же беленькая и худенькая, как и Дина.

— Как же ты нас напугала! — воскликнула она и, поднырнув под руку мужа, бросилась обниматься с дочкой.

— Мам, пап, знакомьтесь, это Паша, — представила она своего спутника.

— Тот самый? — со значением спросила мама. Дина зыркнула на нее, и та сразу затараторила: — Папа сегодня варенья наварил. Виноградного. Не поспела «Изабелла» у нас, кислая — ужас. И он где-то рецепт нашел. Вот опробовал. Сейчас мы чайку с ним...

Болтая без умолку, она вела гостей в дом. В кухне была затопленная печка. И такое приятное, мягкое тепло от нее исходило, что хотелось прижаться к ней спиной, закрыть глаза и задремать.

Вот только не за этим они приехали.

— Мама, пап, у нас к вам серьезный разговор, — начала Дина.

— Ну, понятно... — пробурчал отец, закурив папиросу. — Иначе не свалились бы как снег на голову среди ночи.

— Я не всю правду вам сказала.

Родители знали, что Дину похищали. Они забили тревогу в тот же день, как дочь пропала. Заявление от них приняли через сутки. Наташины родители тоже пришли в полицию. А остальных похищенных не хватились. Если б пятеро из семи пропали, не факт, что о них бы вспомнили.

Разве что Пашу жена недобрым словом. Козел, опять исчез! Теперь без предупреждения, и, главное, не подкинув денег!

— Паша, расскажи... — обратилась к нему Дина.

И он рассказал. Естественно, в двух словах и без пугающих подробностей. Смягчил, насколько возможно, свое повествование. Постарался из кровавого триллера сделать хотя бы классический детектив.

Его выслушали стойко. Без истерик. Особенно его поразила мать Дины, по виду женщина очень эмоциональная. Держалась она молодцом, ничем не выдав своих чувств. У отца пальцы тряслись, когда он подносил папиросу ко рту, а мать расставляла чашки, накладывала варенье, разливала чай, и руки ее не дрогнули ни разу.

Когда Паша закончил рассказ, отец спросил:

— Что вы хотите выяснить?

— Понимаете, в чем дело... — Паша отхлебнул из чашки глоток чая с можжевеловым листом. Причмокнул. Очень вкусно. — Я вспомнил вашу дочь и вас, и еще некоторых людей, что жили в старом рабочем поселке. Не знаю, почему лишь недавно. Вернее, знаю. Я много литературы по психологии в свое время читал, поэтому немного разбираюсь в подсознании. Своем и чужом. Так вот, у меня нечто вроде блока в мозгу стояло. Этот блок мою нервную систему оберегал. А вскоре я пережил новый шок, гораздо более сильный. И он запечатал воспоминания о первом...

— Давай опустим психологию, — поморщился Динин отец и прикурил вторую папиросу.

— Хорошо. Перейду к главному. Я знаю, что вашу дочь чуть не изнасиловал один урод. Его Валерой звали. Я очень хорошо его помню, потому что он и ко мне приставал. Ему дети любого пола нравились. Как-то мы с Катей решили в заброшенный дом забраться. Да я фонарик забыл, побежал за ним, а навстречу Валера. И к дочери вашей подходит. Я обернулся. И смотрю, он хватает девочку и в дом тащит. А я-то знаю, что это за тип. Конечно, я тогда понятия не имел, как взрослый мужчина (ему исполнился двадцать один год может ребенка использовать, мал был, но разозлило уже то, что он Катю лапает. И я бросился на поиски кого-нибудь, кто больше и сильнее меня. Наткнулся на Егора-Бобра. Я его боялся. Впрочем, как и все дети поселка. Но тут кинулся к нему, как к родному.

— Я помню, как вы прибежали в наш двор, — перебил его отец Дины. — Я на больничном был, вот вы меня и застали... — Он затушил папиросу и обхватил голову руками, запустив пальцы в седые волосы. — Успели мы. Не дали уроду дело до конца довести. Да только девочка наша все равно не смогла отойти после этого. Дина не помнит, какой она была до этого. А ты должен. Солнечный, открытый человечек с улыбкой до ушей...

— И таким заразительным смехом, что если веселилась она, то хохотали все вокруг, — подхватил Паша.

— Да... Такой она была, наша Катя. И потом ее как подменили.

— Влюблена она была в него, вот в чем дело, — вмешалась мама. — Прекрасным принцем Валерку считала. Он ведь красавец был. И от других парней, что в поселке проживали, отличался: и одет с иголочки, и манеры у него, как у аристократа.

По улице вечно с книжечкой под мышкой ходил. И здоровается со всеми так приветливо... — Голос у нее сорвался, и она отвернулась, вытирая увлажнившиеся глаза.

Супруг ласково погладил ее по спине, успокаивая.

— Я рассказала Паше, что Катя покончила с собой, — вмешалась в разговор Дина. — Давайте не будем об этом, нам всем больно вспоминать, как она ушла... — Мертвой ее нашла маленькая Дина. Мама привела ее из садика, она вбежала в комнату к сестре, увидела ее спящей и начала тормошить. Катя была уже холодной.

— Что вы хотели узнать? — прокашлявшись, спросила мать Дины.

— Кто убил Валеру? — Она посмотрела на отца. — Ты, папа?

— Нет. И он, — мужчина указал на Пашу, — знает это...

— Дело в том, что не знаю. Я тот промежуток времени совсем не помню. Последнее — как вы стаскиваете Валеру с Кати и бьете его в морду... Потом — пустота.

— Я не убивал его. А кто это сделал — не знаю. А почему вы стали ворошить ту давнюю историю?

— У нас возникла мысль, что кто-то мстит за Валеру. Меня, Егора-Бобра и вашу дочь похитили. Кроме нас еще четверых. Возможно, они дети тех, кто участвовал в его избиении...

— У баб были детки, совсем малые, девочка и мальчик. А у деда никого. Когда он умер, его хоронить некому было. Тонька тоже вроде не родила никого.

— Тонька — это та девушка, что в общежитии жила?

— Она самая. Невеста Валерки...

— У него была невеста?

— Ну, считалась ею, по крайней мере. Так что не сходится что-то.

— И почему тогда не мстить напрямую тем, кто якобы виновен? — спросила мать. — Не детям их, а...

— Так в этом весь замысел, понимаете? Отнять детей у родителей, как когда-то они отняли его у матери. Я помню, он жил с ней. А были у него братья, сестры?

— Жил он с матерью в том же доме, что и мы. Только на первом этаже. Отец умер. А брат старший уехал из города сразу после школы.

— Мать его обожала, — сказал отец Дины, выбив из пачки папиросу. — Он был светом в ее окне. Иначе как Валерочкой его не называла. Считала его гением непризнанным. Он ведь писал рассказы, стихи. Можно сказать, только этому себя и посвящал. Он не учился и не работал. Вернее, числился ночным сторожем в садике, да только мать за него дежурила. А образование ни к чему ему, он и так умнее всех умных был. По мнению родительницы. Девушка, с которой Валера встречался, казалась матери его непроходимой дурой и уродиной...

— Та самая Тонька?

— Да. Наладчица с нашего завода. Она на самом деле красотой не блистала, но была очень славной. Все думали, Валерка с ней из-за секса только. Девчонки из общаги скромностью не отличались. А потом оказалось, что не было у них ничего. А мать, видимо, что-то за сыном замечала нехорошее, раз все же стала избранницу чада своего любимого, такую никчемную, принимать. Думала, пусть лучше с такой, но взрослой...

— Как она проклинала нас! — вздохнула мать Дины. — Кары небесные насылала. Чтоб вы сдохли, это самое мягкое, что мы слышали от нее. Считала нас убийцами. Требовала возмездия. А когда поняла, что нас так и не накажут, переехала. Не могла видеть нас на свободе.

— А какая фамилия у Валеры была?

— Козловский.

Дина с Пашей переглянулись.

Вот теперь все сошлось!

Глава 5

Хорошо, что они не отпустили водителя. Иначе не выбраться бы им из деревни до утра.

— Мы сейчас куда? — спросила Дина. Паша велел таксисту гнать, сулил двойную оплату, и тот остервенело давил на газ.

— Я хочу поговорить с ним.

— Это опасно, Паша. Он маньяк.

— Я не боюсь его.

— Надо вызвать полицию.

— Обязательно вызовем, но сначала я поговорю с ним.

— Зачем? — простонала Дина.

— Я хочу его понять.

— Паша, ты хочешь рискнуть жизнью ради праздного любопытства?

— Это совсем не то.

— А что?

— Мне трудно объяснить.

— А ты попытайся.

— Я всю жизнь себя ломаю. С малых лет. Но меня не покидает мысль, что я все делаю неправильно. Жил тут с семьей — не то. Бросил ее, уехал — опять не то. Вроде кайф, но не полный. Вот сейчас тебя встретил, и нравишься ты мне так, что до печенок пробирает. Влюбился, хотя думал, что не способен на это. Радоваться бы, а я не могу. Опять что-то не то...

— Это нормально — сомневаться. В себе, в правильности выбора... Но при чем тут Кен? Иначе говоря Петр Козловский, племянник Валеры?

— Он не сомневается, понимаешь? Он идет к цели, какой бы чудовищной она ни была. И он не псих. Я уверен в этом. Он абсолютно нормален. Кен — прямая противоположность мне. Я хочу понять его, чтобы понять себя!

— Приехали, братишка! — выкрикнул водитель, затормозив и выключив магнитолу. Он слушал всю дорогу кавказскую музыку.

Паша поблагодарил, расплатился.

— Если понадоблюсь, звони, вот мой номер, — сказал таксист, сунув ему визитку.

После этого дал по газам и скрылся. Лихой джигит!

Они высадились у серой девятиэтажки. Заставленный машинами двор, заляпанная рекламными объявлениями подъездная дверь, урна, из которой торчат пустые пивные бутылки и банки из-под коктейлей.

— Откуда ты знаешь, где Кен живет? — спросила Дина.

— Он говорил при мне следователю, я запомнил.

— Да, у тебя же отличная память.

— На некоторые моменты...

— Думаешь, он дома?

— Уверен. Даже знаю, что он делает.

— И что же?

— Пишет. Он говорил мне, что нашел себя в литературе. Не ищет, а именно нашел. Кен — человек, не привыкший сомневаться. И работает он ночами. — Павел усадил Дину на лавку. — Я пойду. А ты жди меня. Минут через десять вызови полицию. Раньше не надо, боюсь, Кен не успеет мне все рассказать.

— Даже не думай!

— О чем?

— О том, чтобы идти туда в одиночку. Я с тобой.

— Нет.

— Ты же не боишься Кена. Значит, и мне опасность не грозит. Я пойду с тобой, и точка.

— Но кто-то должен вызвать полицию!

— Значит, сделаем это сейчас.

Она достала телефон, но он оказался разряженным.

— Дай свой, пожалуйста, — попросила она у Паши.

Тот полез за мобильным и не успел взять его, как тот начал издавать музыкальные трели.

— Кто это там? — пробормотал Паша, выуживая аппарат из кармана. — Наташа! — воскликнул он, глянув на экран. Затем ответил на звонок.

Дина хотела прислушаться к разговору, но отвлеклась. Задрав голову, она увидела в окне знакомый силуэт. Это Кен расхаживал по кухне. Туда-сюда, туда-сюда.

Думал над сюжетом?

У Дины в голове не укладывалось, как такой во всех отношениях приятный человек может быть монстром. Он не вызывал у нее ни капли негативных эмоций. Она слепа? Нечувствительна? Наивна и глупа? Никогда у нее не получалось разбираться в людях...

— Дина, пойдем, — услышала она голос Паши.

— Что Наташа?

— Она тоже вычислила Кена. Только шла иным путем. Я попросил ее вызвать полицию.

Сказав это, он подошел к подъездной двери. Ткнув пальцем в нужные кнопки, стал ждать ответа.

— А если он не откроет? — спросила Дина.

— Я позвоню на мобильный.

— Не возьмет трубку?

Паша пожал плечами.

Но тут из динамика донесся голос:

— Кто там?

— Кен, это я, Паша... — Он хотел добавить, что не один пришел, а с Диной, но она приложила палец к губам. — Хочу поговорить с тобой. Впустишь?

— Заходи, конечно.

Замок, пиликнув, открылся.

Они вошли, вызвали лифт. Пока поднимались, Дина всматривалась в лицо Паши, пытаясь прочитать на нем хоть какие-то эмоции. Но не вышло. Оно оставалось абсолютно невозмутимым.

Когда они вышли из лифта, дверь квартиры уже была открыта. Кен гостеприимно приглашал к себе. Паша вошел первым. Дина за ним.

— А ты не один? Что ж не сказал? Заходите, ребята...

Кен был само гостеприимство. А выглядел так, будто к нему не среди ночи ввалились нежданно-негаданно, а явились к обеду по предварительной договоренности. Домашняя одежда безупречна, как будто на выход. Голубые джинсы, футболка цвета ванили, белоснежные носки, все отличного качества.

— Пишешь? — спросил Паша.

— Да. И роман к концу близится. Но что-то не идет последняя глава...

— Прочтешь?

— Ты за этим явился? — хмыкнул Кен.

— Хочу ответы на свои вопросы получить. Если для этого потребуется узнать, о чем ты пишешь, то да.

— Хотите чаю?

— Нет, спасибо. Мы ждем твоей исповеди.

Кен, прикуривавший в этот момент сигарету, поднял на него удивленные глаза.

— Не понял? — Втянув дым, он выпустил его через нос. В его клубах лицо Кена выглядело особенно эффектно.

— Мне изначально не давал покоя один факт, — начал Паша, привалившись к дверному косяку. — Почему в комнате с черным потолком нет камеры? Ведь маньяк очень театрально обставлял все свои действия. Тянул паузы, включал музыку. Он ставил спектакль. Но если ты главный его участник, то захочешь увидеть запись. А камер не было! Значит, все делалось для некоего зрителя.

— Я все еще в недоумении, — затянулся глубоко Кен. Сигарета выгорела до половины. Но лицо по-прежнему безмятежно.

— Ты был тем зрителем. Для тебя играли спектакль. Когда все засыпали, опоенные снотворным, ты покидал свое место.

— Паша, ты бредишь!

— Петя... Позволь называть тебя так? Петя, ты попался. Не отмажешься. Сюда едет полиция, и тебя арестуют максимум через десять минут.

— На каком основании?

— Дарья следила за тобой и Дельфией все это время. Она сейчас в полиции, дает против тебя показания. — Паша блефовал, но с таким уверенным видом, что Дина на мгновение ему поверила.

— Я и такое развитие событий допускал, — хмыкнул Кен.

— И спокойно говоришь об этом?

— Мне особенно беспокоиться не о чем.

— Как — не о чем?

— А вот так... — Кен швырнул окурок в приоткрытую форточку. — Я могу удовлетворить твое любопытство, но вы оба должны отдать мне свои телефоны. Чтоб я был уверен, что на них не включены диктофоны.

Паша без возражений передал ему свой сотовый. Дина последовала его примеру. Проверив мобильники и бросив их на кресло, Кен заговорил:

— Повторяю, я допускал, что меня могут вычислить. Сложно провернуть такое дело, не оставив следов. Да, меня арестуют и будут судить. Возможно, дадут пару-тройку лет. Зато какой пиар! Мой роман, который я обязательно закончу в ближайшие дни, станет мировым бестселлером. Остальные будут просто популярными, читаемыми, обсуждаемыми. И все, что я ни напишу потом, будет покупаться.

— А если тебя засадят на пару десятков лет? Неужели ты будешь счастлив только из-за того, что станешь знаменитым?

— Ты не забыл, что у меня есть деньги? Я найму лучших адвокатов. Все повесят на Дельфию. А я... Я рассчитываю вообще условным сроком отделаться.

— Ради чего все? Ради пиара, что ли? Я не понимаю...

И тут лицо Кена изменилось. Стало светлым, открытым, даже одухотворенным, как у монаха на мессе.

— Ради бабушки, — сказал он и улыбнулся лучисто.

— Но она умерла.

— И что? Ты разве не веришь в бессмертие души?

— А ты веришь?

— Да.

— Странно это слышать от убийцы. Значит, свою душу тебе не жаль?

— У меня свои представления о грехах и их последствиях. Бабушка моя была несчастна долгие годы из-за того, что убийцы ее сына не получили по заслугам. Я решил упокоить ее душу. — Он указал на портрет в траурной рамке, что стоял за стеклом стенки. — Вот он, мой дядя Валера, помнишь его?

— Смутно.

— Странно, с твоей-то феноменальной, как ты уверял, памятью забыть того, кто по твоей вине погиб?

— По моей?

— Правильнее будет сказать, и по твоей тоже. — Кен взял фотографию, протер ее. — Этот портрет стал падать каждую ночь ровно в двенадцать, начиная со дня бабушкиной смерти. А как я начал осуществление своего плана, прекратил. И свеча церковная, что горела возле бабушкиной фотографии, коптить перестала. А до этого пламя такое вытворяло! И дым его всегда к Валериному портрету тянулся. А еще бабушка снилась мне постоянно. Все плакала да по волосам меня гладила, как раньше, когда я маленьким был. Только тогда она успокаивалась. Она и отца прибрала к себе, потому что плохо ей было.

— Ты испугался, что за ними последуешь ты, и решил мстить за дядю?

— Нет, страха не было. Только желание упокоить ее душу.

— Я тебе не верю!

— Нет?

— Ты слишком нормален, чтоб замыслить убийство семи человек ради столь эфемерной цели.

— Так были же еще и практические. Отмщение — толчок. Даже не знаю, как тебе, технарю, объяснить. Есть такое понятие, как вдохновение!

— Я слышал, — с сарказмом проговорил Паша.

— Оно как дымка, понимаешь? Что-то витает в воздухе. Ухватишь это что-то — получишь идею. Нет — она ускользнет от тебя. Так и тут... Я ухватил! И понял: это мой шанс! — Кен уселся на кресло, закинул ногу на ногу. Жестом пригласил гостей последовать его примеру. Но Паша и Дина остались стоять. — Первое, мне было скучно и одиноко. Второе, я хотел кардинально изменить род деятельности. Банковское дело меня никогда не увлекало, просто я с ним неплохо справлялся. И тут... идея! Я понял, как должен действовать, чтобы упокоить бабушкину душу, развлечь себя, почувствовать с кем-то единение и найти себя в литературе. Написать роман, что станет бестселлером, на основе реальных событий... Событий, пережитых нами, друзья. Так что и вы, если подсуетитесь, получите свою долю славы.

— Обойдемся, — сухо произнес Паша. — Я понял про все, кроме одного. О единении с кем ты говорил?

— С Дельфией, конечно. Это единственный человек, который любил меня почти так же сильно, как бабушка. Она, кстати, походила на нее чем-то. Не внешне, нет. Суровостью, пронизывающим взглядом, мощнейшей энергетикой и глубоко запрятанной, но безграничной нежностью. Это меня и привлекло в ней. Я на самом деле был в ее магазине. Зашел за маслом. Она стояла за прилавком. Мы разговорились. Я подумал, что ей лет семьдесят. И сказал, что она очень похожа на женщину, которую я любил больше всех в своей жизни. Ей это понравилось. Она не знала, что я имею в виду бабушку. Фи-фи рассказала о своем диагнозе чуть позже. Думала, он меня отвратит от нее. А мне, наоборот, любопытно стало. До этого были у меня женщины с молодыми телами и душами старых шлюх. А тут все наоборот. Мы стали любовниками.

— Она тебе нравилась как женщина? — впервые заговорила Дина.

— Да, нравилась. Конечно, ее тело... Оно меня смущало первое время. Я все же не геронтофил. Но потом перестал замечать изъяны. Да, она мне нравилась. Но и только. Дельфия же в меня втюрилась. Что неудивительно, ведь я приложил к этому все усилия. К тому моменту я уже имел идею. И не только идею, а наброски плана. И понимал, что мне нужен сообщник, но такой, который умрет за меня. А ей умереть не страшно — ее дни сочтены.

— Сколько же ты потратил денег на осуществление своего плана?

— Много. Но я не мелочился. Усилий потратил больше. На одного тебя, Паша, сколько ушло. И мы не надеялись на успех. Ты скакал по всему миру, мы отслеживали твои передвижения только по открыткам, которые ты присылал матери и жене. Посылали телеграммы и письма, но они до тебя не доходили. Я уже хотел использовать твою дочь.

— А если бы не достали меня? — спросила Дина.

— Тебя бы достали в любом случае. Ты не Паша. Ты в России, и у тебя до сих пор не перерезана пуповина. Ты бы примчалась, узнай, что с одним из твоих родителей что-то случилось.

— А как вы отыскали Егора? Он прописан у родителей, а жил...

— Он человек известный, с ним было легче всего. Вы поймите, найти можно любого. Вопрос лишь в деньгах. Ну и во времени, конечно. Поэтому кому-то из вас пришлось посидеть на цепи в отдельной конуре. Так у меня получился спектакль в стиле саспенс. Я поставил его для себя, ты прав, Паша. Но его оценят и любители литературы, когда прочтут мой роман.

— Георгия убила Дельфия. А Егора ты?

— Да. Решил попробовать, чтобы понять, каково это, и с большим правдоподобием описать...

— И каково?

— Тяжело, скажу честно. Хотя Егора я даже за человека не считал, так, животное, причем самое примитивное. Но в глаза все равно смотреть жутко. Поэтому я ему лицо и закрыл платком.

— Но зачем ты вырезал на его животе эмблему секты? И как тебе это позволила Дельфия?

— О, она не знала. Я велел ей уйти. И, убив Егора, заклеймил его еще раз. Я понял, что мне пора избавляться от сообщницы. А еще пустить полицию по ложному следу. Я поэтому Дельфию втянул в это. Внушил Фи-фи мысль о том, что без ее помощи мы к Егору не подберемся. На самом же деле я просто хотел ее подставить. Она меня бесила.

— Ты убил Дельфию, чтобы все свалить на нее?

— Я только лишь кинул в ее имбирный напиток сильнодействующую сердечную таблетку. Вернее, три. Она могла бы выжить. Но ее слабый моторчик не выдержал, остановился. Когда я понял, что она не дышит, спустился вниз, хотел все обставить красиво. Разбросать амулеты, алтарь поставить, свечи зажечь. Будто в доме месса проходила, а Дельфию обрядить в мантию, но... Я не успел! Вы явились! Как же я испугался, знали бы вы...

— Но ты успел скрыться в дворницкой.

— Благо при себе имелись кое-какие вещи! Как я привязывал себя к стулу! И какое счастье, что он был в комнате! Тогда я решил, что с меня хватит. Это слишком тяжело. Да и крайне опасно. Так что вы, ребята, остались бы живы в любом случае... — Он, задумавшись, закатил свои голубые глаза. — Хотя... Не факт. Возможно, через несколько лет, когда фанаты замучили бы меня просьбами написать продолжение, я нашел бы вас. Ведь ваши герои... именно ваши... в моей книге остались в живых.

В дверь заколотили.

— Полиция, — сказал Паша.

— Что ж... Я готов встретиться с ее представителями.

Кен встал с кресла. Но перед тем как двинуться к двери, прикурил сигарету. Попыхивая ею, он прошел в прихожую и отпер замок.

Дверь распахнулась. Да так резко, что Кен едва не получил по носу.

В квартиру ворвались...

Нет, не мужчины-полицейские. А две женщины: Дарья и Наташа. Помощница Дельфии тут же накинулась на Кена. Наташа пыталась ее остановить. Но все зря. Высокая, мощная Даша стряхнула ее с себя, как котенка. Впрочем, и с рослым Кеном она справилась так же играючи. Когда он попытался ее ударить, пнула его в колено. Кен осел. Все происходило в таком бешеном темпе, что даже Паша, не жалующийся на быстроту реакции, не успел что-либо сделать.

Едва Кен оказался на коленях перед Дашей, она схватила его за волосы, запрокинула его голову и резанула по горлу ножом, выхваченным из кармана плаща.

— Это тебе за Фи-фи! Сдохни, тварь!

Из раны на шее брызнула кровь и... вылетело облачко дыма. Дине показалось, что это душа Кена покинула тело, но нет... Он был еще жив.

— Значит, я стану знаменитым после смерти, — просипел он. Кровь пузырилась на его шее и на губах. — Это я тоже допускал...

Затем его глаза закатились. Тело обмякло. Кен, как кукла, которую перестали держать, упал.

Сигарета, выпавшая изо рта, продолжала тлеть. И дым ее тянулся к портрету Валеры, стоявшему за стеклом стенки...

За окном раздался вой полицейской сирены.

Эпилог

Он стоял у стойки регистрации и смотрел на Дину, удаляющуюся от него. Она шла, опустив голову. Плакала! И сердце Паши разрывалось на части, когда он представлял ее лицо в слезах...

— Молодой человек, — услышал он женский голос, — регистрация заканчивается через пять минут!

Он обернулся. Служащая аэропорта, приятная женщина лет пятидесяти, смотрела на него и нетерпеливо постукивала пальцами по стойке.

Паша подал ей свой паспорт и распечатку электронного билета.

— Счастливого полета и мягкой посадки! — улыбнулась ему женщина, протянув посадочный талон.

— Спасибо...

Он закинул на плечо рюкзак и зашагал к паспортному контролю.

Когда дело закрыли, они с Диной поехали в Москву. Сразу по приезде она бросилась на поиски работы, а Паша начал заниматься оформлением шенгенской визы. У обоих все сложилось удачно. Дина нашла замечательное место. Паша получил нужную наклейку в загранпаспорте. Он сразу купил билет до Вены, о чем сообщил Дине.

— Надолго ты в Австрию?

— Не думаю, что задержусь дольше недели.

— Хорошо, я не успею соскучиться.

— Дин, я не знаю, когда вернусь.

— Но ты же сам сказал...

— Ты про Австрию спросила, я ответил. Но вообще я собираюсь минимум пару месяцев пробыть в Европе.

— Оу... — Дина сразу сникла. Будто она цветок, а его слова какие-то ядовитые химикаты.

— Я хотел позвать тебя с собой, но ты хотела одного — найти работу.

— Она мне нужна.

— Понимаю. Ты нормальная, в отличие от меня. Тебе нужна стабильность. Я не могу дать ее тебе.

— Дай то, что можешь.

— Одной моей любви тебе достаточно?

— Если без обязательств, то нет.

— Вот видишь... А их я тебе дать не могу. Ты знаешь мою историю и...

— Ничего больше не говори. Я все поняла. Уезжай.

— Ты хотя бы проводишь меня?

— Если ты этого хочешь.

Она хотела, чтобы он остался с ней, но поехала с ним в аэропорт. Надеялась, что он в последний момент передумает? Возможно...

Павел улетел в Вену. В полете не спал. Думал о Дине... А еще о Наташе и Лиде, и даже о Даше. Ей дали семь лет за убийство Кена. А сам он так и не прославился, даже после смерти. Его ноутбук и планшет были изъяты полицией, и во время их проверки произошли какие-то невероятные сетевые сбои, и все данные, записанные на жесткие диски, погибли.

Наташа стала главой секты, но не мужененавистниц. Она переименовала ее в секту Дельфиек. И звучит благозвучнее, и внимания лишнего не привлекает.

А Лида уехала жить на греческий остров Кос. С парнем по имени Дэн, с которым познакомилась в ночном клубе их городка. Он оказался известным блогером и основателем своего вебсайта. Когда Лида позвала его с собой в Грецию, единственное, о чем он спросил, хороший ли в ее доме вай-фай.

В первый же день своего пребывания на австрийской земле Паша отправил Дине открытку. С красивым видом и несколькими строчками на обороте. Такие же он отсылал ей из Германии, Бельгии, Франции. Ему понравились эти страны. Хотя дороги невероятно, но интересны.

Прошел месяц. Он приехал в Италию. Вот она, Флоренция. Он так мечтал о ней...

И вроде радостно оказаться в этом городе. Но почему-то и грустно.

Здесь так много народа: местных, туристов, эмигрантов. Жизнь бурлит, чуть не переливаясь через край. А он никак не может ощутить себя ее частичкой. Точно город нарисован на холсте, а он стоит перед картиной, всматривается в нее, а она все не оживает...

Паша хотел послать Дине очередную открытку, но вместо этого нашел телефон-автомат и позвонил.

— Привет, — сказал он, когда она взяла трубку.

— Ты где? — закричала она.

— Во Флоренции.

— Классно?

— Было бы классно, окажись ты рядом. Я не могу без тебя.

— И я без тебя. Как хорошо, что ты позвонил! Все это время я хотела к тебе, но не знала, куда лететь. Я визу сделала в Италию, как чувствовала.

— А как же твоя работа?

— Другую найду, — беспечно рассмеялась Дина.

— Хорошо, прилетай. Потом вместе вернемся в Москву. Будем искать работу.

Они еще долго болтали, пока у Паши не кончилась вся мелочь. Положив трубку, он сел за столик, заказал чашку капучино и посмотрел на город иными глазами...

Он ожил для него.

Нет, для них.

Оглавление

Литературно-художественное издание

НЕТ ЗАПРЕТНЫХ ТЕМ
Детективные романы О. Володарской

Ольга Володарская

КАЖДЫЙ ДЕНЬ КАК ПОСЛЕДНИЙ

Ответственный редактор *О. Рубис*
Редактор *Т. Семенова*
Художественный редактор *А. Дурасов*
Технический редактор *Г. Романова*
Компьютерная верстка *Г. Клочкова*
Корректор *Е. Родишевская*

В оформлении переплета использованы фотографии:
Lucky Luke, Wasu Watcharadachaphong, Elena Larina / Shutterstock. com
Используется по лицензии от Shutterstock.com
Maya23K / Istockphoto / Thinkstock / Fotobank.ru

ООО «Издательство «Эксмо»
123308, Москва, ул. Зорге, д. 1. Тел. 8 (495) 411-68-86, 8 (495) 956-39-21.
Home page: **www.eksmo.ru** E-mail: **info@eksmo.ru**

Өндіруші: «ЭКСМО» АҚБ Баспасы, 123308, Мәскеу, Ресей, Зорге көшесі, 1 үй.
Тел. 8 (495) 411-68-86, 8 (495) 956-39-21
Home page: www.eksmo.ru E-mail: info@eksmo.ru.
Тауар белгісі: «Эксмо»
Қазақстан Республикасында дистрибьютор және өнім бойынша
арыз-талаптарды қабылдаушының
өкілі «РДЦ-Алматы» ЖШС, Алматы қ., Домбровский көш., 3«а», литер Б, офис 1.
Тел.: 8 (727) 2 51 59 89,90,91,92, факс: 8 (727) 251 58 12 вн. 107; E-mail: RDC-Almaty@eksmo.kz
Өнімнің жарамдылық мерзімі шектелмеген.
Сертификация туралы ақпарат сайтта: www.eksmo.ru/certification

Сведения о подтверждении соответствия издания согласно законодательству РФ о техническом регулировании можно получить по адресу: http://eksmo.ru/certification/

Өндірген мемлекет: Ресей
Сертификация қарастырылмаған

Подписано в печать 15.01.2014. Формат 84x108 $^{1}/_{32}$.
Гарнитура «Балтика». Печать офсетная. Усл. печ. л. 16,8.
Тираж 12 500 экз. Заказ 5644.

Отпечатано с электронных носителей издательства.
ОАО "Тверской полиграфический комбинат". 170024, г. Тверь, пр-т Ленина, 5.
Телефон: (4822) 44-52-03, 44-50-34, Телефон/факс: (4822)44-42-15
Home page - www.tverpk.ru Электронная почта (E-mail) - sales@tverpk.ru

ISBN 978-5-699-70339-5

9 785699 703395 >